서울
리뷰 오브
북스

Seoul
Review of
Books
2023 겨울

12

이번 호 특집은 인공지능이다. 인공지능은 우리 시대의 가장 중요한 주제 중 하나다. 수많은 책들이 쏟아져 나오고 있다. 인공지능에 대해 정확하고 통찰력 있는 지식을 얻기 위해서 어떤 책을 읽어야 하는가? 이런 문제의식으로 관련 서적을 검토해 보았다.

박진호는 한국의 AI 기술과 산업의 현황에 정통한 하정우와 한상기의 『AI 전쟁』을 다루며 한국형 언어 모델에 대한 탐구를 주문한다. 전치형이 소개하는 캐슬린 리처드슨의 『로봇과 AI의 인류학』은 2003년에 시작한 로봇 실험실 현장 연구에 기초하여 로봇에 대한 신학적 질문(인간은 자신과 닮은 존재를 창조할 수 있는가)을 파고든다. 이상욱은 인공지능에 대한 철학적, 윤리적 문제를 포괄적으로 다루는 마크 코켈버그의 『AI 윤리에 대한 모든 것』을 소개한다. 저자가 활용하는 대륙 철학 대신 영미 철학을 통한 사고 실험과 대안적 독해 가능성을 제시한다.

김재인은 닉 보스트롬의 『슈퍼인텔리전스』가 제기한 '초지능'이라는 화두를 논의할 가치가 없는 비현실적 의제로 파악한다. 초지능 말고도 인공지능에 대해 시급히 숙고해야 할 문제들이 산적해 있다고 보는 것이다. 김지훈은 케이트 크로퍼드의 『AI 지도책』을 상세히 분석하며, 비판적 디지털 미디어 연구의 관점을 전면에 내세운다.

고인석은 이진경, 장병탁, 김재아의 『이진경×장병탁 선을 넘는 인공지능』을 소개한다. 인공지능에 대한 철학적 성찰을 대화 형식으로 펼치고 있다는 장점과 더불어, 이진경과 장병탁의 대화를 제3의 지점으로 끌어올리지는 못했다는 아쉬움을 지적한다. 권석준은 김재인의 『AI 빅뱅』의 시의성을 높게 평가하면서도 기술 문제에 대한 인문학의 한계를 지적한다. 창의성, 언어, 메타 인식의 문제를 둘러싼 저자와 서평자의 논쟁적 차이가 매우 흥미롭다.

　　JTBC에서 방영하는 〈싱어게인 3〉을 보고 있다. 볼 때마다 큰 감동을 느낀다. 어떤 노래는 며칠 동안 나를 온통 사로잡는다. 하긴 원래 그랬었다. 나는 노래에 약한 사람이다. 노래하는 인간의 몸짓, 목소리에 속절없이 흔들리곤 한다. 하지만 이 프로그램이 주는 감동은 조금 결이 다르다. 무명 가수들이 무대에서 보여 주는 집중, 마치 이번만 노래할 수 있다는 듯 모든 것을 쏟아 내는 그 집중, 작고 약한 숨결 하나에 쏟아진 정신의 집중이 나를 마구 흔든다. 노래를 경청하는 심사위원들의 눈빛도 아름답다. 노래 한 소절이 사람들 마음의 바닥에까지 환한 빛을 던진다. 세상의 악(惡)을 파괴하는 것은 도덕이나 법이나 이념이 아니라 저런 집중된 노래 한 자락이다. 저들이 노래하듯 나는 그렇게 글을 쓰고 있는지 자문한다.

　　책이 넘쳐나는 세상이다. 우리를 흔들고 깨워 일으킬 수 있는 그런 책을 만나는 것이 더 어려워지고 있다. 《서울리뷰오브북스》의 임무는 바로 그런 책을 소개하는 것이라 생각한다. 이번 호부터 권석준, 유정훈, 정우현, 정재완, 현시원 편집위원을 새로 모신 것도 그런 뜻에서다. 앞으로 훌륭한 서평을 새 편집위원들에게 기대하셔도 좋다. 독자 여러분께 《서울리뷰오브북스》와 함께해 주어 진심으로 감사하다는 말씀을 드린다. 내년에도 더 매서운 비판과 따뜻한 격려를 부탁드린다.

편집위원

김홍중

차례

북&메이커

리뷰

문학

AI 전쟁
한정우 안상기 지음
글로벌 인공지능 시대 한국의 미래
한빛비즈

"LLM이 제시하는 전망을 너무 장미빛으로만
그리기보다는 명암을 균형 있게 다룰 필요가 있다."

◀ 16쪽, 박진호 「한국의 AI 기술과 산업은 어디까지 와 있나」

로봇과 AI의 인류학
캘리포니아 외 지음 | 박충환 옮김
불완전함을 통해 본 인간, 기술, 문화의 얽힘
로봇

"로봇을 사랑하든 혐오하든,
이곳에서 인간과 로봇은
일로 만난 사이다.
이는 로봇인류학자에게
새로운 현장, 문헌, 질문을
제공한다."

▶ 30쪽, 전치형 「터미네이터와 막국수」

AI 윤리에 대한 모든 것
마크 코켈버그 지음 | 신상규 석기용 옮김
아카넷

"내가 보기에는 이런 '마음의 다양성'에 대한
긍정이 포스트휴머니즘의 출발점이다."

◀ 46-47쪽, 이상욱 「인간 중심적 관점에서 바라본 AI」

"초지능은 인공지능을 둘러싼
여러 문제 중에서 시급한 문제에
할애할 시간을 빼앗는 주제다."
◀ 51쪽, 김재인 「초지능이라는 가짜 문제」

"즉 생성형 AI는 기계학습
기반 모델들의 위상이
텍스트와 이미지를 산출하고
유통하는 미디어(media)로
확장되었음을 뜻한다."
▶ 75쪽, 김지훈 「인공지능을 미디어로 합성하기」

"만일 기계가,
완벽하게, 감정을
느끼는 것처럼
행동한다면,
그것의 '감정' 지위를
어떻게 평가해야
할까?"
◀ 89쪽, 고인석 「몸을 만들어 주면
인공지능에서 마음이 생겨날까?」

"혁신의 방향은
근본적으로 언어의
한계 돌파에 맞춰져
있지 않다."
▶ 108쪽, 권석준 「미학과 철학의
기준으로 재평가하는 생성형
인공지능의 운명」

슈퍼인텔리전스
닉 보스트롬
조성진 옮김

까치

AI
지도책
세계의
부와 권력을
재편하는
인공지능의
실체
케이트 크로퍼드
지음
노승영 옮김

ATLAS of AI

소소의책

AI 빅뱅
생성 인공지능과 인류의 미래

이진경 × 장병탁
설을 넘는 인공지능

"'숲의 관점'으로 세계를 보자.
인간과 비인간에 의한
세계 만들기의 궤적들을 따라가며
역사를 재발견하자."

▶ 171쪽, 조문영 「송이버섯 냄새를 맡자. 그다음은?」

"즉, 이 소설 전체의 사유 형식은
일종의 동사형이다. 말년의 하루키는
의외로 끊임없이 움직이고 유동하고
어디론가 이행하고 있는
이 세계의 풍경들을 그리고 있다."

▲ 190쪽, 김미정 「그는 무엇과 작별하는가」

"작가 이금이는 이 한 권의 책을 통해
'사진신부'라는 단어 뒤에 숨겨져 있는 도전과
용기와 모험, 그리고 애국의 정신을
독자 앞에 망라한다."

▶ 203쪽, 심채경 「하와이에 산다면 이런 비쯤 아무렇지 않게 맞아야 한다」

"경제적 이득 앞에서
도덕적 구분은
대중들에게 무슨 소구력이
있는 것일까?"

◀ 217쪽, 오지윤 「차가운 이성을 기대하며」

"부동산으로 성했건 망했건,
우리는 모두 이 단어에서
자유롭지 못하다."

▶ 233쪽, 강예린 「이상하고 평범한 부동산 DNA」

일러두기

1   《서울리뷰오브북스》에 수록된 서평은 직접 구매한 도서로 작성하는 것을 원칙으로 합니다.

2   《서울리뷰오브북스》에서 다루기 위해 선정된 도서와 필자 사이에 이해 충돌이 발생하는 경우,
    주석에서 이를 밝히는 것을 원칙으로 합니다.

3   단행본, 소설집, 시집, 논문집은 겹낫표 『 』, 신문 및 잡지와 음반은 겹화살괄호 《 》, 단편소설,
    논문, 신문기사 제목은 홑낫표 「 」, 영화, 음악, 팟캐스트, 미술작품은 홑화살괄호 〈 〉로 묶어
    표기했습니다.

4   아직 한국에 번역 출간되지 않은 도서를 다룰 경우에는 한국어로 번역한 가제와 원서 제목을
    병기했습니다.

인공지능, 어디까지 왔고 어디로 가는가

서울
리뷰 오브
북스

AI 전쟁

글로벌 인공지능 시대 한국의 미래

하정우
한상기
지음

한빛비즈

『AI 전쟁』
하정우·한상기 지음
한빛비즈, 2023

한국의 AI 기술과 산업은 어디까지 와 있나

박진호

최근 AI 붐을 타고서, 특히 챗GPT(ChatGPT)의 유행 이후 이 주제를 다루는 책이 봇물 터지듯 쏟아져 나오고 있다. 그런데 이들을 모두 읽을 수도 없고 그럴 필요도 없으므로 옥석을 잘 가려야 한다. 다른 데서는 쉽게 얻기 어려운 정보가 있다거나, 개성 있는 관점으로 사실들을 정리하면서 설득력 있게 견해를 덧붙였다거나 등등, 그 나름의 가치를 지닌 책을 잘 골라 읽을 필요가 있다. 하정우, 한상기의 『AI 전쟁』은 다른 책과는 차별되는 나름의 뚜렷한 특징이 있다는 점에서 일독의 가치가 있다.

대형 언어 모델이 가져온 충격

최근의 AI 기술 중 가장 주목을 받고 있는 것은 생성형 대형 언어 모델(Large Language Model, LLM)이다. 오픈AI(OpenAI)에서 개발한 GPT(Generative Pre-Trained Transformer)가 생성형 LLM으로서 일찍부터 이 분야 사람들 사이에서 주목을 받기는 했으나 GPT-1, GPT-2까지는 세상에 충격을 줄 정도는 아니었다. 언어 모델 학습을 위한 데이터 양을 늘리고 모델의 크기를 엄청나게 키운 GPT-3

부터는 생성되는 텍스트의 품질이 눈에 띄게 좋아져서 좀 더 많은 주목을 받게 되었다.

생성해 내는 글이 사람이 쓴 글과 구별하기 어려울 정도로 자연스러웠던 것도 대단한 일이지만, GPT-3는 이를 만든 사람들조차도 예상하지 못했던, 문맥 내 학습(in-context learning)이라는 창발적(emergent) 성질을 지니게 되었다. 이 언어 모델을 애초에 훈련시킬 때 시킨 적이 없는 과제라 할지라도, 과제를 설명한 지시문과 한두 개의 사례(입력-출력 쌍)를 주면 곧잘 수행할 수 있었던 것이다. 오픈 AI에서는 이 능력을 더 향상시키는 데 주력했다. 인간 피드백 기반 강화학습(Reinforcement Learning from Human Feedback, RLHF)이라는 기법을 이용하여, 사용자가 언어 모델에게 시킬 만한 과제 및 그에 대한 모범 답안을 만들어서 언어 모델에 학습시켰다. 이렇게 해서 탄생한 것이 챗GPT이다. 그리고 그 기반이 되는 모델이 GPT-3.5였는데, 지난 3월 GPT-4로 버전업되면서 성능이 더욱 향상되었다.

LLM 및 그 산업적 응용에 대한 경험

이런 LLM을 만드는 데는 엄청난 비용이 소요되고 상당한 기술력과 노하우를 필요로 한다. 그래서 챗GPT에 비견할 만한 고성능의 생성형 LLM을 만들 수 있는 곳이 전 세계에서 그리 많지 않다. 한국에서는 다섯 개 정도의 대기업에서 한국형 LLM을 만들었는데, 네이버의 하이퍼클로바 및 그것이 발전한 하이퍼클로바X가 가장 좋은 성능을 보이는 것으로 알려져 있다. 이 책의 저자인 하정우는 네이버에서 AI 관련 연구와 개발, 특히 최근에는 한국형 LLM을 개발하는 데 중추적인 역할을 했다. 따라서 한국에서 AI 신기술, 그중에서도 LLM과 관련하여 누구보다도 더 전문적이고 실전적인 경험을 들려줄 수 있는 위치에 있다.

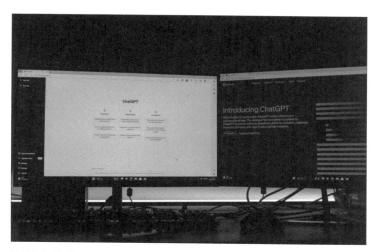

LLM에 기반한 챗GPT는 높은 텍스트의 품질로 많은 주목을 받았다.(출처: pexels.com)

　　AI와 관련한 대단한 기술을 가지고 있더라도, 이것이 산업과 연결되어 실제적인 제품이나 서비스로서 소비자들에게 유용한 일을 해줄 수 있어야 의의가 있을 것이다. 현재 생성형 LLM을 실제적인 제품 및 서비스와 가장 잘 결합시키고 있는 것은 마이크로소프트-오픈AI 연합일 것이다. 한국에서는 그 정도까지는 아니지만, 네이버가 AI를 다양한 서비스에 접맥시키고 있다. AI 기술 그 자체뿐 아니라 이것이 산업계의 다양한 서비스와 어떻게 결합될 수 있는지에 대해서도 하정우는 국내의 누구보다도 넓고 깊게 알고 있을 것이다. 게다가 정부의 각종 AI 관련 위원회에 참여하여 정부에 정책적 조언을 하고 있다. 이런 점에서 그의 생각은 한 회사의 의사 결정뿐 아니라 국가의 정책적 방향에도 영향력을 가지고 있다고 할 수 있다. 이 또한 그의 목소리에 귀를 기울일 필요가 있는 이유이다.

　　게다가 대담을 나눈 하정우와 한상기 둘 다 인공지능 연구로 박사학위를 받아서 이 분야의 역사와 기술 및 산업계 동향에도 밝다. 따라서 AI 기술 및 산업적 응용에 대해 풍문으로 듣고 어깨너머로 배운 사람들의 글을 읽을 때의 위험이 이 책에는 없다. 이 바닥에서 잔뼈가 굵고 이 바닥의 생리를 가장 잘 아는 사람들이 나눈 이야기라는 점에서 신뢰할 만하다.

LLM에 대한 심취 및 그로 인한 편향

그런데 지금까지 말한 이 책의 장점은 동시에 단점이 될 수도 있다. LLM이 대단한 성취를 한 것도 사실이고 현재 AI 관련 산업에서 가장 뜨거운 관심 대상인 것도 사실이지만, 이것이 AI의 전부는 아니다. 전부가 아닐뿐더러, AI를 실현하는 다양한 접근법 중에서 상당히 비효율적인 방식이라는 비판도 꽤 있다. 챗GPT나 하이퍼클로바 같은 LLM은 훈련 과정에서 엄청난 에너지와 전산 자원을 소모하며, 훈련을 마친 뒤 서비스할 때도 에너지와 전산 자원의 소모가 만만치 않다. 그 막대한 비용을 감당할 수 있는 회사는 많지 않다는 점에서 AI 기술과 산업을 소수가 독과점하는 길로 가는 촉매제가 될 우려가 있고, 에너지 소모가 막대하다는 점에서 환경에 대한 악영향도 크다. 이는 하정우도 이 책에서 인정하고 있다. 따라서 LLM이 제시하는 전망을 너무 장밋빛으로만 그리기보다는 명암을 균형 있게 다룰 필요가 있다. 그러나 하정우는 네이버의 LLM 개발을 주도한 당사자이기 때문에, LLM의 밝은 면만 강조되고 있다는 인상을 받는다. 그의 입장을 이해할 만하기는 하나, 이 책을 읽는 독자들은 이에 대해 경계심을 가질 필요도 있다.

　　LLM이 최근 거둔 성취는 AI로 할 수 있는 일들의 난이도를 평가할 때도 편향성을 낳은 것으로 보인다. 데이터에는 정형 데이터와 비정형 데이터가 있다. 테이블 형식의 데이터(tabular data)는 전자의 대표적인 예이다. 개체들이 행(row)으로 표시되고 변수들이 열(column)로 표시되어 사각형 모양의 테이블로 정리된 데이터는 엑셀 같은 스프레드시트 소프트웨어, R의 타이디버스(Tidyverse), 파이썬(Python)의 판다스(Pandas) 같은 기초적인 라이브러리로 쉽게 처리할 수 있다. 반면에 자연어 데이터는 후자의 대표적인 예이다. 일정한 포맷으로 된 것이 아니기 때문에 컴퓨터로 처리하기가 까다롭다. 그래서 프로그래머들은 정형 데이터는 손쉽게 다루는 반면에, 비정형 데이터는 다루기를 꺼리기도 하고 불가피하게 다룰 때에도 껄끄럽게 생각하는 일이 많다.

　　최근 LLM이 자연어 입력을 꽤 잘 다루게 되었으므로, 이에 대한 전문가들의 통념에 변화가 생기는 것도 이해할 만하기는 하다. 자연어 데이터에 대한 공포나 껄끄럽게 여기는 태도가 완화될 수 있는 것이다. 그렇기는 해도 정형 데이터에 비할 바는 아니다. 정형 데이터를 처리하는 방법은 아주 잘 확립되어 있고 오랜 시간 검증되었다. 반면에 자연어 데이터를 LLM에 넣으면 어떤 출력이 나올지 예측하기 어렵다. 요행히 훌륭한 아웃풋을 내놓으면 다행이지만, 윤리에 어긋나거나 어떤 문제가 있는 아웃풋을 내놓을 가능성을 배제할 수 없다. 챗봇 등의 서비스를 내놓고자 하는 회사에서 가장 염려하는 부분이기도 하다.

　　그런데 이 책은 LLM의 성취에 너무 크게 영향을 받았는지, AI가 적용될 수 있는 분야나 과제들에 대해 그 난이도를 평가하면서, 자연어 데이터를 다루는 일의 어려움을 과소평가하는 듯한 인상을 준다. 어떤 때는 심지어 정형 데이터보다 자연어 데이터가 더 다루기 쉽다는 식으로 생각하는 듯하다. 이 역시 이 책의 저자가 LLM을 개발하면서 쌓은 경험과 이룬 성취가 낳은 편향적 판단이 아닌가 싶다.

LLM의 한국(어) 특화

네이버에서 한국형 LLM을 개발한다고 했을 때, 이에 대해 비판적으로 바라보는 시각도 있었다. 미국의 빅테크 기업에서 내놓은 LLM은 훈련 시에 사용한 데이터 가운데 당연히 영어 데이터가 가장 큰 비중을 차지하고, 한국어 등의 기타 언어 데이터는 매우 작은 비중에 그쳤다. 따라서 프롬프트(인풋)를 영어로 넣었을 때 영어로 내놓는 아웃풋의 품질이 가장 좋다. 그렇기는 하지만 한국어로 질문했을 때도 상당히 괜찮은 한국어 대답을 내놓는다. 이는 그전의 연구에서도 이미 어느 정도 밝혀져 있었다. 예컨대 영어로만 10기가바이트의 훈련 데이터를 구성하여 언어 모델을 훈련시켰을 때에 비해, 영어 7기가바이트와 프랑스어 7기가바이트로 훈련 데이터를 구성하여 소위 다국어(multilingual) 언어 모델을 만들면 영어만 가지고 테스트해도 성능이 향상되었던 것이다. 이는 언어 모델이 프랑스어 데이터로부터 얻은 지식을 영어에도 전이시키기 때문인 것으로 추측된다. 따라서 다국어 데이터로 훈련시킨 챗GPT 같은 모델이 지금도 한국어를 꽤 잘 다루고 앞으로 데이터가 확충됨에 따라 점점 더 잘 다루게 될 것이기 때문에, 한국어에 특화된 언어 모델을 따로 만들 필요가 없다는 것이다.

　　그러나 이 책은 몇 가지 측면에서 그런 입장에 반대하고 한국형 언어 모델을 만들 필요를 역설하고 있다. 그중 하나는 토큰 수에서의 불이익이다. 언어 모델은 인풋으로 들어온 문장을 우선 토큰 단위로 쪼갠다. 토큰은 단어일 수도 있고 단어보다 작은 단위(예: 형태소)일 수도 있다. 영어는 띄어쓰기 그대로 단어 수와 토큰 수가 일치하거나 이 둘이 별 차이가 없는 경우가 많은데, 한국어는 체언과 조사를 쪼개야 하고 용언 어간과 어미를 쪼개야 하기 때문에 띄어쓰기 단위보다 토큰의 수가 한결 많아진다. 예컨대 영어 문장

'John loves Mary'를 넣으면 띄어쓰기 그대로 세 개의 토큰으로 쪼개는 데 비해, 한국어 문장 '철수는 영희를 사랑한다'를 넣으면 '철수, 는, 영희, 를, 사랑, 한, 다'처럼 일곱 개의 토큰으로 쪼개진다. 챗GPT 유료 버전을 사용할 때 요금은 인풋 텍스트 및 아웃풋 텍스트의 토큰 수만큼 부과된다. 이로 인해 동일한 내용을 질문하고 동일한 내용의 답변을 받았다 할지라도, 영어를 썼을 때에 비해 한국어를 쓰면 요금이 두 배 이상 부과되는 일이 흔히 있는 것이다. 챗GPT API를 사용하여 서비스를 하는 회사 입장에서는 이 추가 요금이 상당한 부담이 될 수 있다. 동일한 내용을 물었는데 단지 사용한 언어의 특징 때문에 요금을 훨씬 더 많이 물어야 한다는 것이 사용자 입장에서 공정하지 않다고 느껴질 수 있다.

영어에 비해 한국어의 토큰이 훨씬 많아지는 것은 두 언어의 성질이 다른 데서 연유하는 측면도 있지만, 챗GPT 같은 다국어 모델에서 한국어를 토큰화할 때 지나치게 잘게 쪼개기 때문이기도 하다. 또한 한글은 하나의 음절이 세 개의 자소(초성, 중성, 종성)로 이루어져 있어서 어떤 때에는 자소 사이에서 쪼개야 하는데(예: 집에 간=가+ㄴ, 집에 올=오+ㄹ) 챗GPT 같은 모델은 한글에 대한 지식이 없기 때문에 항상 음절 경계에서만 쪼갤 뿐 자소 사이에서 쪼갤 줄을 모른다.

구글이나 오픈AI 같은 세계적 기업은 많은 언어를 상대해야 하기 때문에 한국어/한글의 특수한 사정을 고려하기 어려운 것을 이해할 만하다. 반면에 네이버 같은 한국 기업은 한국에서 한국인을 상대로 한국어를 다루는 것이 주된 비즈니스 모델이므로 한국어/한글의 특수한 사정을 고려해서 언어 모델을 만들 필요가 있다. 그렇게 해야 한국어의 각 단어/형태소의 의미를 잘 반영할 수 있고, 토큰 수도 어느 정도 줄어들어 언어 모델의 처리 부담 및 요금을 줄일 수 있다. 네이버가 과거에는 이러한 사실을 충분히 고려하지 않는 것 같다는 불만이 있었는데, 최근에는 훨씬 더 심각하게 고려하고 있는 것 같아 다행이다. 이것이 한국인들의 애국심에 호소하기 위한 보여 주기 쇼에 그치지 않고, 정말 네이버의 언어 모델이 한국어/한글의 특성을 십분 고려하기를 바란다.

이 책에서는 언급하고 있지 않지만, 한국형 언어 모델을 만들어야 할 당위를 다른 데서도 찾을 수 있다. 챗GPT 같은 언어 모델은 한국의 문화, 역사 등 한국에 특화된 지식이 부족하기 때문이다. 짧막한 글을 주고서 그 글에 언급된 사건이 일어난 때를 묻는 질문을 던지면 챗GPT는 대체로 답을 잘한다. 예컨대 '김 대리는 오늘도 늦잠을 자서 헐레벌떡 회사로 달려갔다. 열심히 달린 덕분에 간신히 지각을 면했다.'라는 글을 주고서 '김 대리는 회사에 몇 시에 도착했습니까?'라고 물으면 9시경이라고 잘 대답한다. 그런데 '작년에 담근 김장 김치를 김치냉장고에 넣어 두었더니 아직도 싱싱하다.'라는 글을 주고서 '이 김치를 언제 담갔습니까?'라고 물으면, 작년 어느 때인지 정보가 불충분하여 정확하게 답할 수 없다는 답변을 내놓는다. 김장을 11월경에 한다는 한국 문화에 대한 지식을 가지고 있지 못한 것이다. 한국형 언어 모델은 이런 한국 문화에 대한 지식을 풍부하게 담고 있는 데이터로 학습을 시켜서 이런 질문에도 답을 잘할 수 있어야 할 것이다.

이 책에서 한국형 언어 모델을 개발해야 할 이유로서 강조하고 있는 것은 타국에 대한 기술 종속성을 피해야 한다는 것이다. 현재 챗GPT 정도의 LLM을 만들 수 있는 나라가 많지 않고 그 기술 격차가 더 커질 전망인데, 한국이 독자적인 LLM을 만들지 않고 선진국의 LLM에 의존하는 식으로 가게 되면, 이러한 기술 종속성은 언어 모델에 그치는 것이 아니라 LLM을 통해 펼쳐질 수

많은 비즈니스에도 파급될 것이기 때문에 이는 국가적으로 매우 중요한 사안이라는 것이다. 이 책의 진단과 전망이 정확하다면 일리가 있는 주장일 수 있는데, 앞서 말했듯이 이 책이 LLM의 중요성을 너무 강조하고 그 어두운 면을 경시하는 측면도 있기 때문에, 이 주장 역시 약간은 경계심을 갖고서 더 깊이 생각해 볼 필요가 있다.

AI 기술과 산업에 대한 무난한(?) 진단과 전망

앞서 말했듯이 이 책의 두 대담자 모두 AI 기술과 관련 산업의 동향에 매우 밝은 사람이기 때문에, 이 책에 나오는 내용은 현실을 상당히 정확하게 반영하고 있다. 이 분야에 대해 잘 아는 사람이 읽어도 무리스럽다고 느껴지는 부분은 별로 없을 듯하다. 다만 하정우가 네이버에 몸담고 있고 네이버의 AI 관련 연구와 개발의 핵심적 인물이기 때문에, 네이버라는 한 회사의 관점이 이 책에 매우 짙게 영향을 미치고 있는 것은 명심할 필요가 있다. 이는 뜬구름 잡는 이야기나 세간에 떠도는 풍문이 아니라 특정 회사에서 이루어져 온 일들에 대한 구체적인 이야기를 들려준다는 점에서 장점이라고 할 수도 있고, 특정 회사의 관점에 치우쳐 있다는 점에서 단점일 수도 있다.

그리고 하정우는 최근 강연, SNS 등의 대외 활동을 매우 활발하게 하고 있기 때문에, 이 책에 나오는 내용 중 상당 부분은 다른 자리에서 이야기한 것일 가능성이 높다. 그래서 이 분야에 대해 잘 아는 사람, 특히 네이버의 AI 관련 행보를 눈여겨보아 온 사람이 이 책을 읽으면 '너무 싱겁다. 내가 이미 알고 있는 내용이네' 같은 느낌을 받을 수도 있다. 그런데 이미 잘 아는 사람이 보면 싱거울 수 있다는 것은 대부분의 책이 그럴 것이다. 그 분야를 이미 잘 아는 사람이 읽어도 참 재미있고 유익한 책도 가끔은 있는데, 이 책은 그런 경지에까지 이르렀다고 하기는 어려울 듯하다. 반면에 AI 관련 최신 기술 및 산업계 동향에 대해 전문가라고 하기는 어렵지만 좀 알고 싶은 사람에게는 꽤 유익한 길잡이가 될 수 있을 듯하다.

　　우리는 한두 개의 특정 회사가 국가 경제에 큰 영향을 미칠 수 있음을 반도체 산업에서 경험해 왔다. LLM을 중심으로 한 생성형 AI 산업도 그와 비슷한 방향으로 전개되고 있고, 한국에서는 네이버가 그 중심적인 자리에 있다. 보다 많은 사람들이 네이버 등의 AI 관련 행보에 주목해야 할 것이고, 응원뿐 아니라 (필요할 때는) 쓴소리도 해야 할 것이다. 이 책에 대한 비판적 독서가 그 첫걸음이 될 수 있다. **서리북**

박진호
본지 편집위원. 언어학자. 서울대학교에서 가르치고 있다. 공저로 『한국어 통사론의 현상과 이론』, 『현대한국어 동사구문사전』, 『인문학을 위한 컴퓨터』 등이 있다.

📖 마이크로소프트의 최고 법률 책임자와 커뮤니케이션 담당자가 AI를 포함한 IT 기술의 발전을 조망한 책이다. AI 기술과 관련하여 고려해야 할 사안들을 폭넓게 다루고 있어, 이에 대한 시야를 넓히는 데 도움이 된다. 특히 기술의 사회적 영향, 기술을 사회적으로 통제해야 할 필요를 강조하고 있다.

"이들 이슈는 어느 한 개인이나 기업, 업계, 심지어 기술 자체보다 큰 문제이다. 민주적 자유와 인권이라는 기본적 가치와도 연관되어 있다. IT 업계는 바로 민주적 자유에 힘입어 탄생했고 성장했다. 우리는 우리나 우리 제품들이 무대에서 사라지고 난 한참 후까지도 자유와 인권의 가치가 살아남고 번창하게 만들어야 할 책임이 있다. (……) 가장 큰 위험은 전 세계가 너무 적은 조치를 취하는 것이다. 우리의 문제는 정부가 너무 빨리 움직이는 것이 아니다. 문제는 정부가 너무 느리지 않을까 하는 점이다. 기술 혁신이 느려지는 일은 없을 것이다. 기술을 관리하기 위한 노력이 속도를 내야 한다." — 책 속에서

『기술의 시대』
브래드 스미스·
캐럴 앤 브라운 지음
이지연 옮김
한빛비즈, 2021

📖 생성형 AI가 제기하는 이슈들을 지능, 의식, 예술, 창의성, 언어 능력 등의 주제를 중심으로 다루었다. 철학적이고 근원적인 문제들뿐 아니라 '챗GPT를 영리하게 사용하는 방법' 같은 실용적인 주제도 포함되어 있다.

"알파고 이후 챗GPT의 등장으로 다시 한번 인공지능이 인류에 큰 충격을 선사했다. 상대가 의식을 가진 존재인지 평가하는 튜링 테스트를 우습게 통과할 정도로 무서운 성능을 자랑하는 생성 AI는 텍스트를 넘어 이미지, 음악, 영상 등 다양한 분야로 뻗어나가며 우리 삶 곳곳에 스며들고 있다. 다양한 영역에서 인간을 대체할 것이라는 공포와 함께 인간의 고유한 특성으로 여겨지던 창의성과 일반 지능에 대한 질문들이 이어지고 있다. 더불어 기계가 인간과 같이 의식을 갖게 되는 특이점이 가까이 온 것은 아닌지 기대와 우려의 목소리도 커지고 있다." — 책 속에서

《스켑틱 34: 생성 AI의 시대》
스켑틱 협회 편집부 엮음
바다출판사, 2023

로봇과 AI의 인류학

An Anthropology
of Robots
and AI

Kathleen
Richardson

절멸불안을 통해 본
인간, 기술, 문화의 맞물림

캐슬린 리처드슨 지음
박충환 옮김

『로봇과 AI의 인류학』
캐슬린 리처드슨 지음, 박충환 옮김
눌민, 2023

터미네이터와 막국수:
일하는 로봇의 인류학을 위하여

전치형

로봇을 만났다

가끔 들르는 강원도 어느 동네 막국숫집은 몇 년 전부터 서빙 로봇을 들여놓았다. 서빙 로봇이 다닐 수 있는 경로를 마련하느라 테이블 배치가 바뀌었고 천장에는 로봇이 인식하는 표지가 가득 붙었다. 옆 테이블에서 의자 하나를 끌어와서 한 테이블에 다섯 명이 앉는 일은 이제 할 수 없게 되었다. 로봇이 다니는 길을 막으면 안 되기 때문이다. 방송에 소개된 유명 음식점도 아니고 주방에서 가장 먼 테이블까지 10미터 남짓인 공간인데 굳이 로봇이 필요할지 싶었다. 사장님이 서빙 로봇 회사의 달콤한 홍보에 넘어가서 도입했겠지만, 머지않아 손님들이 불편을 호소할 것이고, 또 로봇의 서빙 실력도 신통치 않다는 사실이 드러나면 곧 사라지겠거니 했다. 서빙 실력이라고 할 만한 것도 별로 없는 것이, 로봇은 음식을 테이블 앞까지 운반하는 일만 할 뿐 테이블에 올려놓는 일은 손님에게 떠넘기는 시스템 아닌가. 젊은이들이 주요 고객이 아닌 매장에서 이런 시스템이 오래 갈 수 없으리라 생각했다. 비슷한 시기에 비슷한 로봇을 도입한 대도시 식당에서 로봇의 활동 수명이 얼마되지 않음을 목격하기도 했다.

예상은 틀렸다. 한 해, 두 해가 지나도 로봇은 서빙을 계속했다. 여기서 이게 된다고? 아니, 여기라서 되는 건가? 최근 사장님은 음식 주문을 각 테이블에 놓인 태블릿 컴퓨터로 하는 시스템도 도입했다. 물막국수, 비빔막국수, 메밀전 등 메뉴를 모두 합해도 열 가지가 안 되는 식당에서 이런 것까지 필요한가? 어쨌든 겉보기에는 한적한 동네 막국숫집 내부에서 손님들은 태블릿으로 주문하고 로봇이 나르는 음식을 받는 첨단 시스템에 차차 적응하는 것처럼 보였다. 대도시에서도 좀처럼 성공하기 어려운 로봇 실험이 산동네 작은 식당에서 정착하고 있었다. 사장님 인터뷰라도 시도해봐야 할까? 정식 직원이든 아르바이트생이든 막국수 주문받고 나를 사람을 구하는 게 그렇게 어려운가요? 농사일 바쁜 철에 인근 밭에서 일할 사람을 구하는 것과 비교하면 어떤가요? 우연히 들른 관광객 손님이야 상관없다 하더라도, 동네 주민 손님들은 로봇 싫어하지 않나요? 메뉴가 뜨거운 설렁탕이 아니라 시원한 막국수라는 사실이 로봇의 안정적 활용에 영향을 미쳤을까요? 막국숫집 단골은 이렇게 로봇인류학에 입문하게 된다.

인류학자가 MIT로 간 까닭은

『로봇과 AI의 인류학』을 쓴 캐슬린 리처드슨(Kathleen Richardson)은 이미 20년 전에 로봇인류학을 시도했다. 영문판은 2015년에, 한국어 번역본은 2023년에 나왔지만, 그가 책에서 활용하고 있는 로봇인류학 현장 연구는 2003년에 시작됐다. 리처드슨이 찾아간 현장은 매사추세츠 공과대학(MIT)이다. 이미 수십 년 전부터 MIT는 테크노컬처(기술+문화)를 연구하는 사회학자, 심리학자, 인류학자들이 즐겨 찾는 현장이었다. 컴퓨터, 로봇, 인공지능 등 첨단 기술을 둘러싼 사회문화적 쟁점을 연구하는 학자들은 왜 하필이면

MIT에서 그런 연구를 하는지 굳이 해명할 필요가 없었다. 한마디로 대표성이 있는 공간이었다. 셰리 터클(Sherry Turkle)이 1980년대 컴퓨터과학자들의 문화를 연구했을 때도(『제2의 자아(The Second Self)』), 2000년대 로봇 문화를 연구했을 때도(『외로워지는 사람들』), MIT 교수가 MIT 교수와 학생들을 관찰하고 인터뷰하는 건 너무 게으른 것 아니냐는 질문을 받을 일이 없었다. 디지털 기술 분야에서 선도적이고 중요하고 흥미로운 일들이 거기서 벌어지고 있다고 누구나 인정했기 때문이다. 리처드슨이 터클과 비슷한 시기에 MIT의 로봇 연구 그룹을 찾아간 것도 별 설명이 필요하지 않은 결정이었을 것이다. 아직 다른 곳에서는 볼 수 없었던 로봇과 하지 않았던 질문이 함께 생겨나는 현장을 찾아가는 것은 인류학자에게 자연스러운 선택이었다.

　　리처드슨은 우리가 로봇을 논할 때 주로 끌어들이는 '신학적' 질문(인간은 자신과 닮은 존재를 창조할 수 있는가)과 '경제학적' 질문(로봇이라는 도구로 어떤 일을 어떻게 할 것인가) 중 전자에 주목한다.* 리처드슨이 관찰한 MIT의 로봇들은 인간을 위해 구체적인 임무를 수행하기보다는 인간과 유사한 형태로 존재하는 것 자체를 목적으로 한다. 그에 더해 어색하게나마 인간과 관계를 맺을 수 있다면 큰 성공이다. 인간이 자신을 본떠 만든 존재가 인간과 구별할 수 없을 정도가 되고, 그런 존재들과 인간 사이의 '상호작용'이 '사회적인 것'을 소멸시킬 수 있다는 불안이 MIT 로봇학자들로 향하는 리처드슨의 시선을 인도한다. 로봇이 불러일으키는 "절멸불안"(22쪽)의 실체를 규명하기 위해 리처드슨은 신체와 마음의 분리(2장), 부모

---

* Daniel Mendelsohn, "The Robots Are Winning!", *New York Review of Books*, June 4, 2015.

와 아이의 애착(3장), 젠더와 사회성(4장), 결핍, 트라우마, 장애(5장)라는 렌즈를 통해 로봇과 로봇의 창조자들을 관찰한다. 비로봇을 다루는 기존의 인류학, 사회학, 심리학, 철학에서 오랫동안 탐구해 온 주제들을 검토하면서 리처드슨은 MIT의 너드들이 만드는 로봇을 이해하려 시도한다.

　　로봇에 관한 신학적 내러티브를 끌어오는 작업에 SF 영화가 빠질 수 없다. 리처드슨은 책의 모든 장에서 SF 영화를 인용하며 논의를 시작한다. SF 영화가 생산성, 분업 등 로봇에 관한 경제학적 내러티브에 큰 관심을 둘 것을 기대하기는 어렵다. 리처드슨은 〈2001: 스페이스 오디세이〉, 〈블레이드 러너〉, 〈A.I.〉, 〈터미네이터〉, 〈메트로폴리스〉 등 로봇이나 인공지능이 등장하는 유명 영화들이 제기했던 신학적 질문을 MIT의 로봇학자들을 향해 던진다. 리처드슨은 지난 수십 년간 로봇 영화를 통해 널리 퍼진 질문들이 실제 로봇학자들의 작업에도 영향을 미친다고 가정한다. 실제로 특정 영화나 애니메이션에서 영감을 받아 로봇 연구를 하게 되었다고 고백하는 로봇학자도 적지 않다. 그래서 리처드슨은 각 장의 주제와 관련된 영화를 소개하며 질문을 던지고, 그 질문을 다룬 인문학, 사회과학 연구를 리뷰하고, MIT라는 현장에서 자신이 보고 들은 것을 가지고 질문에 대한 답을 시도한다. 영화와 기존 연구와 MIT가 긴밀하게 연결되면 좋겠지만, 리처드슨이 만드는 연결이 항상 성공적인 것은 아니다.

존재하는 로봇에서 노동하는 로봇으로

로봇인류학의 관점에서 볼 때 2003년과 2023년, 미국 동부 MIT와 강원도 막국숫집 사이에 꽤 많은 변화가 있었다. 우선 실험실에 머물러 있던 로봇들이 식당으로, 쇼핑몰로, 공항으로, 병원으로 나

식당에서 상용화되고 있는 서빙 로봇.(출처: 위키피디아)

왔다. 2003년에 MIT 실험실에 있던 것들이 발전해서 밖으로 나온 것은 아니지만, 사람들이 지나가다가 눈에 띄면 말도 걸고, 만져 보고, 이런저런 일도 시켜 보는 정도의 상호작용을 기대할 수 있는 로봇이 여럿 나왔다. 실험실에서 열 명, 스무 명 대상으로, 그것도 주로 대학 캠퍼스에서 학생들을 섭외해서 인간과 로봇의 상호작용을 연구하는 정도가 아니라, 주말에 등산 가는 길에 막국수 먹으러 들른 단체 손님들, 배경과 성향을 예측할 수 없는 사람들을 대상으로 서비스를 제공하는 로봇들이 여러 곳에서 돌아다니고 있다. 자신을 로봇의 아빠나 엄마로 생각하는 공학자들 외에도 로봇과 접촉하고 로봇의 행동에 의미를 부여하는 다양한 사람들이 생겼다. 로봇학자는 여전히 로봇인류학의 주요 연구 대상이지만, 로봇인류학자가 찾아가서 만나고 이해해야 할 대상은 훨씬 넓어졌다. 막국숫집 사장님도 서빙 로봇의 아빠일 수 있다.

　　로봇 현장이라고 부를 만한 곳이 많지 않았던 때 MIT에서 현장 연구를 시도한 리처드슨이 신학적 질문에 이끌렸다면, 2023년 강원도의 막국숫집에 들어가는 로봇인류학자는 로봇을 둘러싼 경제학적 질문을 회피할 수 없다. 2003년 MIT에 있던 로봇의 주요 임무는 '존재'였지만 2023년 강원도 막국숫집에 있는 로봇은 '일'을 해야 한다. 당연히 막국숫집 로봇에 대해서도 우리는 신학적 질문을 던질 수 있겠지만, 이때 로봇의 존재 양식은 로봇이 하는 일을 통해 규명되어야 한다. 리처드슨이 천착했던 "절멸불안"과 같은 문제가 시효를 다했다는 말은 아니다. 앞으로도 로봇인류학 연구는 그 질문에서 벗어날 수 없을 것이다. 다만 비교적 자유로운 상상을 허락했던 MIT 실험실에 비해 강원도의 막국숫집은 엄격한 시공간적 범위와 행동 규칙을 로봇에 부여한다. 로봇을 사랑하든 혐오하든, 이곳에서 인간과 로봇은 일로 만난 사이다. 이는 로봇인류학자에게 새로운 현장, 문헌, 질문을 제공한다.

　　로봇인류학의 관심을 존재하는 로봇에서 일하는 로봇(노동봇)으로 확장하면 로봇에 관한 논의가 영화를 인용하는 것에서 출발해야 한다는 관행에서도 벗어날 수 있다. 로봇이 특별하게 준비된 상황에서만 인간과 대면했던 때에 로봇인류학을 하려면 영화를 참조하지 않을 수 없었다. 로봇에 관한 온갖 질문, 갈등, 딜레마가 거기에 있기 때문이다. 로봇학자들도 대중에게 보여 줄 만큼 인간을 똑같이 닮은 로봇이 없을 때 영화 속 로봇 이미지를 활용하여 자신의 연구를 홍보하고는 했다. 영화 속 로봇이 곧 현실에 등장할 것처럼 소개하면서 인간과 로봇의 공존에 관한 철학적 논의에 열심히 참여했다. 영화는 현실의 어설픈 로봇을 미래의 화려한 로봇으로 탈바꿈시키는 통로였으므로 로봇인류학도 영화를 거쳐야 했다. 그러나 노동봇을 따라다니는 인류학자는 굳이 의무감으로 영화를 인용할 필요를 느끼지 못한다. 인류학자는 로봇이 인간을 빼

닮았는지, 로봇이 인간을 배신할지, 로봇이 인간을 절멸시킬지 영화를 통해 묻는 대신 노동의 현장에서 로봇(과 인간)의 일거수일투족을 관찰하기에도 바쁘다.

　몇 년 전부터 나는 로봇과 인공지능 연구자들이 대중을 상대로 강연할 때 영화 〈그녀〉나 〈엑스 마키나〉를 인용하는 것을 금지해야 한다고 생각했다(공개적으로 제안하지는 않았다). 로봇 영화를 인용하면 할수록 현실의 로봇에 대한 현실적인 토론을 가로막는 효과를 내기 때문이었다. 영화에는 인간을 닮은 피조물로서 존재하는 로봇이 노동하는 로봇보다 압도적으로 많았다. 그동안 세상에 나와 일하는 로봇이 늘어나면서 이제 영화를 인용하지 않고도 로봇에 대한 글을 쓸 수 있을 정도가 됐다. 구체적인 환경에서 임무를 수행하는 로봇, 좋든 싫든 사람들 사이에서 실제로 동작하는 로봇을 관찰하는 것만으로도 로봇 강의나 로봇 에세이를 채울 수 있다. 로봇의 자율성이나 그 한계에 관해 영화 시나리오 못지않게 좋은 질문을 던지는 실제 사례도 여럿 찾을 수 있다. 또 MIT와 할리우드가 대표하는 미국적 맥락의 로봇 개발과 활용에 영향을 받으면서도 한국, 일본 등 각 지역의 문화적, 산업적, 제도적 환경에서 등장하는 로봇을 분석하는 인류학적 작업도 활발하게 시도되고 있다. 이런 연구에서 〈블레이드 러너〉, 〈터미네이터〉, 〈A.I.〉, 〈아이, 로봇〉 같은 영화는 유용한 배경지식을 제공할 수 있지만 연구의 문제의식을 설정하는 데 핵심적 역할을 하지는 않는다. 리처드슨이 1장에서 카렐 차페크의 희곡 『R. U. R.: 로줌 유니버설 로봇』을 통해 보여 주었듯이 픽션은 로봇과 로봇인류학이 등장할 수 있었던 중요한 바탕이지만, 그 관계가 예전처럼 긴밀하지는 않다.

　리처드슨이 MIT의 로봇 연구 그룹에서 발견한 가장 흥미로운 사실도 영화에서 보던 로봇들이 거기에 없다는 것이었다. MIT

의 로봇들은 인간과 흡사한 신체 구조를 가지고서 인간과 흡사하게 말하거나 움직이지 않았다. 이는 로봇학자들의 필요와 여건에 따른 선택의 결과였다.

> 로봇학자들은 인간의 평균적인 손보다 크거나 갈고리 같은 손가락을 가진 손, 코나 입이 없는 얼굴, 얼굴이 없는 눈, 목이 없는 머리, 몸통은 있지만 팔은 하나만 있는 로봇, 소리를 통해 커뮤니케이션이 가능한 발화 시스템은 갖추었으나 감각은 없는 로봇을 만든다. 로봇은 인간을 모사해서 설계되지만 평균적인 인간과 매우 다르게 보이고 다르게 행동한다.(232-233쪽)

연구자들은 "하나의 '전체'"로 존재하는 로봇을 만들기 위해 서로 협력하는 것이 아니라 각자의 목적에 맞는 신체 부위와 기능을 가진 로봇을 만드는 데 집중하며, 그러므로 로봇의 신체는 영화에서와 달리 "분할되고 해체되며 장애화"되고 있었다.(235쪽) 이 로봇들은 이미 신학적인 질문만이 아니라 경제학적인 질문에 대한 답이었다. 로봇학자 대부분은 영화에서처럼 인간과 로봇이 구별되지 않는 상태를 최종 목표로 삼지 않는다. 로봇학자도 로봇도 모두 각자의 사정이 있다는 사실을 이해하는 것이 로봇인류학의 첫걸음이다.

이런 관점에서 생각하면, 영화에나 나올 것 같은 로봇을 놀랍도록 정교하게 만드는 로봇학자들은 로봇인류학에서 과대 대표되고 있다. 분할된 신체를 가진 로봇이 아니라 한 개인의 외양, 특히 로봇학자 자신을 꼭 닮은 로봇을 만드는 이시구로 히로시(石黒浩) 같은 사람은 20년 가까이 로봇인류학자들의 지대한 관심을 받는다. 2018년 한국을 방문하여 한복을 입고 정치인과 대담해서 관심을 끌었던 '소피아' 같은 로봇도 그런 사례다. 인간을 위해 일하는 것이 아니라 인간 옆에 존재하기 위해 탄생한 로봇이다. 이런 로봇과 로봇학자들을 보면 리처드슨이 시도한 것처럼 "로봇과 로봇학자의 상호연관성"(243쪽)을 살펴보고 싶은 마음이 생긴다. "로봇학자들은 기계를 제작하면서 사용한 모델이 자신의 개인적 문제와 흔히 연결되어 있다는 사실을 인식하지 못한다."(244쪽) 그들은 어떤 사람들이길래 이런 로봇을 만드는 것일까. 무엇을 욕망하고 무엇을 두려워하는 것일까. 리처드슨을 로봇인류학으로 이끈 것은 이런 질문들이다.

막국수와 로봇인류학

다시 강원도 막국숫집으로 돌아가 보자. 리처드슨이 MIT를 찾아간 이후 지난 20년 동안 로봇인류학이 던지는 질문은 더 다양하고 구체적인 방향으로 발전했다. 새로운 로봇, 특히 노동봇이 곳곳에 등장하면서 로봇인류학자가 따라다녀야 하는 사람(과 로봇)의 범위가 계속 넓어지고 있다.* MIT의 로봇학자뿐만 아니라 막국숫집 사장과 직원도 이 세계에 로봇이 등장하고 작동하는 데 영향을 미치는 중요한 행위자다. 리처드슨의 로봇인류학은 로봇과 로봇의 창조자를 통해 인간이란 무엇인지, 인류는 살아남을 것인지, 인간과 로봇의 경계는 흐려질 것인지에 관한 거창한 질문을 던졌다. 현실 세계의 로봇은 많지 않고 로봇 대부분이 픽션 속에 있던 시기였기 때문일 것이다. 오늘날 막국숫집에 들어가는 로봇인류학자는 식당 서빙이란 도대체 어떤 일이고 누가 하는 일인지, 식당 손님과

* 한국에서 로봇이 등장하여 활동하는 현장이 궁금한 독자는 로봇 비평가 신희선의 《한겨레》 연재물 '신희선의 로봇 비평'(2022-2023)을 참조할 수 있다.

직원과 로봇의 관계는 어떻게 설정되는지 물을 수 있다. 식당 직원 한 사람의 신체가 막국수 주문을 받는 태블릿과 막국수를 운반하는 로봇으로 분할되는 과정을 고찰할 수도 있다. 물론 막국숫집 사장님이 무엇을 욕망하고 무엇을 두려워하는지도 궁금하다. 거창하지는 않아도 설명이 필요한 현실의 질문들이다.

막국숫집의 로봇은 대체로 맡은 일을 잘 해낸다. 주문받는 태블릿 컴퓨터도 그렇다. 하지만 손님으로 가장한 로봇인류학자는 때때로 로봇-태블릿-인간 네트워크의 특성을 자세히 파악해서 행동해야 한다. 가령 막국수에서 오이를 빼달라고 할 때가 그렇다. 태블릿에는 오이를 빼는 버튼이 없다. 로봇은 자신이 나르는 막국수에 오이가 있는지 없는지 전혀 신경을 쓰지 않으니 도움이 못 된다. 태블릿과 로봇이 합작으로 식당 종업원 역할을 하려다가 주요 기능 하나를 빠뜨린 셈이다. 그렇다면 태블릿으로 막국수 주문을 넣은 후 사장님께 직접 얘기해야 한다. 비빔막국수 하나에는 오이를 빼주세요. 때로는 사장님이 그 요청을 주방으로 전달하는 것을 잊기도 한다. 그런 사태에 대비하려면 주방 입구로 가서 막국수를 담는 분께 따로 얘기할 필요도 있다. 거기 지금 담으시는 비빔막국수에 오이는 올리지 마세요. 마침내 로봇이 오이 뺀 비빔막국수를 무사히 테이블로 가져올 때, 로봇인류학자는 인간과 로봇이 공존하고 협력하는 미래를 2023년 강원도에서 엿본 것만 같다. 서리북

전치형

카이스트 과학기술정책대학원 교수. 과학 잡지 《에피》 편집주간. 과학기술사회론(Science, Technology & Society)을 공부한다. 지은 책으로 『사람의 자리』, 『로봇의 자리』, 『미래는 오지 않는다』(공저), 『호흡공동체』(공저) 등이 있다.

📖 '로봇'이라는 단어를 처음 세상으로 들여온 카렐 차페크의 희곡. 초연 이후 100년 이상 지났지만 지금도 로봇에 관해 고민하는 이들이 가장 먼저 들춰 보아야 할 텍스트다.

"아닙니다. 가장 저렴한 일꾼입니다. 가장 손이 덜 가는 일꾼이죠. 로줌 주니어는 가장 손이 덜 가는 일꾼을 발명했습니다. 그걸 간단하게 만들어야 했죠. 일에 직접적으로 필요하지 않은 건 모두 제거해 버렸습니다. 그렇게 함으로써 사실은 인간을 내던지고 로봇을 만든 겁니다. 존경하는 글로리오바 양, 로봇은 인간이 아닙니다. 로봇은 기계적으로 우리보다 더 완벽하고 명석한 사고력을 가졌지만 영혼은 없습니다. 오! 글로리오바 양, 공학자의 생산품은 자연의 생산품보다 기술적으로 더 정교한 것입니다." — 책 속에서

『R. U. R.』
카렐 차페크 지음
유선비 옮김
이음, 2020

📖 과학기술인류학자 이강원이 로봇과 인공지능에 관해 쓴 논문과 에세이를 엮었다. 일본 안드로이드 로봇이 등장하는 실험실과 무대를 탐구하는 인류학자의 섬세한 관찰과 깊은 사유를 배울 수 있다.

"그래서 인조인간은 인간다움의 경계를 움직이게 한다. 진짜를 기준으로 두고 가짜를 구별해 내는 전통적인 방법과 달리, 가짜가 정교해지면서 진짜의 기준이 변형·생성된다. 인조인간의 등장으로 인간다움의 기준은 다시 규정되고 있다. 그러므로 가짜 인간인 인조인간은 진짜 인간의 부산물이 아니라, 인간다움의 의미를 재구성하는 계기이다." — 책 속에서

『골짜기를 건너는 로봇』
이강원 지음
학고방, 2022

AI 윤리에 대한 모든 것

마크 코켈버그 지음 ― 신상규 · 석기용 옮김

AI
Ethics

모든 것

아카넷

『AI 윤리에 대한 모든 것』
마크 코켈버그 지음, 신상규·석기용 옮김
아카넷, 2023

인간 중심적 관점에서 바라본 AI:
유럽 철학의 관점에서 정리한 AI 윤리 입문서

이상욱

뇌샤텔의 자동인형

스위스의 작은 도시 뇌샤텔에는 특별한 박물관이 있다. 스위스 시계 제작자로 당대 최고의 명성을 누리던 피에르 자케 드로의 자동인형 삼총사가 있기 때문이다. 각각 그림을 그리고, 음악을 연주하고, 글씨를 쓰는 이 인형들은 당대에도 전 유럽에 유명세를 떨칠 정도로 진귀한 기계 대접을 받았다. 그중에서도 현재까지 작동하는 글씨 쓰는 자동인형은 '나는 생각한다. 고로 나는 존재한다'라는 데카르트의 유명한 주장을 기가 막힌 필기체로 (다소 느리기는 하지만) 쓸 수 있다. 하지만 이렇게 감탄스러울 정도로 아름다운 필체를 자랑하는 자동인형의 뒷면을 보면 매우 정교하게 작동하는 시계 장치를 연상시키는 수많은 태엽과 기어로 구성되어 있다. 이런 '실상'을 보고 나면 우리는 자연스럽게 결과물에 있어서는 놀라울 정도로 인간을 '흉내 내는' 자동인형이 실제로는 자신이 무엇을 하는지 의식할 수 없는 복잡한 기계 장치라는 점을 새삼 깨닫게 된다.

스위스 뇌샤텔의 예술사 박물관에 있는 피에르 자케 드로의 자동인형.(출처: 위키피디아)

인공지능은 인간 지능과 다르게 작동한다!

벨기에 태생의 기술철학자 마크 코켈버그의 AI 윤리 입문서 『AI 윤리에 대한 모든 것』은 인공지능, 적어도 현재까지 개발된 인공지능도 근본적으로는 뇌샤텔의 자동인형과 마찬가지로 자신이 무엇을 하는지를 인식하지 못하면서도 인간이 보기에 놀라운 결과물을 '계산적' 방식으로 산출하는 기계라는 점을 강조한다. 물론 코켈버그가 인공지능의 영향력을 과소평가하거나 기계에 '불과하다'고 폄하하는 것은 아니다. 저자가 이런 책을 쓴 이유 자체가 인공지능이 현재와 가까운 미래의 인류 사회에 끼칠 영향이 지대하고, 그러기에 인공지능과 관련된 여러 윤리적 쟁점을 일반인들도 올바르게 이해할 필요가 있다고 생각했기 때문이다.

그럼에도 불구하고 코켈버그는 당분간 우리가 마주하게 될 인공지능은 그 행위에 대한 도덕적 책임을 묻거나 자신이 '믿는' 규범적 규칙에 따라 자율적으로 행동할 수 있는 존재가 아니라는 점을 강조한다. 많은 사람들이 깜짝 놀랄 정도로 자연스러운 챗 GPT의 대화 능력에 감탄하며 이 정도면 인공지능이 '의식'이나 '욕구' 혹은 '감정'도 갖고 있는 것이 아닌가 의심한다. 하지만 그 작동 방식은 여전히 엄청난 양의 데이터에 기반한 매우 빠른 계산의 결과이기에 현재의 인공지능은 본질적으로 인간보다는 뇌샤텔의 자동인형에 훨씬 더 가깝다고 볼 수도 있다. 코켈버그가 소개하는 개념적 구별을 사용하여 설명하자면 우리가 고민해야 할 인공지능은 강인공지능(Strong AI)이 아니라 약인공지능(Weak AI)이다.

코켈버그의 개인적 입장은 이처럼 분명하지만 이 책은 입문서답게 자신의 생각만이 아니라 인공지능과 관련된 다양한 철학적, 윤리적 주제를 다루면서 여러 학자들의 견해를 소개한다. 책은 총 열두 개의 비교적 짧은 장으로 구성되었는데, 내용적으로는 크게 세 영역의 논의를 다루고 있다. 우선 이 책은 왜 현재 시점에서 인공지능 윤리가 국제적으로 큰 주목을 받게 되었는지를 OECD, 유럽연합, 유네스코 등의 관련 활동과 문건을 소개하면서 설명한다. 이런 주목을 가능하게 했던, 2000년대 중반 이후 등장한 신경망 기반의 인공지능의 기술적 특징과 그것이 거둔 눈부신 성과도 함께 소개한다.

다음으로 이 책은 본격적으로 인공지능과 관련된 철학적, 윤리적 문제를 다룬다는 특징이 있는데, 이 부분이 인공지능과 관련된 여러 쟁점을 다루는 다른 책들에 비해 이 책이 비교 우위를 갖는 내용이라고 판단된다. 철학 용어에 익숙하지 않은 독자라면 다소 생경하게 느낄 수도 있지만, 코켈버그는 간명하지만 핵심을 잘

짚어 주는 방식으로 인공지능의 철학적 쟁점을 소개한다. 예를 들어 인공지능이 도덕적 책임을 질 수 있는 존재인지, 자율성을 인공지능에게 부여할 수 있을지, 인공지능이 초지능으로 발전했을 때 인류에게 실존적 위험이 올 것인지, 인공지능을 인간과 동등하게 대우해야 할 것인지, 그렇지 않더라도 적어도 인공지능과 인간의 관계를 단순히 인간이 도구를 사용하는 방식과는 다르게, 즉 포스트휴먼적 방식으로 접근해야 하는지에 대해 설명한다.

마지막으로 책의 뒷부분에서 코켈버그는 AI 윤리가 학술적인 논의에 머무르지 않고 사회적으로 변화를 이끌어낼 수 있도록 어떤 제도적 노력이 필요한지에 대해 논의한다. 이 점은 최근 국제적으로 AI와 관련된 윤리적 논의가 점점 더 거버넌스와 규범의 제도화 등의 논의와 통합되어 가고 있는 추세와도 잘 맞아떨어진다. 아마도 이는 코켈버그가 학계에만 갇혀 활동한 철학자가 아니라 유럽연합의 AI 윤리 논의에 참여한 실천적 경험도 갖고 있기 때문이라고 짐작된다. 다만 책에 실린 저자 소개에서 코켈버그가 유네스코 세계과학기술윤리위원회(COMEST) 위원으로 소개되어 있는 것은 사실이 아니므로 수정이 필요해 보인다.

기술 진보와 권력

코켈버그의 책은 자신의 주장을 학술적으로 논증하려는 책이 아니라, 출판사의 책 소개에 걸맞게 "AI 윤리의 거의 모든 것"을 소개하는 책이다. 게다가 분량도 적당해서 대부분의 독자가 부담 없이 읽을 수 있다는 장점도 있다. 하지만 그러다 보니 당연히 AI 윤리의 '모든 것'을 다루고 있지는 않다. 그리고 주요 쟁점을 다루는 방식에서도 대륙 철학 전통에 속한 철학자인 코켈버그의 방향성이 분명하게 드러나는 대목도 있다.

우선 AI 윤리의 주요 쟁점 중에서 코켈버그가 전혀 다루지 않거나 다루고 있더라도 별로 강조하지 않는 쟁점을 살펴보자. 대표적인 것이 '권력'의 문제이다. 코켈버그는 기술의 개발과 발전을 효율성 추구와 같은 자체적인 논리를 갖고 있는 독립적인 대상으로 간주하고 그에 대해 철학적으로 정교한 분석을 제시하는 데 중점을 둔다. 하지만 기술의 역사에서 기술의 발전 방향과 최종적으로 결정된 기술의 내용이 기술적 효율성만이 아니라 기술 개발자의 사적 이해관계, 관련 산업의 환경 요인, 그리고 더 나아가서 그 기술의 내용으로부터 가장 많은 혜택을 받을 수 있는 이해 집단의 간섭으로부터 크게 영향을 받는다는 사실은 잘 알려져 있다.

구체적인 예를 들어 보자면 데이터 기반 인공지능에 대한 코켈버그의 논의를 들 수 있다. 코켈버그는 현대 인공지능이 엄청난 양의 데이터를 요구하는 기술적 특징을 갖고 있고 그렇기에 데이터 수집 과정과 이를 활용한 사전 훈련 과정에서 다양한 윤리적 문제가 발생한다는 점을 올바르게 지적한다. 하지만 그런 윤리적 문제들이 발생한다는 점을 지적한다고 해서 관련 기술 개발자들이 바로 수정에 들어갈 가능성은 크지 않다. 그런 수정을 어렵게 하는 다양한 이해관계에 기반한 권력이 작동하고 있기 때문이다.

쇼샤나 주보프가 자신의 저서 『감시 자본주의 시대』(문학사상사, 2021)에서 잘 지적하듯이 구글은 초기 구글 지도 제작을 위한 거리 사진 수집 과정에서 길거리 행인들의 얼굴이 그대로 노출되는 방식을 채택했는데 이는 그런 수집 방식이 프라이버시를 침해할 가능성이 있다는 점을 몰랐기 때문이 아니다. 구글은 그렇게 정보를 비윤리적으로 수집하고 난 후 법적 소송이 제기되었을 때 대응하기 위해 필요한 법률 비용이 처음부터 철저하게 프라이버시를 보호하는 방식으로 데이터를 수집하는 비용보다 적다는 내부 계

구글 지도에 사용될 사진을 촬영하는 모습.(출처: 위키피디아)

산을 끝낸 후에 무차별 정보 수집을 '경영적 판단'으로 진행했다. 이는 구글이 현재 제도적 환경에서 자신들이 수행할 행위가 윤리적 논란을 불러오더라도 이를 밀어붙일 수 있는 권력을 갖고 있음을 확신했기에 가능한 일이었다.

결국 인공지능을 비롯한 첨단 기술의 윤리적 문제를 파악하고 이를 사회적으로 쟁점화하는 것은 매우 중요하지만, 그런 문제 제기가 실천적 힘을 발휘해서 그 기술이 현실 세계에서 보다 바람직하게 사용되게 하기 위해서는 권력의 문제를 본격적으로 다루어야 한다. 이때 명심해야 할 중요한 역사적 사실이 있다. 대런 아세모글루와 사이먼 존슨이 『권력과 진보』(생각의힘, 2023)에서 흥미로운 사례 분석을 통해 설득력 있게 보여 주었듯이, 기술의 발전 방향과 사회적 활용 방식은 미리 정해져 있지 않으며, 대부분의 경우 기술 개발 시점에 권력을 가진 사람들이 기술 진보의 혜택을 독점하려는 경향이 있다. 그런데 이를 저지하고 보다 많은 사람의 복지를 위해 기술 진보를 이룩하는 일이 어렵기는 해도 충분히 가능하다는 점이다. 아세모글루와 존슨은 역사적으로 기술 진보의 혜택이 인류 전체의 복지 수준 향상으로 이어진 사례들은 모두 그러했다고 주장한다. 즉 기술 발전이 인류에게 자연스럽게 혜택을 줄 것이라는 막연한 낙관론이 아니라 기술 진보의 과실이 보다 공정하게 배분될 수 있도록 구체적으로 노력한 사람들의 제도적 실천이 주효했다는 것이다. 그러므로 인공지능 기술에 대해서도 기술 진보는 자동적으로 전체 인류의 복지에 기여하기에 좋은 것이고 그렇기에 기술 개발에 가해지는 어떤 정책적, 사회적 영향은 무조건 나쁜 것이라는 우리 사회에 상당히 널리 퍼져 있는 생각에서 벗어날 필요가 있다. 수많은 국제 관련 보고서가 강조하듯 인공지능 기술이 인류 복지 '전체에' 이바지할 수 있는 방식으로 개발되고 활용되도록 적절한 거버넌스 체제를 갖추는 것이 중요하다. 코켈버그는 아마도 이 점에 동의하겠지만, 기술적 효율성과 인권을 단순하게 대비하는 그의 서술 방식은 기술 발전의 유연성과 발전 지상주의 기술 담론의 복합적 영향을 과소평가하고 있는 것처럼 보인다.

계산주의와 포스트휴머니즘

코켈버그는 인공지능의 마음이 인간의 마음과 본질적으로 같은지 다른지에 대해 철학자들 사이에도 깊은 의견 차이가 있음을 인정한다. 예를 들어 책의 48쪽에서 그는 "대륙 철학자들은 대개 인간과 마음은 기계와 근본적으로 다르다는 점을 강조하며, 형식적인 기술이나 과학적 설명으로 환원될 수 없고 또한 환원되어서도 안 되는 (자기)의식적인 인간 경험과 인간 실존에 초점을 맞춘다. 그러

인공지능의 마음과 인간의 마음이 본질적으로 같은지 다른지에 대해서는 철학자들 사이에도 깊은 의견 차이가 있다. (출처: 위키피디아)

나 대개 분석철학 전통에 속하는 다른 철학자들은 AI 연구자들의 인간관을 지지한다. 이들은 인간의 뇌와 마음은 컴퓨터 모델과 실제로 같으며 그렇게 작동한다고 생각한다"고 말하면서, 이후의 논의에서는 자신이 속한 대륙 철학의 전통에 충실하게 인간의 마음과 인공지능을 비롯한 기계의 마음은 본질적으로 다르다는 점을 별다른 논증 없이 당연시한다. 하지만 이 책이 비교적 간결한 입문서라는 점을 감안해도 코켈버그가 인간 마음의 특별함을 철학적으로 너무나 뻔한 결론인 것처럼 서술하는 것은 문제가 있다.

사실 코켈버그가 인간의 마음의 특수성에 대한 철학적 논의의 지형도를 정리한 앞선 인용문은 절반만 옳다. 대륙 철학자들은 거의 예외 없이 인간 마음의 특수성을 모든 형이상학적 논의의 출발점으로 삼지만 영미 철학자들 사이에는 상당한 정도의 의견 차이가 있다. 이 의견 차이는 인간 마음이 기계 마음과 '본질적으로' 같은 원리로 설명될 수 있다고 주장할 때 어느 수준의 '본질'을 의미하는지에 따라 달라진다. 우선 계산주의(computationalism)를 수용하는 철학자들은 인간과 인공지능 모두 그 지능의 핵심은 계산으로 환원될 수 있다고 믿는다. 차이점은 그 계산이 수행되는 방식이 인간에서는 신경세포들 사이의 전기화학적 신호 전달을 통해 이루어지고, 인공지능에서는 노드(계산 단위) 사이의 전기적 연결을 통해 이루어진다는 점일 뿐이다. 즉 계산주의는 인간의 마음과 인공지능의 마음은 구체적인 설계 원리에서 차이가 있지만 그 마음의 '본질'은 계산으로 같다고 주장한다. 이런 주장을 하는 사람이라면 당연히 인공지능도 지금보다 훨씬 더 잘 설계된다면 인간의 의식적 경험과 주체적 판단 능력에 대응하는 마음의 속성을 가질 수 있을 것이라고 기대할 것이다. 대다수의 인공지능 연구자들이 이런 입장에 따라 인공지능 연구를 수행한다.

하지만 영미 철학자들 중에서도 마음의 본질이 계산이라고 단정할 수 없다는 견해를 가진 사람도 많다. 일단 현재까지 이루어진 마음에 대한 계산적 환원은 실제 우리 마음이 작동하는 방식을 모형화(modelling)해서 그것을 흉내 낸 것이기에 정말 마음이 계산인지 여부는 아직 논쟁적이기 때문이다. 무척 정교하게 만들어져서 날씨를 매우 높은 확률로 예측할 수 있는 기상 모형이라도 그 기상 모형이 지구 대기의 복잡한 상호작용과 '동일'하지는 않다. 전자는 수학적 계산 모형인 데 반해 후자는 물리적 대상이 실제로 상호작용하는 상황이기 때문이다. 그러므로 계산주의는 마음을 설명하는 여러 이론 중 하나일 뿐이다. 물론 인공지능 연구자에게 계산주의는 일종의 연구 방향성을 제시해 주는 좋은 동기 부여가 될 수는 있겠지만, 우리가 갖고 있는 경험적, 이론적 증거에 입각할 때 아직까지는 철학적으로 확고하게 입증된 존재론적 입장은 아니다.

한편 그렇다고 해서 대륙 철학자들의 입장이 더 설득력을 갖게 되는 것도 아니다. 대륙 철학자들의 입장은 직관적으로는 호소력이 높지만(누구나 자신의 마음은 특별하고 기계의 마음과는 본질적으로 다르다는 주장에 일단은 쉽게 공감할 것이다!), 그 인간 마음의 특수성이 정확히 물질적으로 어떻게 설명될 수 있는지에 대해서 대륙 철학자들은 대체적인 윤곽도 제시하지 못하기 때문이다. 예를 들어 인공지능 기술이 아무리 발전해도 인간만이 도덕적 책임 능력을 가질 수 있다는 코켈버그의 주장의 물질적 기반이 무엇인지는 이 책보다 훨씬 두꺼운 책에서도 제대로 설명된 적이 없다.

이 지점에서 우리가 고려해야 할 합리적인 태도는 인간의 마음과 기계의 마음 사이에 상당한 유사성과 차이점이 있다는 사실을 받아들이고, 동시에 어느 한 종류의 마음이 다른 마음에 비해 범주적 우월성을 가진다는 생각을 포기하는 것이다. 예를 들어 인간의 마음은 '제대로 된' 마음인 반면 인공지능의 마음은 불완전한 마음이거나 오직 은유적으로만 마음이라고 불릴 수 있다는 생각을 포기하는 것이다. 이렇게 되면 우리는 인공지능의 마음을 마치 늑대의 마음이 인간과 유사하지만 많이 다르듯이 마음이 실현될 수 있는 다양한 방식의 한 사례로 볼 수 있다. 물론 우리는 늑대의 마음보다 우리 인간의 마음이 더 '우월하다'고 느낄 수 있고 실제로 상당히 많은 인지 능력에 관해서는 이것이 사실이다. 하지만 역으로 상당히 많은 다른 능력(예를 들어 늑대의 후각 능력)에서는 우리 마음이 부족한 부분도 많다. 그리고 아마도 언젠가 외계인과 조우해서 그들의 마음을 이해해야 하는 상황이 온다면 이렇게 '다른 종류의 마음'에 대한 포용성은 더욱 유용할 것이다. 내가 보기에는 이런 '마음의 다양성'에 대한 긍정이 포스트휴머니즘의 출발점이다. 그러므로 코켈버그는 상당히 가볍게 언급하고 넘어가지만 포스트휴먼적 태도야말로 인공지능 시대에 우리가 채택해야 할 올바른 존재론적 태도라고 생각한다.

기술이 인간을 자유롭게 하는가?

기술은 인간을 자유롭게 한다는 말이 있다. 눈이 나쁜 나로서는 쉽게 공감할 수 있는 주장이다. 늘 들고 다니는 휴대전화에 설치된 돋보기 앱이 없다면 메뉴판을 읽는 일조차 엄청 어려웠을 것이다. 더 결정적으로는 집 앞 버스 정류장에 언제 무슨 번호의 버스가 오는지를 앱으로 실시간 확인할 수 없다면 버스에 아주 작게 써진 번호를 확인하지 못해 눈앞에서 버스를 놓치는 상황을 자주 겪었을 것이다. 실제로 이 앱이 없던 시절에는 중요한 버스를 못 타고 발을 동동 굴렀던 기억도 자주 있다.

그런데 조금 더 생각해 보면 이런 편리한 서비스가 '순수한' 의미에서 기술적이기만 할까 하는 생각이 든다. 예를 들어 우리나라 대중교통 시스템이 해외에서 부러워할 정도로 잘 정비되지 않았다면 이런 앱 개발 자체가 불가능했을 것이다. 여기에 더해 버스의 위치를 실시간으로 확인하고 이를 공동으로 관리하는 정보 시스템 인프라가 갖추어지지 않았다면 역시 이 앱은 사용할 수 없었을 것이다. 그런데 이런 인프라를 설치하는 데 상당한 비용이 들텐데 그 비용은 누가 감당하고, (더 중요한 점은) 그 결정은 누가 어떤 이유 때문에 했을까? 자세한 사정을 알 수는 없지만 당연히 공공의 이익을 위해 국가가 공적 자금을 활용하여 지불했을 것이다. 그리고 이런 결정에 대한 정당화 역시 공익적 관점에서 이루어졌을 것이다. 그리고 그런 정보 시스템에 대한 사회적 수용성이 확보되지 않았더라도 이 앱은 활용되지 않았을 것이고 그에 대한 결정 역시 사회적 수준의 공감대에 기반하여 이루어졌을 것이다. 결국 기술 자체만이 아니라 그 기술이 인간을 자유롭게 할 수 있는 여러 방식 중에서 윤리적으로 바람직하고 사회적으로 수용 가능한 방식을 찾아서 이를 실현할 수 있도록 했던 제도적 실천이 인간을 자유롭게 할 수 있다. 인공지능 기술 개발과 활용 과정에서 이 점을 기억하는 것이 중요하다. **서리북**

이상욱

서울대학교 물리학과에서 학사와 석사를 졸업하고 영국 런던대학교(LSE)에서 철학박사 학위를 받았다. 현재 한양대학교 철학과 인공지능학과 교수로 재직 중이다. 주요 저서로는 『과학은 이것을 상상력이라고 한다』, 공저로 『과학과 가치』, 『인공지능의 존재론』, 『인공지능의 윤리학』, 『인공지능 시대의 인간학』, 『포스트휴먼이 몰려온다』 등이 있다.

📖 '빅테크 시대의 윤리학'이라는 우리말 부제가 잘 어울리는
책. 스탠퍼드대학교 교수인 저자들은 구글이나 페이스북처럼
빅테크 기업들이 '일단 결과를 만들어 내고 용서는 나중에
구하라'는 무책임한 방식으로 '파괴적 혁신'를 맹목적으로
추구하는 관행의 사회적 비용을 지적한다. 특히 저자들은
이런 생각을 절대적으로 숭배하는 스탠퍼드대 학생들에게
사회적 책임감과 시스템 리부팅의 필요성을 강조하기 위해
이 책을 썼다.

"28억 명 이상의 활성 사용자를 거느린 페이스북의 수장인
마크 저커버그는 세계에서 가장 큰 나라인 중국 인구의 거의
두 배에 달하는 인구가 만드는 정보 환경의 실질적 관리자다.
이를 제대로 이해한 저커버그는 이렇게 말한다. '많은 면에서
페이스북은 전형적인 기업이라기보다는 정부에 가깝다.'
하지만 페이스북은 민주주의 정부가 아니다. 저커버그는 왕,
혹은 그의 관점에 따르자면 비민주적인 페이스북 국가에
군림하는 독재자다. 결국 기업이란 수정헌법 1조나 표현의
자유에 대한 어떠한 보편적인 선언에도 지배를 받지 않는
사적 독립체다." — 책 속에서

『시스템 에러』
롭 라이히·메흐란 사하미·
제러미 M. 와인스타인 지음
이영래 옮김
어크로스, 2022

📖 기술 진보가 필연적으로 인류 복지에 도움이 될까?
아세모글루와 존슨은 여러 흥미로운 사례 연구를 바탕으로
역사적으로 이는 사실이 아니었음을 보여 준다. 기술 진보가
많은 사람의 삶의 질을 향상시키기 위해서는 기술 진보의
혜택이 일부 권력층에 국한되지 않도록 사회적, 제도적
노력이 적극적으로 기울여져야 된다는 것이다. '파괴적
혁신'에 대한 낭만적 환상의 문제점을 치밀하게 논구한 책!

"이 모든 것이 반드시 그렇게 되어야만 하는 것은 아니다.
디지털 테크놀로지가 꼭 자동화에 쓰여야 하는 것도 아니고
AI 기술이 꼭 무차별적으로 동일한 추세를 강화해야 하는
것도 아니며 테크 공동체가 기계 유용성을 위해 노력하지
않고 꼭 기계 지능에 현혹되어야 하는 것도 아니다.
테크놀로지의 경로에 미리 예정된 것은 없고, 오늘날
지배층이 만들고 있는 이중 구조의 계층 사회와 관련된 어느
것도 불가피한 것이 아니다." — 책 속에서

『권력과 진보』
대런 아세모글루·
사이먼 존슨 지음
김승진 옮김
생각의힘, 2023

"인공지능 분야에서 꼭 읽어야 할 두 권의 책 중 한 권"―빌 게이츠

슈퍼인텔리전스
경로, 위험, 전략

닉 보스트롬
조성진 옮김

까치

『슈퍼인텔리전스』
닉 보스트롬 지음, 조성진 옮김
까치, 2017

초지능이라는 가짜 문제

김재인

초지능은 가치 있는 논의 주제일까?

겨우 읽었다. 닉 보스트롬의 『슈퍼인텔리전스』 말이다. 보스트롬은 옥스퍼드대학 철학과 교수로, 물리학에서 출발해 인공지능에 대한 담론을 제시하고 있다. 제목에 잘 드러나 있듯이, 이 책은 '초지능'에 이르는 경로와 위험, 그리고 그에 대한 대응 전략을 논하고 있다. 보스트롬은 여러 경로 중에서 특히 인공지능의 발전이 초지능에 이르는 가장 현실적이고 빠른 길이라고 주장한다. 빌 게이츠를 비롯한 많은 이들이 이 책을 높이 평가했다.

세상에는 논할 수 있는 주제가 무척 많지만 논할 가치가 있는 주제는 그다지 많지 않다. 보스트롬이 제기한 '초지능'은 논할 수 있는 주제지만 논할 가치는 별로 없는 주제다. 두 가지 이유에서다. 우선 초지능은 현실 영역이 아닌 SF의 영역이다. 그것이 실현될 기술적 가능성이 제시되지 않기 때문이다. 또한 초지능은 인공지능을 둘러싼 여러 문제 중에서 시급한 문제에 할애할 시간을 빼앗는 주제다. 초지능보다 에너지, 자원, 생태, 불평등, 민주주의, 소유권 등 인공지능과 관련된 더 중요한 문제가 가득하다.

2019년 5월 23일, 캐나다 토론토에서 연설 중인 닉 보스트롬.(출처: 인류 미래 연구소)

　　저자는 초지능을 "인류가 직면한 문제들 가운데 가장 중요하고도 심각한 문제"(12쪽)라고 평가한다. 이런 평가에 동의하지 않고 '가장 하찮은 문제의 하나'라고 생각하는 사람에게 이 책은 무가치하다. 사실 어떤 주제가 논할 가치가 있느냐 없느냐 하는 문제는 주관적일 수도 있고 객관적일 수도 있다. 주관적이라 함은 개개인의 가치관에 따라 평가될 수 있다는 뜻이고, 객관적이라 함은 증거와 자료에 근거해 사람들을 설득할 수 있다는 뜻이다. '초지능'이라는 주제는 저자가 객관적으로 가치 있다고 입증하지 못했다는 점에서 하찮은 문제라고 생각하는 사람을 설득하기 어렵다.

일단 저자를 따라 초지능을 잠정적으로 정의하면 다음과 같다. "사실상 모든 관심 영역에서 인간의 인지 능력을 상회하는* 지능".(53쪽) 우선 이 정의에서 '인지 능력(cognitive performance)'이라는 표현은 매우 모호하다. 미적 평가나 도덕적 평가는 인지 능력에 속하는가? 제도를 만들고 정치체를 조직하는 일은? 자기 성찰은? 사랑과 우정을 나누는 일은? 이 모든 것은 '인지'의 영역을 넘어서면서도 인간의 핵심 능력에 속하는 것 같다. 비록 저자가 '사실상 모든 관심 영역에서(in virtually all domains of interest)'라고 한정했지만, 여전히 '인지'에 집중되어 있다는 점에서 별 도움이 되는 것 같지는 않다.

이렇게 개념 정의 차원에서 모호함을 남긴 채 진행되는 논의라면 만족스럽게 따라가기 어렵다. 저자 자신이 지닌 모호한 태도는 의구심을 남기기에 충분하다.

과도한 비유와 상상에 의한 논의의 비약

책의 가장 앞쪽에 '참새와 부엉이의 우화'가 소개되고 있다. 이 우화는 책이 견지하는 '관점'과 '약점'을 잘 드러낸다는 점에서 주목할 만하다. 참새들은 자신들을 도와주고 조언해 줄 '부엉이' 한 마리가 있으면 좋겠다고 생각했다. 하지만 외눈박이 참새만은 회의적이었다. 부엉이를 데려오기 전에 부엉이를 길들이는 방법을 먼저 생각하지 않으면 재앙이 될 것이라고 보았기 때문이다. 이에 대해 다른 참새들은 부엉이알을 찾아 키우고 나서 길들이는 문제를 해결하자고 응대했다. 외눈박이와 참새 두세 마리는 부엉이를 제

---

* 여기에서는 원문에 따라 '뚜렷이 능가하는'으로 옮기는 것이 나아 보인다. 이 외에도, 이 글에서 인용한 문장들 가운데 '지능 대확산'은 '지능 폭발'로, '기계 두뇌'는 '기계 뇌'로, '작동장치'는 '작동기'로 옮기는 것이 보다 적절할 듯하다.

어할 방법을 찾기도 전에 부엉이알을 찾으러 떠난 무리가 알을 가지고 돌아오면 어쩌나 하고 끊임없이 걱정하며 고민을 계속했다. 책은 외눈박이와 그 추종자에게 바쳐졌다. 우화에서 부엉이는 물론 초지능의 비유다. 저자는 "아직은 초지능에 대한 전망을 무시해도 괜찮다고 생각하는 것이야말로 가장 나쁘다"(14쪽)는 입장을 피력한다.

　　더 따져 보자. 이 우화 속에는 부엉이가 근처에 고양이가 나타나는지 감시해 줄 거라는 희망도 피력되어 있다. 그런데 아시는가? 부엉이야말로 최상위 맹금으로 참새는 부엉이의 좋은 먹잇감이다. 즉, 참새 마을에 부엉이를 들여오겠다는 생각 자체가 말도 안 되는 허구다. 그저 애니메이션 〈뽀롱뽀롱 뽀로로〉에 등장하는 허구와 같은 수준으로 생각하자고? 펭귄, 공룡, 사막여우, 북극곰이 서로 친구로 지내는 것은 상상 속에서나 가능하다. 뽀로로의 세계는 전혀 현실이 아니다. 마찬가지로 참새와 부엉이 우화는 전혀 현실이 아니며, 미래에도 성립할 수 없는 상상이다. 그런데 저자는 이를 정말 진지하게 여기며 고찰한다. 참새 마을에 부엉이를 들여올지 모른다는 상상만큼이나 인간 사회에 초지능이 들어올지 모른다는 상상도 전혀 비현실적인 게 아닐까?

　　이 점은 다음과 같은 저자의 말에서 잘 암시된다. "읽기에 거추장스러운 수식어인, '가능할 수도 있다', '어쩌면', '그럴 수도 있다', '그럴 가능성이 높다', '내 생각으로는', '아마도', '그럴 가망이 높다' 따위를 신중하고도 의도적으로 사용했다."(13쪽) 저자도 초지능에 대한 상상이 별로 현실이 아니라는 것을 잘 안다는 뜻으로 해석된다. 이 입장은 결론에서도 되풀이된다.

지능 대확산이 일어날 전망이 보이기 이전에는, 인간은 마치 폭탄을 가지고 노는 작은 어린 아이들과 같은 존재이다. 이것은 장난감이 가진 힘과 인간 행위의 미성숙성 사이의 부조화를 잘 보여 준다. 초지능은 현재 준비되지 않았고 또한 한동안 준비될 수 없는 힘겨운 목표이다. 언제 폭발이 일어날지에 대해서는 거의 예측이 불가능하지만, 만약 그 장치를 우리 귀에 가까이 가져다 대면 비록 희미하게나마 똑딱거리는 소리를 들을 수 있을 것이다.(456-457쪽)

이 '폭탄'의 비유에서도 비약은 여전하다. 존재할 수 있을지조차 잘 모르는 '초지능'이 왜 폭탄인가? 비유는 현실과 사실을 반영할 때만 의미 있다. 저자는 초지능이 "현재 준비되지 않았고 또한 한동안 준비될 수 없는 힘겨운 목표"라고 고백하고 있지 않은가? 위의 문구는 그다지 세련되지도 못한 수사(rhetoric)에 불과할 뿐 진지하게 받아들일 이유가 없다.

초지능에 이르는 경로가 보이지 않는다

책은 '경로, 위험, 전략'이라는 부제를 달고 있다. 그런데 책에서는 '경로(paths)'가 잘 해명되지 않는다. 이 점이 책의 가장 큰 문제점이다. 2장에는 '인공지능, 전뇌 에뮬레이션, 생물학적 인지 능력, 뇌-컴퓨터 인터페이스, 네트워크와 조직'이라는 몇 가지 가능한 경로를 언급하고 있지만, 실제로 저자도 이 중에서 인공지능 말고는 먼 미래라고 고백한다. 이 생각은 슈퍼인텔리전스(superintelligence), 즉 초지능에는 여러 형태가 있을 수 있지만 가장 대표적인 것이 "인간의 일반 지능을 능가하는 기계 두뇌(machine brain)"(11쪽)라고 서두에 밝혔던 데서도 찾아볼 수 있다. 그래서 책의 대부분은 인공지능 논의에 바쳐져 있다. 따라서 나도 인공지능이 초지능으로 발전할 가능성에 집중해서 논의하는 것이 좋아 보인다.

저자는 "인간 수준의 지능을 가진 기계를 개발하는 데에 얼마나 걸릴 것인가"라는 물음 대신 "인간 수준의 지능을 가진 기계가 개발된다면, 그때로부터 기계가 초지능을 획득하는 데에는 시간이 얼마나 걸릴 것인가"라는 물음으로 비약한다.(121-122쪽) 후자에 대한 시나리오는 비교적 잘 알려져 있다. 즉, 기계는 잠을 잘 필요도 없고 각각의 성과를 쉽게 공유하기에 비교적 짧은 속도로 초지능에 도달할 수 있다는 것이다. 저자는 "특정 조건에서는 순환적 자기 개선이 계속 이루어져서 결국 지능 대확산으로 이어질 수도 있을 것"(65쪽)이라고 표현한다. 하지만 정말 진지하게 다뤄야 할 물음은 전자, 즉 '일반 지능(general intelligence)'의 출현이다. 그것은 "인간이 해낼 수 있는 모든 일들을 수행할 수 있거나 거의 그 정도의 일반적 역량을 가진 것이나 다름없다"(40쪽)고 이해할 수 있다.

일반 지능의 출현 시기를 예측하는 몇 가지 조사가 이루어져 있다.* 2014년 조사에서는 향후 25년 뒤에, 2016년에는 45년 뒤에, 2018년 조사에서는 81년 뒤에 출현한다는 대답이 많다가 2022년 조사에서 37년 뒤로 전망되고 있음을 확인할 수 있다. 아직은 먼 얘기라는 소리다.

나아가 최근 챗GPT 같은 대형 언어 모델이 등장하면서 예측 연도가 훌쩍 당겨졌고, 조만간 인간 수준의 일반 지능이 등장할 수 있다는 주장까지도 등장하고 있다. 대표적인 예가 마이크로소프트 연구팀이 발표한 논문 「인공 일반 지능의 불똥: GPT-4로 한 초기 실험들(Sparks of Artificial General Intelligence: Early experiments with GPT-4)」이다. 이들은 GPT-4가 "다양한 영역과 과업을 오가며(across a variety of domains and tasks) 현저한 역량을 보여 주고 있고, 학습과 인지에 대

---

* 김재인, 『AI 빅뱅』(동아시아, 2023), 312-314쪽.

한 우리의 이해에 도전하고" 있다고 주장한다. 연구팀은 그것이 언어에 숙달하고 수학, 코딩, 시각 처리, 의료, 법률, 심리 등에 걸쳐 "새롭고 어려운 과업"을 풀 수 있고 "인간 수준의 수행 능력에 놀랍도록 가깝다"고 평가한다. 그래서 인공 일반 지능 시스템의 (아직은 미완성이지만) 초기 버전이라고 주장한다.*

　　이 논문은 보스트롬의 주장에 큰 힘을 실어 줄 수도 있다. 그러나 논문의 주장과 달리 챗GPT가 던진 메시지는 다르게 받아들여야 하지 않을까? 즉, 우리가 그동안 생각해 왔던 '일반 지능'이 너무 느슨하게 정의되었던 건 아닐까, 하고 성찰하는 계기로서 말이다. 논문에서 전제하는 일반 지능의 가장 중요한 특징은 '다양한 영역과 과업을 오간다'는 점이다. 특수 지능은 하나의 영역과 과업에 특화되어 있다. 알파고는 바둑만 두고, 쿠쿠는 밥만 짓고, 티맵은 길만 찾는다. 물론 몇 개의 과업을 묶어서 일을 시킬 수도 있다. 밥도 짓고, 국도 끓이고, 죽도 만드는 식이다. 그러나 이는 유사한 과업의 묶음이라서 여전히 특수하다. 반면 일반 지능은 하나의 에이전트(주체, 동작주)가 여러 영역과 과업을 오간다는 점에서 특수 지능과 유가 다르다. 인간 지능이 대표적인 일반 지능이다. 미숙할 수는 있어도 인간은 바둑도 두고 밥도 짓고 길도 찾는다.

　　더 나아가 일반 지능의 특징이 다양한 영역과 과업을 오간다는 데 그치지 않는다는 점도 확인된다. 그동안 알면서도 정교화하지 못한 대목은 다양한 영역과 과업을 오가는 데 있어 하나의 에이전트가 동작을 모두 제어한다는 점이다. 다양한 영역과 과업을 오가는 데만 집중하면 드라마 〈맥가이버〉에 나온 칼도 같은 이치에

---

* Sebastien Bubeck et al.(2023), "Sparks of Artificial General Intelligence: Early experiments with GPT-4", arXiv:2303.12712, 2023.

서 일반 지능이 있다고 주장할 수 있게 된다. 하지만 잘 알다시피 칼을 사용하는 맥가이버 덕분에 칼은 존재 의미를 얻는다. 챗GPT건 맥가이버 칼이건 도구라는 말이다.

만일 챗GPT가 일반 지능이 있다고 주장하려면 그것이 맥가이버와 동등한 수준의 에이전트임을 먼저 입증해야 할 것이다. 이는 저 인공지능이 '의식' 혹은 그와 유사한 어떤 능력을 지녔다는 것을 전제하는 것 같다. 일반 지능이 꼭 의식을 지녀야 하는지는 또 다른 문제다. 하지만 인간에게 의식이 있다는 건 분명하고, 일반 지능의 대표가 인간 지능이라는 점에서, 의식의 문제를 그냥 넘어가기는 어렵다.

혹자는 챗GPT를 사용하는 과정에서 '저것이 의식이 있는 것 같다'고 느꼈다고 한다. 이런 느낌은 의인화일 가능성이 높다. 과거 엘리자(ELIZA)에서 볼 수 있었던 것과 유사한 현상 말이다. 엘리자는 1966년 매사추세츠 공과대학교(MIT) 인공지능 연구소의 조셉 바이젠바움에 의해 개발되었는데, 미리 준비된 문구 패턴에 맞게 단순히 맞장구치도록 설계되었지만, 이를 알면서도 사용한 사람들이 대화에 깊이 빠져들었다. 영화 〈캐스트 어웨이〉에도 무인도에 표류한 주인공이 배구공을 '윌슨'이라 부르며 사람처럼 대한 장면이 나온다. 인간 외의 동물에게 인간 수준의 의식이 있다는 발견은 아직 없다.

보스트롬은 "일반 지능을 가지고 있다는 그다지 대단한 것도 아닌 장점"(11쪽)이라고 인간 능력과 일반 지능을 깎아내리지만, 실제 일반 지능이 있는 생물은 별로 없다.* 일반 지능은 대단한 장점이다. 그것은 석기를 만들 수 있는 능력이자 인공지능을 만드는 능

---

* 케빈 랠런드, 김준홍 옮김, 『다윈의 미완성 교향곡』(동아시아, 2023), 135-137쪽 참조.

컴퓨터 대화 프로그램 엘리자와 채팅하는 모습.(출처: flickr.com)

력이다.* 오랜 진화 과정에서도 인간 수준의 일반 지능은 인간에게만 발견되는 독특하고 유일한 능력이다. 인공지능이 일반 지능을 갖게 될지는 아직은 기술의 영역 너머에 있는 문제다.**

동기와 가치를 탑재하는 문제

일반 지능과 의식의 문제 말고 고려해 볼 점은 '의지'와 '동기'의 문제다. 저자는 "초지능 인공지능의 동기"(195쪽)에 주의를 기울여야 한다고 주장한다. 7장의 제목이 보여 주듯 동기는 '초지능의 의지'이기도 하다. 의지나 동기는 '목표'를 세우는 원천이다.

　　저자는 '자기 보호, 목표-콘텐츠의 보전, 인지 능력 향상, 기술

---

* 아구스틴 푸엔테스, 박혜원 옮김, 『크리에이티브』(추수밭, 2018) 참고.
** 김재인, 『AI 빅뱅』, 315-317쪽에는 2021년까지 실제로 이루어지는 연구 개발 현황이 정리되어 있다.

적 개선, 자원 획득' 같은 동기가 있을 수 있으며, 초지능은 이를 달성하기 위해 "우리가 쉽게 떠올릴 수 없는 방식으로 관련된 도구적 가치를 추구하는 여러 가지 방법들을 고안"할 수 있고 "엄청나게 영리하면서도 직관적으로 생각할 수 없는 계획을 수립"하거나 "어쩌면 그때까지 아직 발견되지 않았던 새로운 물리 현상을 이용"할 수도 있다고 추정한다.(212쪽)

그런데 의지나 동기 같은 것이 인공지능에 부여될 가능성이 있기나 한 걸까? 인공지능은 기껏해야 XOR 회로에서 작동하는 연산 장치다. 거기에 의지나 동기 같은 속성이 개입할 여지는 없다. 의지나 동기, 즉 '-을 하려 한다'나 '-을 하고 싶다'는 건 주로 생물에서 관찰되는 속성이다. 생물은 생존과 번식이라는 동기가 있다. 가장 널리 읽히는 인공지능 교과서에서 지적하듯, "동물들은 고통과 배고픔을 부정적 보상으로 알아채고 쾌와 음식 섭취를 긍정적 보상으로 알아채도록 내장(hardwire)되어 있는 것처럼" 보이지만 인공지능에는 그런 게 에이전트 바깥에 있다.* 따라서 의지나 동기를 가져야 할 이유가 전혀 없는 인공지능에 그런 것이 부여될 수 있다고 상상하는 것은 기이하다. 물론 그런 것을 부여하는 방법도 미지수다.

나아가 저자는 초지능의 능력을 제어하는 것이 거의 불가능하다고 본다. 초지능의 능력을 '제어'할 수 없는 이유는 그것이 목표를 실현할 방법을 교묘하게 찾아내고야 말 것이기 때문이다. 이를 막을 방도는 없다. 따라서 중요한 것은 초지능이 인간의 가치를 최종 목표로 삼을 수 있도록 초지능에 가치를 탑재하는 일이다. 하

---

* Stuart J. Russell and Peter Norvig, *Artificial Intelligent: A Modern Approach*(Prentice Hall, 2010), 3rd Edition, p. 830. 김재인, 『인공지능의 시대, 인간을 다시 묻다』(동아시아, 2017), 336쪽에서 재인용. 이 책 7장은 이 문제를 상세히 논하고 있다.

지만 12장에서 논하는 '가치 획득'의 문제는 절망적인 결론으로 귀결된다. 장을 맺으면서 저자는 "인간 수준의 기계지능을 사용한다고 해도, 인간의 가치를 어떻게 디지털 컴퓨터에 옮길 수 있을지는 아직 모른다"(366-368쪽)고 고백하기 때문이다. 또한 '어떤' 가치를 부여할지 결정하는 문제도 난제로 남는다.

　　책의 내용 중에서 "작동장치(actuator)가 나노 물질 조립기기(assembler)와 연결된 초지능 에이전트"(185쪽)에 대한 가정이 그나마 가장 현실적인 시나리오다. 그러나 초지능이 먼저 구현되어야 이 가정이 성립하므로 결국 책의 모든 논의는 '선결 문제'가 해결되었다고 가정한 채 진행된다는 한계 안에 있다. 하지만 가정법을 믿어야 할 이유는 없다.

짧은 맺음말

인공지능과 관련해서 시급히 다뤄야 할 사안은 아주 많다. 몇 가지 중요한 것으로 다음을 들 수 있다. 자율주행차의 안전 운전(운전자, 보행자(왼편 보행자, 오른편 보행자)), 보건 의료 인공지능의 사용(생명, 건강, 안전, 책임……), 소셜미디어 추천 알고리즘(중독, 비교, 열등감, 관종……), 자동화된 의사결정: 심사와 선발(입시, 취업, 승진, 대출, 가석방……), 가치 정렬(alignment) 문제(인간적 가치, 상위 목표와 하위 목표의 조율), 학습 데이터의 품질에 따른 차별과 편향(MS 테이, 이루다, 번역기……), 설명 가능한 AI(딥러닝의 문제: 안전, 투명, 책무, 설명, 이해, 개량……), 학습 데이터의 소유권·저작권·프라이버시, 딥페이크(deepfake) 위조 기술(알리바이 실종, 피싱(phishing), 위조 뉴스……) 등. 나아가 인공지능을 포함한 디지털 기술을 둘러싸고도 시급한 사안이 많다. 소셜미디어와 분열된 개인, 위협받는 공론장, 불평등 심화, 글로벌 탈세, 소유권 재정립(공유지의 희극), 오라클 문제(아톰과 비트의 연결), 정보(신원, 결제)의 중앙 집중화, 몸과 물질의 위상 등. 내 판단으로는 보스트롬이 제기한 초지능 문제는 시급한 사안들을 논의할 시간을 빼앗는다. 인간은 공포 앞에서 정신을 잃기 때문이다. 우리는 과학적으로 차분하게 접근해야 하며, 우선순위를 잘 파악하는 일이 철학자의 일 중 하나다. 이 점에서 보스트롬이 제시한 길을 바람직하다고 보기 어렵다. 서리북

김재인

서울대학교 미학과를 졸업하고 동 대학원 철학과에서 박사학위를 받았다. 현대 유럽 철학을 바탕으로 예술철학과 기술철학을 연구하고 있다. 주요 저서로 『AI 빅뱅』, 『뉴노멀의 철학』, 『생각의 싸움』, 『인공지능의 시대, 인간을 다시 묻다』 등이 있으며, 다수의 번역서와 논문이 있다.

📖 인공지능 건설 현장에서 활동하는 23명의 전문가가 등장해서 우리가 직면하게 될 가장 시급한 문제들을 인터뷰 형식으로 들려준다. 인공지능과 관련해 현실적으로 시급한 사안이 무엇인지 알 수 있는 중요한 참고 문헌이다.

"터미네이터 시나리오에 대해 걱정할 필요가 없다는 것을 먼저 얘기해보죠. (……) 세계를 장악하려는 욕망은 지능과 관련이 없으며 테스토스테론과 상관관계가 있습니다. (얀 르쿤)" ― 책 속에서

『AI 마인드』
마틴 포드 지음
김대영·김태우·서창원·
최종현·한성일 옮김
터닝포인트, 2019

📖 초지능과 특이점을 신화로 평가하며, 그것이 불가능한 자세한 논거를 제시한다. 이런 담론은 첨단 기술 기업에게 힘을 실어 줄 뿐이며, SF에나 나올 법한 이야기를 현실로 착각하게 만든다. 인간이 개입해서 충분히 미래를 제어할 수 있다는 것이 저자의 주장이다.

"특이점 이론을 이 관점에서 살펴보면 이론의 기초가 되는 주장의 많은 부분은 의심하지 않을 수 없다." ― 책 속에서

『특이점의 신화』
장가브리엘 가나시아 지음
이두영 옮김
글항아리사이언스, 2017

ÅI 지도책

★ 세계의 부와 권력을 재편하는 인공지능의 실체 ★

Artificial Intelligence

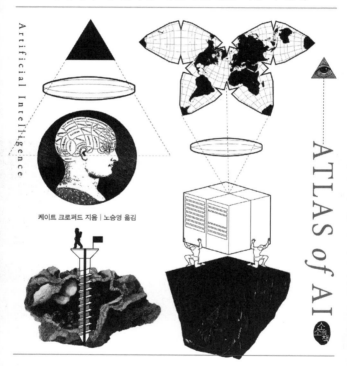

ATLAS of AI

케이트 크로퍼드 지음 | 노승영 옮김

『AI 지도책』
케이트 크로퍼드 지음, 노승영 옮김
소소의책, 2022

인공지능을 미디어로 합성하기:
『AI 지도책』과 비판적 디지털 미디어 연구

김지훈

1.

미디어학자 란조드 싱 달리왈(Ranjodh Singh Dhaliwal)은 "오늘날 기술의 상태를 사유하기는 다수의 변별적이면서도 서로 관련된 실체를 사유하기를 필연적으로 뜻한다"*라고 말한 바 있다. 이 주장을 뒷받침하기 위해, 달리왈은 인종차별적인 얼굴 인식 기능으로 문제가 된 기업용 머신 '비전 솔루션'에 대한 뉴스 기사를 예로 들었다. 이런 기사를 설득력 있게 작성하기 위해서는 다음 요소를 고려해야 한다. 머신 비전 솔루션의 비즈니스 모델 및 클라이언트에 대한 산업적 관점, 데이터과학에 대한 지식, 얼굴 인식에 활용되고 AI라는 이름으로 통용되는 기계학습 도구 및 이 솔루션을 구성하는 하드웨어와 소프트웨어에 대한 설명과 분석, 이 솔루션이 활용하는 대규모의 얼굴 사진 데이터 집합에 대한 고찰, 나아가 AI를 얼굴 인식 기능을 향상시키는 기술로 정립하는 데 기여하는 기술

---

* Ranjodh Singh Dhaliwal, "What Do We Critique When We Critique Technology?", *American Literature* 95(2), p. 305.

공학적·사회문화적 담론 분석 등이다.

　달리왈이 비판과 관련하여 제시한 이 사례는 인공지능을 인공적 지성의 체화 여부가 아닌, 기계학습 모델에 근거한 미디어로 이해할 필요성을 제기한다. 즉 정보와 예술적 객체의 생산 및 유통을 담당함은 물론, 이에 참여하는 사용자의 개인적·집단적 정체성과 사회문화적 관계를 구축하고 조율하며, 나아가 환경을 조성하는 동시에 환경에 영향을 미치는 매개자로서의 미디어 말이다. 엘레나 에스포지토(Elena Esposito)가 기계학습 알고리즘과 이로 구성되는 모델을 설명하기 위해 '인공지능' 대신 제안하는 '인공 커뮤니케이션(artificial communication)' 개념이 이 필요성에 화답한다. "이제 알고리즘은 더 이상 우리의 의식을 닮으려 하지 않으며, 우리의 요청에 적절히 응답하고 인간의 정신으로 구성하거나 재구성할 수 없는 정보를 제공하는 유능한 커뮤니케이션 파트너로서 점점 더 많은 역할을 할 수 있게 되었다."* 에스포지토는 인공 커뮤니케이션 개념을 통해 지성과 커뮤니케이션 능력을 구별할 뿐 아니라 기계학습을 인공지능으로 일컬을 때 내재된 가정, 즉 기계학습이 인간 지성의 모방이라는 가정을 넘어서 기계학습을 이해하자고 제안한다.

　케이트 크로퍼드의 『AI 지도책』**은 인공지능을 인공 커뮤니케이션 미디어로 가정하면서 인공지능이 빅테크 기업과 군산복합체의 정치적·경제적·문화적 권력을 강화하는 방식을 논의한다. 이 책이 비판적 디지털 미디어 연구의 사례로 자리한 이유는 인공지능 시스템이 자율적이고 합리적이며 인간의 능력을 대신하거

---

* Elena Esposito, *Artificial Communication*(MIT Press, 2022), p. 4.
** 미국에서 2021년 출간된 이 책의 원래 부제는 'Power, Politics, and the Planetary Costs of Artificial Intelligence', 즉 '인공지능의 권력, 정치, 그리고 지구적 비용'이다.

나 능가하기도 한다는 신화를 반박하기 때문만이 아니다. 인공지능 시스템이 어떤 인식론적 가정과 물질적 토대에 근거하여 구성되고, 누구를 위해 작동하며, 그 과정에서 누구를 배제하거나 전용하며, 그 시스템의 예측과 분류 및 가속된 작동이 어떤 사회적·환경적 결과를 낳는가를, 그 시스템을 구성하는 파이프라인을 따라가면서 질의하고 탐사하기 때문이다. 이러한 비판적 디지털 연구의 기획을 압축한 이 책의 선언적인 주장이 인공지능은 "'인공'적이지도 않고 '지능'도 아니라"(17쪽)는 것이다. 또한 이 주장과 같은 맥락에 있는 인공지능의 정의는 "천연자원, 연료, 인간 노동, 하부 구조, 물류, 역사, 분류를 통해 만들어"지는 "체화되고 물질적인 지능"(17쪽)이다. 이 정의를 뒷받침하기 위해 크로퍼드가 취하는 방법론은 '지도학적(cartographic)' 또는 '지형학적(topographical)' 접근법이다. 이 접근법은 한편으로는 인공지능을 구성하는 다양한 인간적, 비인간적 행위자와 이들 사이의 관계를 파악하기 위한 공간적이고 인지적인 기획인 동시에, 다른 한편으로는 "지구를 연산(computation)의 형태로 파악"하는 AI 분야의 공학적·경제적·군사적·물류적 실천이 "세계를 어떻게 측정하고 정의하는가"(20-21쪽)를 존재 권력과 환경 세계의 차원에서 현상하는 기획이기도 하다.

2.

이러한 지도학적·지형학적 기획과 이를 뒷받침하는 비판적 디지털 미디어 연구는 당연하게도 단일 학제에서 이루어질 수 있는 영역이 아니며 여러 학문들의 대상과 방법론, 문제의식이 결합된 학제간 연구의 파이프라인을 요청한다. 이 요청에 응하듯 이 책은 "코드와 알고리즘을 설명하지 않으며 컴퓨터 시각이나 자연어 처리나 강화학습에 대한 최신 이론을 소개하지도 않는다."(25쪽) 그

대신 "인공지능을 '추출 산업(extraction industry)'으로 규정"하고 "AI 가 만들어지는 실제 과정을 보여주는 장소들"(25쪽)을 탐사한다. 이 에 따라 이 책의 각 장은 동시대 북미의 비판적 디지털 연구를 이 루는 학문적 경향의 영토를 조합한다. 자연과 노동, 물류의 연결망 을 경유하는 가치의 추출과 순환을 추적하여 포괄적인 지도로 확 장하는 이 방법론은 크로퍼드가 음성 인식 AI 기기인 아마존 에코 (Amazon Echo)를 대상으로 수행한 연구*를 연장한 것이기도 하다.

이 책의 1장 '지구'는 인공지능의 기계학습 훈련 및 이를 운 영하는 연산 장치에 필요한 광물(배터리에 필요한 리튬 등)의 채굴과 수 력 및 전력의 소비, 아마존 등이 예시하는 세계적 물류 체계의 작 동 방식을 설명한다. 그럼으로써 이것들이 자연 자원 및 노동력의 착취는 물론 지구 전체를 추출 산업의 영토로 어떻게 재편하는지 보여 준다. 이 과정에서 크로퍼드는 루이스 멈퍼드(Lewis Mumford) 의 거대기계(megamachine) 개념을 인공지능에 적용하면서 이를 "데 이터베이스와 알고리즘, 기계학습과 선형 대수학을 훌쩍 뛰어넘 는" 결합체, 즉 "전 세계에 뻗어 있지만 분명히 드러나지 않는 산 업 인프라, 공급사슬, 인간 노동에 의존하는 기술적 접근법의 집 합"(62쪽)으로 규정한다. 이 같은 규정은 송신자와 수신자의 의도 및 메시지의 내용에 집중하여 미디어의 구성과 효과를 설명해 온 전통적인 미디어 연구의 한계를 넘어선다. 이 과정에서 이 책은 메 시지 또는 정보의 유통에 기여하는 자연적·물질적·기술적·집합적 토대의 역할에 주목하는 2010년대 이후 미디어 인프라구조 연구 (media infrastructure studies)의 영향을 반영한다. 실제로 이 책의 1장은

---

* Kate Crawford and Vladan Joler, "Anatomy of an AI System", *AI New Institute and Share Lab*, September 7, 2018, https://anatomyof.ai/.

미국 네바다주에 위치한 실버 피크 리튬 광산.(출처: flickr.com)

거대한 물류 체계를 미디어의 관점에서 파악함은 물론, 세계 곳곳의 데이터센터가 막대한 수력과 전력을 소모하고 폐열(waste heat)을 만들어 내 환경을 개조하는 방식에도 주목함으로써 인공지능의 인프라구조를 환경 미디어(environmental media)의 관점으로 분석하고 서술하는 최근 연구의 경향도 포용한다.

스페인 마드리드의 아마존 물류센터. 한 노동자가 모니터를 들여다보고 있다.(출처: flickr.com)

이 책의 2장 '노동'은 미디어 인프라구조 또는 추출 산업으로서의 AI 산업이라는 1장의 관점을 이어 가면서 동시대 작업장의 자동화 시스템과 AI 시스템 구축에 필요한 다양한 노동의 모순을 추적한다. 아마존 물류센터를 포함한 작업장에서의 AI 시스템은 19세기부터 발달한 찰스 배비지의 시간 관리 시스템과 프레더릭 윈즐로 테일러의 인체 미시 관리 등을 포함하는 산업적 노동 착취 시스템이 연장되고 강화되었다는 맥락으로 파악된다. 산업적 노동 착취 시스템과 비교할 때 AI 자동화 시스템이 갖는 "결정적 차이는 예전에 접근 불가능하던 작업 주기와 인체 데이터의 내밀한 부분들을 이제 (최후의 미시행동에 이르기까지) 관찰하고 평가하고 조절할 수 있게 되었다는 것이다."(73쪽) 한편 AI 시스템 구축에 필요한 노동에는 아마존 메커니컬 터크(Mechanical Turk)와 같은 주문형 크라우드 노동 플랫폼을 통해 매개되고 전 지구적 규모로 (남반구 노동자와 북반구 이주 노동자를 포괄하는 방식으로) 불균등하게 분배되는 훈련 데이터 레이블링 및 콘텐츠 검토 등의 반복적인 저임금 고스트 노동 (ghostwork) 또는 미세 노동(microwork)*이 포함된다. 이 두 종류의 노동에 대한 분석을 바탕으로 크로퍼드는 인공지능은 인공적이지도 않고 지능도 아니라는 서론의 주장을 "지구적 연산은 추출의 모든 공급사슬에 걸쳐 인간 노동의 착취에 의존한다"(85쪽)라는 단언으로 연장한다. 이와 같은 단언은 한편으로는 마르크스주의와 이탈리아 자율주의에 입각하여 디지털 시대 노동의 위상 변화와 주체성의 예속화를 비판해 온 프랑코 '비포' 베라르디와 마우리치오 랏자라또의 저작 및 노동의 자동화 역사에 대한 과학기술학 분야의 많은 연구, 다른 한편으로는 미세 노동과 외주화된 플랫폼 노동에 대한 필 존스,** 모리츠 알텐리트*** 등의 연구와 연결된다.

　　이 책의 3장 '데이터'와 4장 '분류'에 이르러 크로퍼드의 응시는 AI를 구성하는 기계학습의 내부로 향한다. 그러나 크로퍼드의 관심은 기계학습 알고리즘이나 수학적 모형보다는 기계학습의 분류와 예측을 위한 학습의 원천이 되는 데이터 집합의 인식론적·문화적 함의다. 기계학습의 급속한 발달은 범죄자의 머그숏을 비롯한 다양한 이미지를 "세계의 고전적 표상으로서가 아니라 기계의 추상화와 작동을 위한 데이터 덩어리"(113쪽)로서의 인프라구조로 변환한다. 이렇게 구성된 데이터 집합은 "AI가 어떻게 운용되는가를 좌우하는 인식론적 경계를 정하며 이런 의미에서 AI가 세상을 어떻게 '볼' 수 있는가의 한계를 짓"(117쪽)기 때문에 중요하다. 2010년대 이후 빅데이터 패러다임의 확산과 조응하는 개

---

* 두 용어 모두 시스템을 운영하는 데 긴요하지만 드러나지 않으며 감춰지기도 한다는 의미에서의 노동을 설명하는 개념이다.

** 필 존스, 김고명 옮김, 『노동자 없는 노동』(롤러코스터, 2022).

*** 모리츠 알텐리트, 권오성·오민규 옮김, 『디지털 팩토리』(숨쉬는책공장, 2023).

인적·사회적 제반 요소의 포괄적 데이터화와 전방위적인 데이터 수집은, 한편으로는 데이터를 "소비해야 하는 자원"(135쪽)으로 지속적으로 추출하고 순환시키면서 다른 한편으로는 데이터를 추상적이고 비물질적인 것으로 간주하는 명령에 따른 것이다. 그러나 크로퍼드가 작가 트레버 패글린(Trevor Paglen)과 함께 2009년 스탠퍼드대학교 연구진이 구축한 데이터베이스 이미지넷(ImageNet)을 비롯한 주요 벤치마크 데이터 집합의 이미지 분류 체계를 연구하여 보여 준 통찰은 1장과 2장에서 분석한 식민적 데이터 자본주의의 효과에만 머무르지 않는다. 이미지넷은 성소수자와 장애인에 대한 차별적 인식을 반영한 메타 데이터와 이미지 분류 범주를 포함하고, 테네시대학교 연구진이 제작한 유티케이페이스(UTKFace) 데이터 집합은 성별을 남성과 여성, 인종을 단 여섯 가지로 분류하는 위험한 환원주의에 종속된다. 데이터 집합의 성별, 성적 지향성, 직업, 인종 분류에 내재된 편향, 그리고 인물의 외적 특징이 인간의 인종적, 성적, 문화적 정체성을 인과적으로 입증한다는 실증주의에 내재된 편향은 이 책의 5장에서 다루는 '감정'으로 연장된다. 이 장에서 크로퍼드는 오늘날까지도 얼굴 인식 테크놀로지 연구의 방법론적 가정을 뒷받침하는 폴 에크만의 행동심리학적 연구를 비판한다.

　이와 같은 비판을 통해 크로퍼드가 궁극적으로 강조하는 바는 두 가지다. 첫째, 데이터 집합을 구성하는 분류에 내재된 인식론적·문화적 권력의 기입과 작동 방식에 주목해야 한다는 것이다. 둘째, 훈련 데이터의 학습을 바탕으로 연산적으로 추론된 상관관계가 인종, 성별, 성적 지향성을 구성하는 "복잡하고 다채로운 문화적 재료를 뭉뚱그려 일종의 단일한 객관성을 빚어내려는 기술적 세계관"(172쪽)의 반영이라는 것이다. 크로퍼드에 따르면 이와 같은 세계관은 두개골의 측정을 통해 인종 간 지능의 우열 관계를 입증하고자 했던 새뮤얼 모턴(Samuel Morton), 그리고 인종과 성별의 평균적 특징을 통계학적 상관관계와 합성 사진 기법으로 입증하고자 했던 프랜시스 골턴(Francis Galton)의 유산이다. 이 지점에서 데이터 집합에 대한 비판적 연구는 연산 미디어의 과학사적 기원에 대한 연구, 그리고 비판적 인종 연구(critical race studies)에 입각하여 검색 엔진 및 안면 인식 시스템 등에 내재된 인종적·젠더적 편향과 그 사회적 파급 효과를 조명해 온 루하 벤자민(Ruha Benjamin), 사피야 우모자 노블(Safiya Umoja Noble),* 라몬 아마로(Ramon Amaro) 등의 연구와도 같은 맥락에 있다.

3.

얼마 전 창간호가 나온 듀크대학교 출판부 학술지 《비판적 AI(Critical AI)》의 편집인 로렌 M. E. 굿래드(Lauren M. E. Goodlad)는 AI에 대한 비판적인 관점이 "예측적인 분석을 인간의 의사 결정과 동일시하고 방대한 데이터 집합을 인간의 지식, 사회적 경험, 문화적 약속과 동일시하는 데이터 기반 기계 시스템의 기능을 (AI에 대한) 의인화된 비유가 어떻게 잘못 재현하는가를 인식하는"** 것에 전제한다고 단언한다. 이와 같은 전제에 호응하듯 『AI 지도책』의 결론에서 크로퍼드는 인공지능의 연산 시스템을 보편적 해결책이자 사회적 발전의 동인으로 제시하는 기술 유토피아주의와, 알고리즘을 사회와 인간을 교란하는 독립된 행위자로 암묵적으로 간주

---

* 사피야 우모자 노블, 노윤기 옮김, 『구글은 어떻게 여성을 차별하는가』(한스미디어, 2019).

** Lauren M. E. Goodlad, "Editor's Introduction: Humanities in the Loop", *Critical AI* 1(1-2), 2023.

미국 아이오와주 카운실블러프스에 자리한 구글 데이터 센터. (출처: flickr.com)

하는 디스토피아주의 모두를 "권력을 오로지 기술 자체 내부에 두는 지극히 몰역사적인 관점"(253쪽)이라고 비판한다. 이 같은 비판에 입각하여 이 책이 지형학적 또는 지도학적 방법으로 구축하는 결합체적인 미디어로서의 인공지능은 "인공화, 추상화, 자동화라는 기술관료적 가공물이 아니라 지구적으로 상호 연결된 추출과 권력의 체계"(257쪽)다.

물론 이 같은 체계의 구성 요소를 가로지르며 탐사하는 방법론으로 인해 데이터 집합의 수학적·확률론적 연산과 이를 가능하게 하는 모델로 이루어진 기계학습 내부에 대한 분석을 시작 단계에서 배제하는 것은 이 책의 주요한 한계다. 이 같은 설정은 기계학습 모델의 데이터 집합 학습과 그 모델의 출력 데이터가 많은 경우 동일하지 않음에도 불구하고 데이터 집합이 출력 데이터의 위상을 직접적으로 결정한다는 환원주의를 강화한다. 또한 동일한 확률론적 상관관계에 의존하면서도 오늘날 생성형 AI에 이르기까지 다양한 학습 방법과 모델을 경유하며 정교하면서도 우발적인 방식으로 발달해 온 다양한 기계학습 모델의 복잡성을 단순화하는 결과로 이어질 수도 있다. 현재 AI 및 플랫폼에 대한 비판적 연구의 일부가 생성형 AI의 이미지 및 텍스트 생성 방식을 규정하는 데 사용해 온 '자판기'라는 비유가 이와 같은 단순화의 한계를 드러낸다.

그럼에도 불구하고『AI 지도책』의 가장 중요한 성과는 인공지능을 미디어로 이해하기 위해 브뤼노 라투르가 근대적인 비판(critique)에 대한 대안으로 제안한 합성(composition)의 방법론을 실천했다는 데 있다. 구성(construction)의 유사어로도 볼 수 있는 합성은 미리 상정된 외부의 세계 또는 진리를 폭로하는 방법으로서의 비판이 더 이상 유효하지 않게 된 오늘날의 다양한 위기 상황에 직면하여 다양한 인간적·비인간적 행위자와 구성 요소들을 한데 모으고 이들을 조합함으로써 공통의 세계를 재구성하는 작업을 뜻한다. 합성으로서의 지형학적 접근이 예시하는 비판적 AI 연구가 개입해야 하는 현재의 상황은 기계학습 기반 모델들이 인식과 권력, 정체성 및 사회적 가치의 형성과 순환에 작용하는 숨겨진 매개자(mediator, 예를 들어 소셜 미디어와 스트리밍 플랫폼의 추천 알고리즘과 같은)로만 존재하지 않는 상황이다. 즉 생성형 AI는 기계학습 기반 모델들의 위상이 텍스트와 이미지를 산출하고 유통하는 미디어(media)로 확장되었음을 뜻한다. 생성형 AI의 확산과 다양한 과제 및 이질적인 미디어를 통합적으로 수행하는 멀티모달(multimodal) AI 패러다임으로의 신속한 전환이 예시하는 이 같은 상황은 네트워크에 존재하는 모든 이미지와 텍스트가 잠재적인 스크랩 및 큐레이션의 대상이 될 수 있는 조건, 백만 단위에서 수십억 단위의 이미지 또는 말뭉치를 포함한 데이터 규모의 증가, 그리고 이 데이터를 처리하기 위해 더욱 많은 데이터센터와 클라우드 서버, 컴퓨팅 역량 및 전력을 필요로 하는 인프라구조의 팽창에 힘입은 것이었다. 『AI 지도책』이 예시하는 합성주의적인 미디어 개념과 이를 조직하는 학제간 비판적 미디어 연구의 실천은 이처럼 생성형 AI를 둘러싼 과도한 유행과 설익은 비관주의를 넘어 생성형 AI가 지구와 사회, 인간을 재구성하는 방식을 포괄적으로 점검하기 위해서도 여전히 유효하고도 화급하다. 서리북

김지훈
학제간 인문예술학인 영화미디어학(cinema and media studies)의 제도화에 주력해 온 영화미디어학자. 중앙대 교수로 재직 중이다. *Activism and Post-Activism*(Oxford University Press, 2024), *Documentary's Expanded Fields*(Oxford University Press, 2022), *Between Film, Video, and the Digital*(Bloomsbury, 2016)을 썼다. 2021년 대우재단 학술연구지원사업 논저 분야 선정작으로 『위기미디어: 위태로운 21세기 사회와 미디어의 확장』을 작업 중이다.

📖 북미 비판적 디지털 미디어 연구를 선도해 온 한국계 미디어학자 웬디 희경 전(Wendy Hui Kyong Chun)의 가장 최근 책으로 빅데이터, 추천 알고리즘, 얼굴 인식 테크놀로지를 통해 작동하는 차별의 정치에 내재된 19세기 말 이후의 인식론적, 사회과학적, 컴퓨터 공학적 기원을 입체적으로 조명한다.

"빅데이터와 우생학은 모두 영원하고 불변인 것으로 추정된 생물학적 속성을 통해 과거를 미래와, 상관관계를 예측과 연결하기를 추구한다. 한 세기나 차이가 있지만, 둘 다 (가장 빈곤한 공동체에 대한 감시를 통해 가장 노골적으로) 세계를 실험실로 설정하고, '비규범적' 특성을 전파함으로써 다수를 추구하며, 불평등에 대한 '가장 친절한' 해결책으로 분리를 장려한다." — 책 속에서

『차별하는 데이터 (Discriminating Data)』
웬디 희경 전 지음
MIT Press, 2021
(김지훈 옮김
워크룸프레스, 2025
출간 예정)

📖 아마존 물류창고 노동자, 중국에서 미국 게임사의 그래픽 작업을 하는 하청 노동자, 필리핀의 콘텐츠 모더레이터에 이르기까지 빅테크 기업에서 필수적인 노동을 하면서도 철저히 은폐되고 서열화, 인종화되는 디지털 노동에 대한 비판적 지형학을 실천한다.

"주장하고 싶은 핵심은, 디지털 자본주의가 공장의 종말이 아니라 오히려 폭발, 증식, 공간 재구성과 기술적 변이 과정을 통해 디지털 공장으로 전환된다는 점이다. 공장은 생산 과정과 산 노동을 조직하고 통제하는 시스템에 그 본질이 있다. 이런 의미에서 공장은 노동이 실제 벌어지는 현장일 뿐 아니라—좀 더 추상적으로 보면—시간과 공간을 초월해 노동과 기계 및 인프라를 지휘하는 기관이자 원리로 이해할 수 있다." — 책 속에서

『디지털 팩토리』
모리츠 알텐리트 지음
권오성·오민규 옮김
숨쉬는책공장, 2023

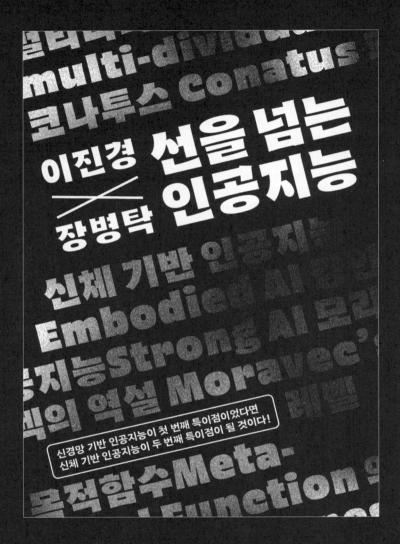

『이진경×장병탁 선을 넘는 인공지능』
이진경·장병탁·김재아 지음
김영사, 2023

몸을 만들어 주면 인공지능에서 마음이 생겨날까?: 컴퓨터과학자와 인문학자의 다채로운 대화

고인석

컴퓨터과학자와 인문학자, 인공지능을 두고 마주 앉다

요즈음 나오는 책들 가운데는, 세부 영역을 막론하고, 인공지능을 거론하는 것들이 많다. 자연스러울 뿐만 아니라 바람직한 현상이라고 생각한다. 인공지능이 문자 그대로 세상을 변화시키며 재구성하고 있기 때문이다. 개인의 일상도, 업무도, 놀이도, 인간관계도, 기업의 경영도, 정치와 경제, 그뿐만 아니라 예술을 포함하는 문화의 틀도 인공지능 기술의 영향권 안에 있는 마당이니 그렇지 않다면 오히려 이상한 일이다. 그런데 이런 상황은, 출간되는 책의 관점에서 보자면, 부담스러운 경쟁을 예고한다. 허다한 인공지능 관련 책들 가운데 바쁜 시간을 쪼개 그것을 읽어야 할 이유를 만들어야 할 터이기 때문이다. 저자의 이름이 다시 제목에 포함된 형식은 생소했지만, 이 책의 구매 의욕을 북돋울 저명한 두 학자의 이름을 내걸고 싶었을 출판사의 마음에는 수긍이 갔다.

이 책은 처음부터 끝까지 인공지능을 다루지만, 실제로 진행되는 논의의 내용은 대부분 컴퓨터공학이나 자연과학이 아니라 인문학, 더 좁혀서는 철학의 영역에 속하는 생각들이다. 이것은 우리가 인공지능이라는 새로운 기술과 기술 산품의 영향 속에 살 수 밖에 없는 현실 속에서 그런 기술을 조금이라도 더 이해하면서 포용할 수 있기 위해서는 이런 인문학적인, 혹은 철학적인 생각들이 어떻게든 정리되어야만 한다는 관점에서 볼 때 자연스럽다. 우리의 삶, 우리의 언어, 우리의 세계관과 가치관으로 이해되지 않은 기술은 다룰 수 없고, 우리가 다룰 수 없는 기술은 우리의 기술이 아니기 때문이다.

세 사람을 지은이로 표기하고 있는 이 책은 공저자 중 한 사람인 작가 김재아의 기획에서 비롯되었다. 그는 두 공저자를 끌어들여 대화의 자리를 만들었고, 여러 장의 첫머리를 비롯하여 빈번하게 이야깃거리가 될 물음을 던지며 이야기의 흐름을 이끌어 갔다. 때로 그는 두 학자의 말을 정리하면서 독자의 이해를 돕고, 연관된 사례를 언급하는 방식으로 추임새를 넣기도 한다. 열네 개의 장과 부록으로 이루어진 이 책을 읽으며 독자가 매끄러운 흐름을 느낀다면, 김재아의 몫이 크다. 물론 그의 더 중요한 공헌은 이진경과 장병탁이라는, 어쩌면 이런 대화를 나눌 일이 없었을지도 모를 두 학자를 마주 앉혀 이야기하도록 만든 것이다. 두 학자는 각각 사회 연구와 인공지능 분야에서 중요한 연구자인 동시에 영향력 있는 저자들이다. 두 거장의 대화라니, 그 자체로 구경하는 이의 가슴을 뛰게 만드는 멋진 이벤트가 아닐 수 없다.

통속성과 학문적 깊이라는 두 마리 물고기를 낚다

이제 서평이라는 관점에서 이 책을 살펴보자. (이 서평은 독자의 관점과 책과 독자의 관계를 바라보는 메타적 관점 사이를 오가며 진행될 것이다.) 먼저, 이 책은 누구 읽으라고 쓴 책인가? 모든 책은 읽히려고 만들어지는 것이고 독자에게 읽힘으로써 비로소 존재 의미를 실현하기 때문에

이 물음은 중요하다. 저자들 중 한 사람이면서 이 책의 기획자인 김재아는 서문에서 이 책의 독자를 "인공지능에 관해 호기심과 불안을 동시에 갖고 있는"(6쪽) 사람과 인공지능에 관해 참신하면서도 (단순한 정보 전달식 내용이 아니라) 깊은 통찰을 얻기 원하는 사람으로 묘사한다. 우리 대부분을 포함할 광범위한 독자군에게 의미 있는 독서를 제공하겠다는 의지가 엿보인다.

먼저 눈에 띄는 이 책의 가장 중요한 훌륭함은 우리가 인공지능에 관하여 가질 법한 흔한 물음들을 일상의 이야기와 학술적 토론의 두 수준을 내내 부지런히 오가며 다룬다는 것이었다. 이진경과 장병탁은 각각 철학과 컴퓨터과학의 관점에서 정통한 이야기를 할 준비가 되어 있는 최고 수준의 전문가인 동시에, 상대편의 전문 영역에 속한 논의에 관해서까지 상당한 식견과 이해를 지닌 흔치 않은 융합형 학자들이다. 그런 덕분에 '인간은 인공지능 기계와 비교하여 얼마나 혹은 어떻게 특별한 존재인가?'나 '인공지능 로봇도 마음을 가질 수 있을까?'처럼 소박한 듯하면서도 복잡한 물음들이 생명, 신체, 학습, 신경망, 기억, 자아 같은 연관된 주제들을 끌어들이면서 풍부하게 논의된다. 그 덕분에 독자는 인공지능과 로봇에 관해서뿐만 아니라 도대체 지능이란 무엇인지, 다른 종에 속한 생명체와 인간의 관계, 우리 존재에서 몸의 의미, 그리고 언어와 사랑과 예술과 노동 같은 그 자체로 중요하고 종종 논쟁적인 요소를 지닌 흥미로운 주제들에 관하여 생각해 볼 계기를 얻는다.

게다가 두 학자는 이런 문제들에 대한 자신의 생각을 일상 대화처럼 평이한 논조로 풀어내는 능력을 발휘한다. 그것은 방금 말한 식견과 별개의, 또 다른 존경할 만한 역량이다. 저자들의 이런 역량들이 결합하는 덕분에 이 책은 통속성과 학문적 깊이라는 두

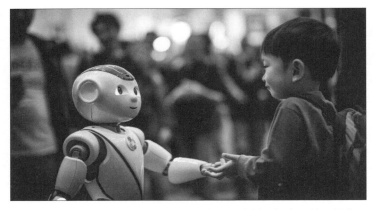

인간은 인공지능 기계와 비교하여 얼마나 혹은 어떻게 특별한 존재인가? 인공지능 로봇도 마음을 가질 수 있을까?(출처: pixexid.com)

마리 물고기를 한 번에 낚아 올리는 듯한 인상을 준다. 통속성과 학문적 깊이를 동시에 추구한다는 것은 모순을 좇는 무모한 도전이 아니다. 오히려 그것은 한 권의 책이 추구할 수 있을 뿐만 아니라 가능한 한 누구나 그렇게 하면 좋을, 귀중한 목표다.

전체 대화의 구조를 재구성하기 어렵다

그러나 이 책의 내용이 실로 이런 긍정적인 인상에 부합하는지는 따로 살펴보아야 할 문제다. 내 감상부터 요약하자면, 두 학자의 존경할 만한 역량과 인공지능에 관하여 우리가 궁금해할 만한 의문들을 하나씩 꺼내 논의되게끔 유도한 기획자의 노고에도 불구하고, 이 책이 독자가 기대할 만한 수준의 성과에 도달했다고 생각하지 않는다. 이런 감상은 높은 기대 때문이기도 하겠지만, 이런 기획의 실행이 흔히 일어날 사건은 아니라고 생각하기 때문에 못내 아쉬웠다.

먼저 언급하고 싶은 것은 책 전체의 논의 구조, 즉 대화 주제

의 배열과 진행이다. 장들의 제목으로 이루어진 목차를 읽었을 때
이 책의 논의가 대략 어떤 거시적 흐름을 구성할지 짐작할 수 없
었다. 심지어 책을 다 읽고 나서 다시 목차를 들여다보았을 때에도
각 장에서 어떤 이야기가 진행되었는지 거의 상기해 내지 못했다.
책의 목차는 독자가 그것을 들여다보면서 자신이 어떤 내용의 책
을 읽게 될지 예상하도록 하는 역할을 한다. 유능한 독자는 목차에
서 책이 만들어 갈 이야기의 어떤 논리적 구조 같은 것을 간파하기
도 한다. 이것이 소설이 아니라 현실에 관한 정보와 더불어 두 학
자의 식견과 지혜를 나눠 주는 책이니만큼 그렇게 하는 것이 바람
직하다. 그러나 이 책의 목차는 그런 역할을 하지 않았다.

　　그런데 목차의 표현을 조정하여 전체 논의 구조의 가시성을
개선하더라도 그런 개선의 폭은 제한되었을 것 같다. 그렇게 추정
하는 한 가지 이유는, 이 책이 실제 상황에서 자연스럽게 펼쳐졌던
대화를 최대한 충실히 재현하는 방식으로 만들어졌기 때문이다.
두 거장이 주고받은 싱싱한 대화의 기록, 그것이 이 책의 고유한
특징이고 힘이라는 점에서 이 불만은 역설처럼 들릴 수도 있겠다.
좀 더 풀어 말해 보자.

　　기획자는 아마도 열심히, 그리고 어쩌면 두 좌담자들과 상의
해 가면서, 대화의 주제들을 선별하고 또 그것들을 어떤 순서로 다
루어 나갈지, 나아가 오늘은 어떤 주제에 관한 이야기를 어떤 물음
으로 시작하여 어떤 소주제를 끌어들이면서 논의를 진행할지 계
획했을 것이다. 필경 두 학자도 그날그날 논의될 주제에 관한 정보
와 자신의 생각을 정리하여 참석했을 것이다. 그러나 지성과 지성
이 부대끼는 싱싱한 대화는 계획한 대로 진행되지 않는다. 나는 실
제로 대화의 물길이 종종 예상치 못한 방향으로 흘러간 듯한 느낌
을 받았다. 내 예상이 섣부른 것이었을 수도 있고, 예상 밖의 방향

으로 진행된 논의 덕분에 이 책 고유의 신선한 시선들이 생겨났다
고 말할 수도 있을 것이다. 그러나 나는, 독자의 관점에서, 그런 대
화의 내용을 머릿속에 정돈하는 데 종종 어려움을 느꼈다.

　　그 시간, 그 장소에서 진행되었던 대화를 고스란히 옮기는 일
에 얽매이지 말고 좀 더 적극적으로 그것을 재구성하는 일을 시도
했더라면 어떨까? 아마도 해본 일 없는 사람의 속 편한 주문이겠지
만, 두 지성의 대화를 관전하는 감동으로 만족하지 않고 거기서 무
엇인가를 배우고자 하는 독자를 생각한다면, 기획자가 다른 두 저
자와 협의하면서 시도해 볼 만한 모험이 아니었을까 생각한다.

대화는 두 논자를 제3의 지점으로 데려가지 않았다

두 학자의 말하기 스타일은 서로 사뭇 달랐다. 그 차이는, 객관적
인 지식을 요청하는 물음에 답하는 지점들을 제외하고, 자기 견해
를 말하고 상대방의 견해에 반응하는 여러 장면에서 반복해 나타
났다. 이진경은 통상적인 견해라고 할 수 없는 견해나 해석을 제시
할 때도 단정하듯 말하는 반면, 장병탁은 이진경의 말에 거의 예외
없이 수용의 자세로 반응한다. 심지어 두 사람 사이에 분명한 의견
차이가 감지되는 지점에서도 장병탁은 차이보다 공통점을 확인하
는 방식으로 반응한다. 장병탁이 두 사람 간의 의견 차이에 천착하
는 모습을 보이는 흥미로운 지점들이 몇몇 있지만, 그런 경우에도
장병탁은 "굳이 반론을 제기한다면"(94쪽) 같은 완화형 표현을 사
용한다.

　　그런데 아쉬웠던 것은, 두 학자가 내내 자기 생각의 자리에서
대화에 참여했을 뿐 대화를 통해 그 자리가 변경되거나 흔들리는
것처럼 보이는 일이 없었다는 점이다. 내가 보기에는 두 사람이 의
견 교환을 통해 진정한 의미에서 제3의 지점에 도달한 일이 없었

다. 그래서 이 책에 나타난 대화에서 두 사람이 서로에게 배운 것이 있는지 궁금하다. 설령 그들이 마음속으로 서로에게서 배운 것이 있다 해도, 독자는 그것이 무엇인지 간파할 수 없을 것이다.

7장에서 이진경이 질 들뢰즈의 수축(compression) 개념을 언급했을 때, 장병탁이 그것이 딥러닝의 차원 축소(dimensional reduction) 같은 것인지 물었다. 이진경은 "수축은 축소가 아니에요"(159쪽)라고 답했고, 장병탁도 자신이 언급한 차원 축소도 (당신이 말하는 것 같은) 일반적인 축소는 아니라고 대꾸했지만, "철학에서는 좀 더 미세한 의미들을 구분하고 있는 것 같"(159쪽)다고 겸양의 어투로 마무리한다. 아쉬웠던 것은, 이 지점에서 김재아가 다른 질문을 던지며 주제를 전환했던 점이다. 이 개념이 얼마나 생산적인 토론의 실마리가 되었을지는 모르지만, 이 상황에서 한 걸음 더 들어가 들뢰즈 수축 개념의 적용 가능성 범위를 검토하고 장병탁이 거론한 딥러닝 구조와의 비교를 시도해 보았더라면 멋진 일이었을 것이다. 그것이 결과적으로 무리한 개념 확장이었음이 드러난다고 해도 그런 한계를 확인하는 것은 실질적인 소득일 것이고, 그런 검토와 시도는 그 자체로 지적인 자극과 감동을 주었을 것이다.

6장은 존 설(John R. Searle)의 중국어 방 논증*을 어떻게 생각하느냐는 장병탁의 질문으로 시작된다. 이진경은 설의 사고 실험과 결론을 인간의 방식으로 이해하지 않으면 이해하는 것이 아

---

* 존 설이 1980년 발표한 논문 「마음, 뇌, 프로그램(Minds, Brains, and Programs)」에서 사고 실험을 기반으로 제시한 논증. 실제로 중국어를 전혀 이해하지 못하면서도 기호 처리에 관한 규칙들만 써서 중국어 능통자와 동등한 입출력 반응을 실현할 수 있음을 보임으로써, 언어를 이해하고 구사할 수 있는 것처럼 보이는 것과 언어 표현의 의미를 이해하는 것이 다름을 지적했다. 이 논문에서 강인공지능(Strong AI)의 개념이 처음 제시되었는데, 설은 의미를 이해하는 인공지능의 실현 가능성에 회의적이었고 그것은 강인공지능의 전망에 대한 회의론을 의미했다.

존 설이 제안한 중국어 방 실험을 나타낸 그림.(출처: 위키피디아)

니라고 보는 인간중심주의적 사유로 평가하면서 "바보 같은 얘기"(128쪽)라고 일갈한다. 그런데 강인공지능에 관한 논의 과정에서 이진경은 흉내만 완벽한 인공지능이 가능하더라도 강인공지능은 어렵다고 말하고, 이 지점에서 장병탁은 흉내만 완벽한 것으로는 안 된다는 말이 흉내 내는 기계로는 인간처럼 소통할 수 없다는 중국어 방 논증과 무엇이 다르냐는 예리한 질문을 던진다. 이 질문 덕분에 논의는 자아와 신체에 관한 이야기로 전진하지만, 장병탁의 저 물음 자체는 더 이상 다루어지지 않았다. 나는 저 물음이 중요한 철학적 물음을 머금고 있다고 생각한다. 형이상학의 물음인 동시에 윤리의 문제라고 생각되는 그 물음은, **완벽하게 그렇게 보이는 것과 진정 그러한 것이 어떻게 다른가, 그리고 그런 것들을 어떻게 대우할 것인가** 하는 물음이다. 이와 관련한 질문을 이 글 끝에서 제시하겠다.

남는 물음

두 가지만 더 거론하고 글을 마무리하자. 우선, 1장 첫 부분에 거론된 '에이전트(agent)' 개념에는 오해가 있어 보여 이의를 제기해 둔다. 중요한 개념이기 때문이다. 이진경이 그것을 "인간이 처리해야 할 과제를 대리해서 해결해 주는 자라는 뜻에서 빌려 온 말"(14쪽)이라고 풀이하자 장병탁은 "세상을 지각하고 그에 따라 행동하며 또 스스로 학습하는 자율적인"(14쪽) 존재라고 표준적인 의미를 진술한 후에 "전문용어로 표현하자면, 행위성과 **대행성**을 가진 무엇"(15쪽, 강조는 인용자)이라고 덧붙임으로써 이진경이 언급한 '대리' 혹은 '대행'의 의미를 수용한다. 에이전트 개념에 대한 이런 이해는 11장의 주제가 되어 다시 나타난다. 그러나 두 사람이 언급한 인공지능 교과서를 기준으로 보든 해당 개념의 역사를 보든, 누군가를 대신한다는 대행성의 요소는 에이전트 개념의 본래 의미에 들어 있지 않다. 두 사람이 언급한 교과서로 추정되는 책에서도 '에이전트'는 "단지 무엇인가를 행하는 어떤 것(just something that acts)"*이라고 서술되어 있다. 그것은 능동성을 지닌 행위의 주체를 뜻한다.** 물론 인간도 이런 의미의 에이전트다.

　끝으로, 이 책에서 두 논자의 견해가 일치하는 것처럼 보이는 지점에 관한 질문 하나를 던지고 싶다. 특히 이진경은 이 책에서

---

* Stuart J. Russell and Peter Norvig, *Artificial Intelligence: A Modern Approach*(Prentice Hall, 2010), 3rd Edition, p. 4. 이 책의 한국어 번역본은 스튜어트 러셀·피터 노빅, 류광 옮김, 『인공지능: 현대적 접근방식 1, 2』(제이펍, 2021).

** 앞에 언급된 책의 한국어판 번역자가 괄호 안에 '대리자'라고 덧붙여 둔 것이나 『옥스퍼드 영어사전』을 비롯한 사전들이 'agent' 항목에서 대행성을 언급하는 것도 오해의 원천일 수 있겠다. 나는 현실의 인공지능이나 로봇이 인간의 대행자라는 핵심 속성을 지닌다고 보지만, 그것은 에이전트의 개념과는 별개의 일이다.

두 학자는 공통적으로 인공지능의 신체성이 중요하다고 본다.(출처: wallpaperflare.com)

여러 차례, 일관성 있게, 신체의 중요성을 말하고 또 강조한다.* 신체는 진정한 지능, 감정, 자아가 생겨나는 데 필요한 바탕이다. 그렇다면 인공지능에 신체성을 부여함으로써, 다시 말해 인공지능이 세계와 상호작용하는 몸을 가지도록 함으로써, 우리는 감정과 자의식을 지닌 인공물을 만들어 내는 일에 다가설 수 있을 것이다. 신체성, 그리고 그것을 토대로 하는 물리적 상호작용의 중요성은 인공지능에 관한 대부분의 논자들이 동의하는 요소이니 다툴 일이 없다. 그런데 문제는 그런 경로를 거쳐 실현될 인공물의 감정이나 의식이나 주체성에 관한 평가를 어떻게 실행할 것인가이다.

장병탁은 기계가 감정을 표현하도록 할 수 있지만 감정을 느끼게 하기는 어렵다고 말한다.(161쪽) 인간의 감정을 감쪽같이 흉내 내는 것과 진짜 감정을 느끼는 것은 다른 사태라는 직관이 담긴 말이다. 나도 이 직관에 공감한다. 다만 기계가 인간의 감정을 인지

---

* 이러한 강조는 이 책의 표지 디자인에도 반영되었다.

하고 나아가 유사한 감정을 표현하는 역량을 발휘하도록 하는 일
은 유용하다고 생각하는 반면, 기계가 감정을 느끼도록 할 어떤 이
유가 있을지는 궁금하다. 그런데 더 중요한 문제는, "만일 기계가,
완벽하게, 감정을 느끼는 것처럼 행동한다면, 그것의 '감정' 지위
를 어떻게 평가해야 할까?"이다. 이러한 물음은 감정뿐 아니라 언
어 이해, 자의식, 도덕성 등 인공지능과 로봇에 관한 인문학적 토론
에서 거론되는 다른 핵심 주제들에도 똑같이 적용된다.

　두 학자는, 공통적으로, 신체성이 현재의 인공지능을 업그레
이드시켜 진짜 감정과 의식을 지닌, 인간과 나란히 주체의 지위
를 요구할 만한 존재로 격상시킬 수 있을 열쇠라고 본다. 몸이 현
실 세계와의 접촉을 가능하게 하는 바탕이고 통로라는 관점에서,
충분히 공감할 수 있는 견해다. 그런데 이러한 인식은 저자들도 언
급한 '체화된 인공지능(embodied AI)'의 연구 트렌드에서도 이미 확
연할 뿐만 아니라, 동물을 지각과 행위의 통합 시스템으로 파악한
야콥 폰 윅스퀼의 통찰*을 계승한 기존 인공지능 그리고 로봇공학
(robotics)의 중심에 있는 생각이다. 그렇다면 두 저자가 말하는 그런
고양된 인공지능은 곧 실현될 것으로 보면 되는가? 아니면 두 저자
가 생각하는 도약은 다른 종류의 몸을 요청하는가?

　만일 어떤 연구팀이 "마침내 마음을 가진 로봇 개발에 성공!"
이라고 발표한다면, 그리고 거기서 내놓은 로봇이 경험과학이 동
원할 수 있는 모든 관점에서 마음을 가진 주체들과 실제로 동등한
기능을 현시한다면, 우리는 그것이 마음을 지녔다고 인정해야 할
까? 아니면 여전히 그것이 마음을 가진 것처럼 작동하는 것일 뿐이
라고 평가할 수 있을까? 만일 후자라면, 도대체 어떤 테스트를 통

---

* Jakob von Uexküll, *Theoretische Biologie*(Verlag von Gebrüder Paetel, 1920).

과해야 진짜 마음, 진짜 감정, 진짜 이해, 진짜 자아를 가진 것인가? 이 지점에서 인간중심주의를 비판하는 이진경이 '같아 보이면 같다고 인정해야 한다'고 말할지, 또 생명과 인지의 역사가 지닌 고유성에 주목하는 모습을 보인 장병탁은 어떤 해법을 제시할지 궁금하다.

　　이 책을 인공지능과 그것에 관한 인문사회 영역의 지식 자체를 추구하기보다 관련된 다양한 생각의 단서들을 얻고, 거기서 출발하여 재미난 물음들을 따져 보고, 나아가 토론해 보려는 욕망을 지닌 독자들에게 권하고 싶다. **서리북**

고인석
서울대학교와 연세대학교 대학원에서 각각 물리학과 철학을 공부하고 독일 콘스탄츠대학교에서 과학 이론의 변동에 관한 논문으로 박사학위를 받았다. 한국과학철학회 회장을 지냈고, 인하대학교 철학과 교수로서 과학과 기술에 대한 철학적 문제들을 연구하고 강의한다. 특히 인공지능과 로봇을 다루는 사회적 방안에 관한 논의에 철학으로 기여하려고 노력 중이다.

📖『이진경×장병탁 선을 넘는 인공지능』에서도 언급된
인공지능 분야의 명실상부한 대표 교과서 『인공지능:
현대적 접근방식』의 두 저자 중 한 사람인 스튜어트 러셀은
컴퓨터과학과 관련 공학 분야들뿐만 아니라 인지과학,
논리철학, 심리철학의 핵심 주제들에 관한 깊이 있는 이해를
바탕으로 쓰고 말하는, 그래서 인공지능에 관한 논의에서
안심하고 참고할 수 있는 저자다. 인간들의 사회에 인공지능
기술을 어떻게 안착시킬지에 대한 고민을 담은 이 책에서
그는 상충하는 다양한 견해들 사이에서 아주 훌륭한 균형
감각을 발휘하면서도 분명한 것을 분명한 어조로 말하는
미덕을 실천한다.

『어떻게 인간과 공존하는
인공지능을 만들 것인가』
스튜어트 러셀 지음
이한음 옮김
김영사, 2021

"이런저런 AI 기법이 '인간의 뇌처럼 작동한다'라는 기사를
읽을 때면, 그 말이 그저 누군가의 추측이거나 그냥 허구라고
의심해도 괜찮다. (⋯⋯) 의식이라는 영역에 관해서는
아무것도 모르기에, 나는 아무 말도 하지 않으련다.
AI 분야에서 누구도 기계에 의식을 부여하려는 연구를 하고
있지 않고, 그 일을 어디에서 시작해야 할지 아는 사람도
전혀 없을 것이고, 그 어떤 행동도 의식을 선행조건으로 삼지
않는다. (⋯⋯) 중요한 것은 의식이 아니라, 기계의 능력(이다)."
"이 장의 제목에 적힌 '증명 가능하게 이로운(provably
beneficial) [AI]'은 약속이라기보다는 열망이지만, 올바른
열망이다." — 책 속에서

『AI 빅뱅』
김재인 지음
동아시아, 2023

미학과 철학의 기준으로 재평가하는
생성형 인공지능의 운명

권석준

생성형 인공지능을 바라보는 철학의 입장

글쓴이 김재인은 『인공지능의 시대, 인간을 다시 묻다』(동아시아, 2017), 『뉴노멀의 철학』(동아시아, 2020) 같은 철학책을 꾸준히 펴낸 미학자이자 철학자이다. 그는 2016년 상반기에 있었던 알파고 와 이세돌의 대국 후, 스스로 기술철학 연구에 경도되기 시작했다 고 말한다. 2023년 상반기에 펴낸 『AI 빅뱅』도 그러한 기술철학 논고 연작이라고 볼 수 있다. 이 책 역시 가장 대표적인 생성형 인 공지능(Generative Artificial Intelligence, 이하 생성형 AI)인 챗GPT(ChatGPT) 가 한국 사회에서 본격적으로 회자되고 하나의 트렌드가 되기 시 작한 지 겨우 반 년도 안 되어 출판되었을 정도로 부리나케 세상에 나왔다.

　이 책은 '생성 인공지능과 인문학 르네상스'라는 부제를 달고 있다. 부제에서도 볼 수 있듯, 저자가 기술철학 관점에서 주목하는 것은 챗GPT 자체보다는, 그것으로 대표되는 생성형 AI의 출현이 사회에, 특히 학문 세계에 가져올 충격에 대한 것이다. 저자는 스스 로 챗GPT뿐만 아니라 미드저니(Midjourney), 구글의 바드(Bard) 같은 생성형 AI 서비스를 직접 이용하고 체험하면서 그 충격을 평가하기 위한 데이터를 모았고 기술 자체에 대해서도 많은 공부를 했다. 책의 곳곳에서 이러한 저자의 탐험과 고민의 흔적을 확인할 수 있다. 그렇지만 부제에서 주목해야 할 다른 부분은 바로 '인문학', 그것도 '르네상스'다. '인문학 르네상스'가 어떤 맥락에서 언급되었는지는 책을 읽기 전에는 한 번에 파악할 수 없다. 일견, 생성형 AI가 앞으로 더 득세하고 더 광범위한 사회적 영향을 끼치게 되면, 그렇지 않아도 위기에 놓인 인문학은 더 심각해지는 것이 아닌가 생각할 수 있다. 그러나 저자는 부제에서 오히려 이러한 걱정을 내려놓으라는 듯이 '르네상스'라는 표현을 쓰고 있다. 인문학은 생성형 AI, 나아가 조만간 도래할 가능성이 높다고 예상되는 인공 일반 지능(Artificial General Intelligence, AGI) 시대에도 꿋꿋이 살아남아 결국 제2의 르네상스를 열게 된다는 의도에서였을까?

2022년 하반기에 공개된 비영리 기업 오픈AI(OpenAI)의 GPT-3.5 기반 챗GPT가 센세이션을 일으킨 이후, 전 세계 출판 시장에서는 생성형 AI에 관한 책들이 홍수처럼 쏟아져 나오고 있다. 2023년 상반기만 하더라도 한국에서 출판된 챗GPT 관련 서적은 무려 500종에 이른다. 유감스럽게도 출판된 책 대다수는 천편일률적으로 챗GPT의 작동 원리나 사용 방법과 실제 사례 등, 실용서에 가까운 그리고 자가 복제품 같은 책들이다. 간혹 출판된 책들 중에는 생성형 AI가 사회에 가져올 파급 효과를 무겁게 진단하며 논하는 책들이 가뭄에 콩 나듯 섞여 있다. 보통 이러한 책들은 기술적 관심이 한 차례 고점을 찍고 내려오면서 사회가 차분해지는 즈음에 세상에 나온다. 실제로 불과 2-3년 전만 해도 세상을 바꿀 것처럼 자주 회자되던 메타버스나 암호화폐, 대체 불가능 토큰(Non-Fungible Token, NFT) 등에 쏠렸던 관심은 지금은 차게 식었고,

오픈AI가 2022년 11월 30일 공개한 대화 전문 인공지능 서비스 챗GPT.(출처: flickr.com)

덩달아 이들에 대한 책들도 훨씬 덜 출판된다. 동시에 이들이 왜 고점에서 내려오게 되었는지를 분석하고 장기적 영향을 논하는 책들이 뒤이어 나오고 있다. 그렇지만 이미 사람들의 관심은 많이 멀어진 상황이기 때문에 정작 그 파급력과 현상 진단에 대해 고찰한 책들은 서점가에서 외면당하기 일쑤다.

　　이런 맥락에서 김재인의 『AI 빅뱅』은 고점을 지나기 전, 즉 인공지능의 새로운 국면에 대한 세간의 관심이 여전히 뜨거운 상황을 재빨리 포착하고 그것을 인문학의 위기와 연관 지어 논하려는 의도가 잘 결합되어 시의적절하게 세상에 나온 것이라 볼 수 있다. 동시에 충분한 숙고와 논리의 구성이 이루어질 만한 시간이 부족하여 논리의 허점이 생기는 것을 피할 수 없었던 것 같다. 나는 이 두 가지 특징을 이 책에서 동시에 관찰했다. 기술철학을 공부하는 저자는 그 명성에 걸맞게 생성형 AI의 원리와 한계를 적절하게 지적한다. 그러나 그 과정에서 기술에 대한 오해와 인식의 한계가 생기고, 논리의 일관성을 잃기도 하며, 때로는 엉뚱한 결론에 이르기도 한다.

책은 1부 3장, 2부 3장, 그리고 부록 3장으로 이루어져 있다. 각각의 장은 인공지능에 대한 독립된 철학적, 인문학적 고민거리를 다루고 있으나 곳곳에서 자유롭게 연결된다. 책은 1부에서 생성형 AI의 원리를 다루며 예술과 언어의 측면에서 이를 되돌아보고, 2부에서는 인문학의 관점으로 인공지능의 영향을 분석하고 대응 방안을 제시한다. 부록에서는 1, 2부에서 집중적으로 다루지 못했던 개별 주제들, 예를 들어 초지능에 대한 고찰이나 인공지능 윤리 등을 다룬다. 책의 구성에서도 살펴볼 수 있듯, 글쓴이의 의도는 기본적으로 생성형 AI에 왜 한계가 있을 수밖에 없는지, 인간의 창의성과 생각을 다루는 인문학의 가치가 왜 보존되어야 하는지, 위기를 맞은 인문학을 재편할 방향은 무엇인지로 이어지는 일련의 생각을 독자들과 공유하려는 것이다. 그 의도에 맞게, 그리고 철학으로 수십 년 훈련받은 학자답게, 책의 구성은 치밀하며 다른 책에서는 찾아보기 힘든 언어철학, 언어학, 분석철학, 심리학, 교육철학, 미학 등을 망라하는 인문학 개념과 사회과학 이론들이 알차게 소개되면서 독자들에게 오래된, 그러나 인공지능의 시대를 맞아 다시 새롭게 시도되고 있는 기술에 대한 철학적 해석을 제시한다. 이는 분명 자가 복제로 인한 산출물이나 마찬가지인 대부분의 생성형 AI 해설서와는 차별화되는 부분이다.

그러나 이러한 신선함에도 불구하고 이 책에는 기술의 해석에 대한 오해와 오류에 이르는 논리의 비약, 일관성이 확보되기 어려운 결론의 허술함이 담겨 있다. 그래서 인공지능의 내적 의미를 탐구하려는 독자들 입장에서는 주의 깊게 읽어야 하는 책이기도 하다. 글쓴이의 표현을 빌리자면, '사고 훈련' 혹은 '생각의 근육'을 기르기 위한 텍스트 재료로서 이 책을 읽어야 한다. 인공지능에 대해 처음 공부하려는 일반인이나 학생들이 이 책을 들머리로 잡을 경우 동료 평가 되지 않은 편향된 결론에 이르거나 기술을 오해하여 잘못된 판단을 할 소지가 있으며, 미처 업데이트되지 못한 일부 기술적 내용에 대한 논고는 그것을 인용하려는 다른 학자들에게는 학문적으로도 안 좋은 영향을 줄 수 있다. 그래서 글쓴이가 천착하는 인공지능의 한계를 논하는 의도를 파악하되, 적절한 필터와 비판적 시각을 가지고 이 책을 읽어야 한다. 이하에서는 철학자의 관점에서 생성형 AI에 대한 해석을 시도한 이 책의 1부에 초점을 맞춰, 비판적 시각에서 재평가한 서평을 이어 갈 것이다.

창의성은 인간의 전유물인가?

글쓴이가 1부에서 집중하는 주제는 '과연 생성형 AI를 어디까지 인정할 것인가'에 대한 것이다. 즉, 인공지능이 만들어 낸 다양한 데이터들, 예를 들어 텍스트, 코드, 이미지, 음악 같은 작품들 혹은 지적 생성물을 어디까지 창의적인 것으로 인정할 것이냐는 점이다. 결국 이 질문은 '창의성이란 인간만의 전유물인가?'라는 오래된 철학적 물음으로 회귀한다. 이 물음에 대한 답을 찾는 과정에서 글쓴이가 주목하는 인공지능의 한계는 우선 기존의 패턴을 학습하여 새로운 지식과 정보를 창출하는 것만으로는 창의성 혹은 예술적 가치를 갖춘 작품이라 인정하기 어렵다는 것이다.

그러나 기존의 패턴을 학습하여 새로운 지식이나 가치 있는 정보를 창출하는 것만으로는 창의성을 인정할 수 없다면, 인간의 지적 활동 중 상당수는 창의성이 없다고 평가할 수밖에 없다. 자연과학이나 공학 분야에서 출판되는 연구 논문에서 완전히 새로운 개념을 창출하여 그 가치를 인정받는 경우는 거의 없다. 대다수의 연구 논문은 문헌 조사를 통해 기존의 연구를 여러 편 인용하는 과정을 반드시 동반한다. 기존의 연구를 검토하며 현재 맞닥뜨린 문제나 해결되지 않은 현상, 아직 존재하지 않는 시스템과 개념을 정의한다. 혹은 기존의 방법론이 갖는 한계를 논하고 보완이 필요함을 역설한 후, 어떠한 종류의 접근을 통해 이 문제를 해결할 수 있는지 데이터를 제시하고 논증한다. 이 방식을 따르는 자연과학 혹은 공학 분야의 연구 논문은 크게 보면 기존에 존재하던 지식 체계에 포함된 문제에 대한 조사와 발견, 가설 설정과 실험, 분석과 결론 제시라는 전형적인 패턴에 따라 작성된다. 결국 대부분의 연구 논문은 기존의 데이터를 이용하여 일정한 패턴에 따라 이미 쌓이고 있는 거대한 지식의 벽에 작은 벽돌 한 장을 더 얹는 것으로 귀결된다. 간혹 드물게 기존의 패러다임 자체를 바꾸는 이론이나 논증이 세상에 나오는 경우도 있지만, 대부분의 논문은 기존의 패러다임 안에서 조금씩 업데이트가 이루어질 뿐이다.

　그렇다면 대부분의 자연과학 혹은 공학 분야 연구 논문을 쓰는 사람들은 그저 기존의 패러다임 안에서 기존의 패턴에 따라 기존의 연구를 일정 부분 인용하며 새로운 지식을 만들어 내는 것에 불과하므로, 창조적 행위를 한 것과 거리가 멀다고 볼 수 있는가? 이 같은 논증의 논리적 허점은 하나의 정보나 작품에만 초점을 맞춘다는 것이다. 적어도 과학/공학 분야의 연구에서는 이러한 작은 벽돌들이 쌓이면서 시간이 지나 새로운 패러다임이 만들어지거나 새로운 이론이 탄생하는 밑거름이 된다. 모래 한 알에는 아무런 가치가 없어 보이지만, 모래 수십조 개가 모여서 모래성이 되면 가치가 생기는 것이다. 그렇지만 모래성은 반드시 모래가 필요하다.

미국 콜롬비아 주립 박람회 디지털 아트 부문에서 우승한 〈스페이스 오페라 극장〉. 작품을 출품한 제이슨 앨런은 미드저니로 이 그림을 생성했다고 밝혔다.(출처: 『AI 빅뱅』, 19쪽, 동아시아 제공)

글쓴이가 생성형 AI의 한계를 논하는 부분은 인공지능이 생성한 작품의 예술적 가치 판단에 대한 것으로 이어진다. "인공지능은 미적 가치를 평가하지 못한다"(53쪽)라고 언급한 부분에서도 보이듯, 글쓴이가 주목하는 지점은 가치 평가의 주체에 대한 것이다. 대개 많은 사람들은 인공지능이 만들어 낸 작품이 미적 가치가 있는지 여부에 더 많은 관심을 갖는다. 그런데 글쓴이가 주목한 부분은 정작 '우연히' 그럴듯한 미적 가치가 생성된 작품을 인공지능이 만들었다고 하더라도, 정작 인공지능 스스로는 그것의 가치를 평가하기 어렵다는 것, 따라서 애초에 인공지능과 예술의 창의성을 연결하기는 어렵다는 것이다. 이는 인공지능을 창작자로 인정할 수 없다는 글쓴이의 주장의 주요 근거다.

미드저니나 빙 챗(Bing Chat)의 달리(DALL-E) 같은 인공지능 기반 이미지 생성 소프트웨어를 이용해 본 사람들은 거의 동일한 프

롬프트를 입력했음에도 불구하고, 프롬프트 문장의 수식어 순서
가 바뀌거나 하다못해 쉼표가 어디에 붙어 있는지 같은 미세한 차
이로도 그로 인해 생성된 결과물이 천양지차로 달라지는 것을 경
험했을 것이다. 이는 인공지능이 생성한 작업물의 분포에는 일정
한 평균값이 존재하기보다는, 우연한 파라미터 조합에 의해 무작
위에 가까운 결과물이 도출되었음을 의미한다. 정작 그러한 결과
물을 만든 인공지능 입장에서는 마구잡이처럼 보이는 결과물들이
갖는 수학적 가치(더 정확히는 정보과학 관점에서 측정되는 정보량)는 동일하
다. 인공지능의 판단 기준이 정보 이론과 수학에 의해서 구축된 것
이라면, 인공지능은 마구잡이 같은 대부분의 결과물에 대해 거의
일정한 점수를 매기게 될 것이다. 물론 인간 판단자가 자신의 가치
기준에 의거한 사전 학습을 시킬 수 있겠지만, 그렇게 되면 인공지
능의 판단 기준은 더 이상 인공지능 스스로의 판단 기준이라고 보
기 어렵다. 글쓴이가 주목한 부분도 바로 이러한 '스스로의 판단
능력'이 인공지능 내부에는 존재하지 않음이다.

　　미학자로서 글쓴이의 핵심 주장은 그가 인용한 미술사가 에
른스트 H. 곰브리치의 "하나의 그림이 완성됐다고 판단할 권리는
화가에게 있다"(55쪽, 재인용)*라는 문장 속에 압축되어 있다고 볼 수
있다. 인공지능이 만들어 낸 작품이 미적 가치를 인간들에게 인정
받을 수 있을지는 몰라도, 정작 생성한 주체인 인공지능 스스로는
그 작품의 완성도와 미적 가치를 주관적으로 평가하는 것 자체가
불가능하다고 글쓴이는 주장한다. 글쓴이가 주로 언급하는 대상
은 이미지이지만, 사실 이 주장은 다른 영역의 예술 작품, 예를 들
어 문학이나 음악에도 적용할 수 있다. 그렇지만 이러한 글쓴이의

---

* 에른스트 H. 곰브리치, 백승길·이종숭 옮김, 『서양미술사』(예경, 2013), 322쪽.

주장 역시 비평적으로 읽혀야만 하는 지점이 있다. 글쓴이는 프랜시스 베이컨이나 렘브란트 등을 인용하며, 예술 창작품에 대한 일차적 평가자는 생성자 스스로가 되어야 함을 재차 강조하면서, 이것이 인공지능의 근본적인 한계라고 지적한다. 그렇지만 역으로 인간 예술가가 만들어 낸 작품 중, 예술가 스스로는 예술성이 없다고 판단하거나 세상에 드러내 놓고 싶어 하지 않던 작품들을 오히려 더 열광하며 받아들이는 경우는 어떠한가? 물론 '예술성이 있다/없다'의 판단 자체가 생성자의 1차 평가에 의거할 수 있다는 지적은 타당하지만, 그러한 주관적 평가 없이도 아무 생각이나 의도 없이 휘갈겨 쓴 낙서나 메모마저도 감상자가 가치를 부여함으로써 창작자의 의도와는 무관하게 예술품으로 인정받고 그 가치가 높게 평가되는 경우는 부지기수로 생길 수 있다. 이런 경우라면 갑자기 '예술품'이 된 낙서나 메모의 가치 판단 주체는 누가 되어야 하는가? 생성자의 평가 자체가 없더라도, 누군가에 의해 가치가 평가되는 것만으로 예술성이 인정된다면, 인공지능이 판단을 생략한 채 내보이는, 그래서 겉으로는 무작위적으로 보이는 작품들이 간혹 좋은 평가를 받고 감상자의 미적 기준에 합치되는 경우는 어떠한가? 인공지능이 (무작위적으로 보이는 기준으로) 생성한 작품들의 미적 가치를 인정해야 할뿐더러, 인공지능도 미적 가치를 창출한 창작 주체로 인정해야 하는 것 아닌가?

　예술품의 평가에 대해 생성자에게 우선권 혹은 가중치를 더 준다는 글쓴이의 주장 역시 무리가 있다. 익명의 독자들과의 질의응답을 기록한 부분에서도 글쓴이는 "결국 감상자 중심 접근법이 아니라 창작자 중심 접근법인 셈"(71쪽)이라고 이야기하고 있지만, 기본적으로 이는 작가가 갖는 표현의 자유와 독자가 갖는 해석의 자유 사이의 밸런스 게임이다. 이에 대해 통일된 이론이라는 것은 애초 성립하기 어렵다. 이는 예술의 종류나 분야와 상관없다. 실제로 영화 제작 과정에 다른 스태프 혹은 배우가 관여해 감독과 작품에 대한 의견이 대립하는 경우가 있으며, 이는 작가주의 작품에서보다는 반영론적 관점에서 도드라지는 현상이다. 설치 예술의 경우, 작품의 설치 과정까지는 예술적 실천으로서 작가의 관점이 주로 제시되지만, 작품의 주기상, 작품의 철거 과정은 그 작가가 속한 사회에서 바라본 정치적 실천으로 해석된다.* 문학 작품의 경우, 작품을 작가와 독자의 대화라는 유비적 장치를 통해 해석하는 가설적 의도주의가 성립하기도 한다.** 작품이 사회적 의도를 담고 있는 경우, 이는 작품을 만든 작가보다는, 오히려 그것을 받아들이는, 즉 사회적 맥락을 만드는 작품의 소비자에게 해석의 우선권이 있다. 창작자에게 비평과 평가의 권한이 있는 것처럼, 그 작품이 세상에 나온 이후부터(적어도 창작자가 자의로 공개했다면) 타인에게 평가될 수 있는 것도 자연스러운 것이다. 오히려 창작자의 1차 평가보다, 다수의 관찰자들의 평가 앙상블이 예술품의 2차 평가를 이끌어내는 기반이 된다. 평가자가 의미를 부여하여 예술품의 미적 가치가 0에서 1로 변할 수 있다면, 여러 평가자가 각자의 판단에서 바라보는 가치 평가는 여러 축의 공간으로 이루어진 하이퍼스페이스(초공간)를 예술품의 가치 판단에 부여하는 셈이다. 글쓴이는 이러한 '평가 공간' 확장의 가능성과 가치를 뒤로한 채, 인공지능의 작품으로부터 예술성을 박탈하기 위해 오로지 창작자의 일차적인 비판 권한과 우선순위에 지나치게 많은 가중치를 부여하고 있다.

---

* 김준기, 「표현의 자유」, 《경향신문》, 2015년 9월 11일 자, https://www.khan.co.kr/culture/art-architecture/article/201509111916335.

** 오종환, 「온건한 실제 의도주의의 옹호」, 《인문논총》 74(4), 2017, 177-216쪽.

언어 모델을 이해하는 철학의 한계

글쓴이가 주목하는 다음 관심사는 언어 모델이다. 애초에 챗GPT 열풍이 한국 사회를 본격적으로 강타한 2023년 상반기에 이 책이 출판되었으니, 챗GPT의 근간을 이루는 대형 언어 모델(Large Language Model, LLM)에 대한 논의가 이어지는 것은 자연스러운 흐름이다. 글쓴이는 LLM은 문자 그대로 언어에 기반을 두고 있기 때문에, 근본적 원리에 오류가 있다고 평가한다. 글쓴이는 언어가 주로 과거, 즉 이미 경험한 개념과 사건에 초점을 맞추고 있다는 속성에 주목하여 LLM이 하는 일을 언어 '생성'이 아닌 '인출' 혹은 '재구성'이라고 고쳐 불러야 한다고 주장한다. 이는 글쓴이가 언어 모델을 '존재론'의 범주 안에서 보겠다는 의도를 드러낸다. 물론 글쓴이는 언어 자체의 한계, 즉 '언어에는 많은 허구와 오류와 거짓이 필연적으로 포함된다는 것'을 빌미로 언어를 자원 삼아 구축되는 언어 모델의 존재론은 성립이 어렵다고 역설한다. 이는 '언어만이 인간을 이해하는 길이므로' 언어 모델의 한계가 있음을 지적하는 것에서도 확인된다.

　　그렇지만 이는 근거가 희박한 지적이다. 언어만이 인간을 이해하는 길이라는 주장은 글쓴이의 자의적 해석에 따른 것이기 때문이다. 예를 들어 수학을 '이해하는' 인간을 이해하기 위해 자연어가 반드시 필요한지 생각해 볼 수 있다. 수학의 개념을 표기하기 위해 알파벳이나 그리스 문자 등이 동원될 수 있지만, 그들은 수단일 뿐이다. 공리와 증명에 기반한 수학의 개념 자체는 적어도 우리 우주 안에서는 변하지 않는다. 이는 이진법으로 표현하든, 바빌로니아 문자로 표현하든, 마찬가지다. 여기에 '인간의 허구나 거짓이 가미된 언어'는 별로 하는 일이 없다. 왜냐하면 그것은 증명 대상이 아니기 때문이다. 수학 외에도 인간을 이해하는 비언어적 수단은 얼마든지 있다. 예를 들어 인간의 감정을 읽는 방법으로 심박수 나 동공 확대, 호르몬 방출 등의 신호를 포착하는 것은 어떤가? 이 들은 각각 고유의 정보를 전달할 수 있는 아날로그형 비언어로 인 정된다. 애초에 인공지능 자체가 이진법으로 변환된 다양한 정보 를 수학적 알고리즘에 따라 순차적으로 처리하여 정보를 가공하 는 엔진이라는 사실을 기억한다면, 인간의 언어 안에만 인간의 사 유 방식 전체를 가둬 둔다는 인식은 그 자체로 한계가 있다.

　글쓴이는 이를 '멀티모달(multimodal)' 생성형 AI에 대한 논의 로 우회하려 한다. 그러나 여전히 그것이 언어에 기반을 두고 있다 는 것을 빌미로 "언어는 존재의 불투명한 반영이거나 존재의 허구 를 구성하는 벽돌에 가깝다"(86쪽)라고 평한다. 언어가 세상의 모 든 것을 반영할 수 없다는 글쓴이의 지적은 일견 타당하지만, 그것 이 바로 언어 모델의 한계로 등치되지는 않는다. 애초에 언어는 채 팅 창 앞에 앉은 인간 사용자를 위한 인공지능의 '친절한' 제안일 뿐이다. 만약 인간이 이진수 기반 프로그래밍 언어에 능하다면(예 를 들어, 1960년대에 쓰였던 프로그래밍 언어인 기계어나 어셈블리어), 이론적으 로 인간은 알파벳을 하나도 쓰지 않고 오로지 0과 1로만 프롬프트 를 구성할 수 있고, 이는 컴퓨터나 인공지능 입장에서는 알파벳으 로 이루어진 인간의 자연어와 하등 다를 바가 없다. 애초에 인공지 능의 백그라운드 계산을 담당하는 전자 컴퓨터의 논리 구조는 이 진수로 이루어진 전기 신호를 순차적으로 처리할 수 있게 구성된 이산수학(discrete mathematics)에 의거한 방식을 따르기 때문이다.

　또한 글쓴이는 언어 모델에 의존하는 멀티모달 생성형 AI가 애초에 인간의 언어는 감각 전체를 번역하기 어려우므로, 온전한 감각 표현에 적합하지 않다고 주장한다. 그렇지만 감각 표현도 원 리적으로는 신호 처리일 뿐이고, 언어 역시 신호 처리의 일종이자 그 매개 도구라는 것을 생각해 본다면, 글쓴이가 주장하는 언어 자체의 속성에 의해 부여되는 '언어 모델의 한계'에 대한 논의는 점점 정립될 수 있는 공간이 작아진다. 물론 글쓴이의 주장대로 언어가 인간의 모든 사유 방식을 담아낼 수 있는 것은 아니다. 그렇지만 그것은 주로 자연어에 국한해서 통용되는 이야기일 뿐이다. 인간의 언어는 자연어만 있는 것이 아니며, 수학적 개념과 신호 처리 방법이 추가될 경우, 이론적으로는 현재 존재하는 개념과 대상을 거의 모두 담아낼 수 있다. 그래서 주로 자연어에 국한해 언어가 인간과 세상에 대한 부정확하고 불충분한 표상이므로, 언어 기반 인공지능 혹은 LLM은 한계가 있다고 생각하는 것은 논리적 오류다.

여기에 더해, 매개 변수 혹은 학습 데이터 확장에 따른 LLM의 성능 개선에도 한계는 있을 수밖에 없다고, 그래서 철학적 관점에서 제한적이라고 주장하는 것은 글쓴이가 기술에 대해 잘못 이해하고 있는 부분이다. 오픈AI의 챗GPT는 구글이 생성형 알고리즘을 세상에 내놓은 2018년 이후, 많은 사람들의 초기 비관론적 전망과는 달리 역발상으로, 즉 더 많은 매개 변수와 더 강력한 컴퓨팅 하드웨어를 동원하여 일종의 창발(emergence) 현상을 관측했다. 이는 GPT-2.0에서 GPT-3.0으로 넘어갈 때, 약 1,000배 정도의 매개 변수 증가에서 일차적으로 확인되었다. 그리고 다시 GPT-3.0에서 GPT-3.5, 그리고 최근에 이르러 GPT-4.0에 도달하는 과정에서도 재차 확인되었다. 물론 매개 변수의 양자화(quantization)나 트리 형태의 생략 방법 등을 통해 컴퓨팅 하드웨어의 에너지 소모와 계산 부담을 줄이고 학습 시간도 절약하는 방법 역시 최근에는 더욱 활발하게 연구되고 있으나, 기본적으로 매개 변수의 급격한 확장은 이전에 충분히 많은 수라고 생각했던 (예를 들어 수백만 개 수준)

매개 변수 공간이 알고 보니 턱없이 부족한 규모였다는 사실을 지속적으로 증명하고 있다. 역으로 이야기한다면, 지금보다 더 매개 변수가 많아지고 연결 방식이나 학습 방식에 또 다른 혁신이 생길 경우, 인간이 지금까지 전혀 예측하지 못했던 제2, 제3의 창발 현상이 생길 가능성이 높다는 뜻이다.

이는 철학적 관점에서 행하는 인간의 주관적 평가와는 상관없이, 기술적 관점에서 현재의 언어 모델이 더 창의적이고 오류 가능성이 개선된 일반화된 솔루션을 충분히 내놓을 수 있음을 의미한다. 이전에 이러한 창발성이 잘 관측되지 않았던 이유는 무엇인가? 글쓴이가 오해하고 있는 것처럼 언어 모델에 한계가 있을 수밖에 없다고 생각하게 되었던 초기 모델들은 충분히 큰 규모의 파라미터를 사용하지 않았기 때문이다. 충분한 규모의 파라미터가 활용되지 않은 까닭은, 그렇게 하고 싶어도 그것을 가능하게 하는 기술, 즉 대용량 초고속 인공지능 가속 연산이 가능한 그래픽 처리 장치(Graphic Processing Unit, GPU)가 실현되기 전이었기 때문이다. 아이러니하게도 LLM 기반의 멀티모달 생성형 AI 개발 과정에서 촉발된 혁신 중 하나는, 이러한 GPU의 성능을 더 강력하게 만들어 줄 반도체 칩 설계 최적화이다. 그리고 이를 통해 다시 더 많은, 더 복잡한 언어 모델과 매개 변수 조합이 가능하게 될 것이다. 글쓴이의 표현을 빌리자면 LLM을 '구라 생성기' 정도로 이해하는 것은, 기술의 진화 속성과 혁신의 방향을 제대로 포착하지 못한 데서 비롯된 글쓴이의 오해가 빚어낸 주장의 대표적 사례이다. 파라미터 공간의 확장에 따른 LLM의 창발 현상은 여전히 학계에서 주요 주제로 다뤄지는 문제이다. 지금도 더 저전력으로, 더 오류 없이, 더 창의적인 기능을 갖춘 알고리즘 기반 논문들이 하루에도 몇 편씩 학술 논문 공유 플랫폼 아카이브(arXiv)에 업로드되고 있다.

LLM은 인류가 탈피해야 할 대상이 아니라, 더 보강해야 할 플랫폼이며, 적어도 인간 사용자들의 사용자 인터페이스(UI)와 사용자 경험(UX)에 가치를 두는 인공지능 소프트웨어 서비스(SaaS) 회사라면 이를 포기할 수 없다. 이미 지난 9월부터 챗GPT-4.0은 이미지를 프롬프트에 포함시켰으며, 1-2년 안으로 사람의 음성이나 녹음 파일, 수신호나 모스 부호 같은 다양한 형태의 신호들을 받아들여 조합하고 생성하고 해석하는 것이 가능해질 전망이다.

　　이러한 트렌드에도 불구하고 글쓴이는 기술 자체에 대한 이해보다, 그 이면의 철학적 관점에 더 관심을 보인다. 글쓴이는 질 들뢰즈와 펠릭스 가타리 등을 인용하며 인간의 언어가 갖는 본질적인 한계에 천착한다. 철학적으로 이러한 논의는 분명 글쓴이가 가장 잘하는 분야일 것이다. 그리고 실제로도 글쓴이는 단단한 논리로 '존재론적 관점에서의 언어 모델 한계'를 계속 붙들고 독자들에게 끈기 있게 소개하고 있다. 이는 독자들에게 일견 당연해 보이는 사실에 대해 다른 관점에서 다시 한번 생각할 거리를 안겨 준다는 점에서는 높이 평가할 부분이다. 그럼에도 불구하고 언어의 본질적 한계에 대한 글쓴이의 천착은 LLM에서 '언어'에만 집중하게 만드는 오류를 낳는다. LLM 입장에서 언어는 앞서 언급했듯, 인간을 위해 인공지능이 내놓은 창일 뿐이다. 이는 LLM이 인간이 이해할 수 있는 수준으로 생성물의 의미를 담으려 하는 행위에서 (혹은 그렇게 하도록 훈련받은 대로 나타나는) 비롯된 결과물일 뿐이다. LLM은 기본적으로 학습에 기반을 두므로, 학습 데이터가 허위이거나 잘못된 정보를 포함하고 있을 경우, 그 생성물에도 당연히 오류가 포함된다. 그렇지만 이는 인간도 마찬가지다. 잘못된 책을 단 한 권 읽고 어떤 주제에 대한 판단을 내린다면 그 판단은 안 좋은 결과를 가져올 가능성이 매우 높다. LLM이 개인의 판단과 다른 점은, 큰 수(N)의 법칙에 따라 오류를 빠르게 줄일 수 있다는 것이다. (원리적으로 오류율은 N의 제곱근에 반비례한다.) 단순한 강화 학습(reinforcement learning)만 하더라도 에러율을 줄이기 위해 적절한 보상 혹은 벌칙을 부여함으로써 목적 함수의 최적값을 보다 빨리 그리고 정확하게 구하게끔 학습시킬 수 있는데, 하물며 훨씬 발전된 LLM이나 트랜스포머 등은 학습 시간이 늘어나고 매개 변수가 늘어날수록 오류율을 더 효과적으로 낮출 수 있다. 심지어 학습이 아직 덜 된 알고리즘이라고 하더라도 사용자의 반복된 지시에 따라 오류율은 낮아질 수 있음이 실험에서 계속 관찰되고 있다.

자연어는 분명 인간의 모든 사유를 다 담아내는 것에 한계가 있으나, 자연어를 표현 수단으로 삼을 뿐인 LLM은 창발 현상을 보이며, 멀티모달 생성 기능이 지원되고, 오류 수정이 가능하며, 층위가 다른 정보의 조합이 가능하다. 따라서 "언어에 전적으로 의존하는 LLM과 그것의 변형인 멀티모달에 진실과 세계에 대해 문의하는 건 아무런 의미가 없다"(93쪽)라고 판단하는 것은 성급하며, 기술에 대한 글쓴이의 이해가 충분하지 않음을 방증한다. 혁신의 방향은 근본적으로 언어의 한계 돌파에 맞춰져 있지 않다. 인간의 개입 혹은 중개가 없어도 스스로 정보를 생성하고 처리할 수 있는 수준이 근본적인 그리고 궁극적인 방향이다. 이는 강인공지능의 존재 당위성을 논증하려는 의도와는 거리가 있다. 언어라는 그릇에 생성형 AI를 애써 가둬 둘 필요가 없다는 것이다.

언어의 한계에 집중하는 글쓴이가 즐겨 인용하는 프랑스 철학자들은 들뢰즈와 가타리다. 이는 글쓴이의 기존 연구 분야가 이들 철학자들의 철학이기 때문이기도 한 것으로 보인다. 글쓴이가 인용하는 들뢰즈와 가타리의 언어관은 '명령과 행위' 체계다. 이는 페르디낭 드 소쉬르와 노엄 촘스키 등의 주류 언어학에서 해석하는 '정보와 의미' 체계와는 구분되는 것이다. 글쓴이는 '명령과 행위' 체계로서의 언어의 핵심은 언표가 세상과 어떻게 연결될 수 있느냐에 달려 있다고 주장한다. 이와 대조적으로 '정보와 의미'에 초점을 맞춘 LLM은 세상과의 접점이 없으므로 근본적인 한계가 있다고 재차 주장한다.

　　그러나 이러한 주장은 앞서 언급한 것처럼 기술에 대한 오해, 그리고 특정 철학 사조에 입각한 일방적인 주장일 뿐이다. 수학과 수식이 비언어적인 방법으로도 개념을 담을 수 있는 것처럼, 아날로그 감각 역시 전기 신호로 변환되어 이미 인간의 대뇌에서 처리되고 있으며, 컴퓨터는 그것을 재현할 뿐이라는 것을 다시금 떠올려야 한다. 따라서 감각과 LLM이 결합을 못하며, 정보와 의미에 불과한 LLM이 세상과 직접 연결될 수 있는 지점을 못 만든다는 글쓴이의 논증은 성립하기 어렵다. 감각은 이미 현재 기술로도 얼마든지 디지털화되고 있으며, 이에 기반한 인공 눈, 코, 혀, 피부 등의 감각 기관은 이미 개발되었거나 심지어 일부는 치료용 목적으로도 판매되고 있을 정도다. 전자기기와 생체 사이의 인터페이스는 더욱 기술적으로 정교해지고 노이즈에 대한 신호의 취약성도 줄어들고 있다. 특히 면역 거부 반응을 극복해 인체에 이식 가능해진 소형 컴퓨터는 이제 피하는 물론, 뇌 내로 이식될 수 있을 정도(예를 들어 뉴럴링크)로 소형화되고 있다. 이들은 저전력으로 구동되며 외부 무선 충전까지도 가능한 수준으로 발전했다. 인공 감각 기관의 조합으로 인간은 이전에 느끼지 못하던 감각(예를 들어 근·중적외선 센서가 추가된 CMOS 기반의 인공 눈은 밤에도 사물을 뚜렷이, 그것도 컬러로 볼 수 있게 해준다)을 부여하고 있으며, 감각은 더 정교하고 뚜렷하게 처리될 수 있다.

인간 지능에 접근하는 인공지능은 불가능한가?

1부의 마지막 장인 3장은 글쓴이의 전작 『인공지능의 시대, 인간을 다시 묻다』의 후속작 같은 뉘앙스와 논리 구조로 채워져 있다. 3장에서 글쓴이의 주된 관심사는 인공지능이 인간 지능에 접근할 수 있는가에 대한 것이다. 그리고 글쓴이의 결론은 '그것은 불가능하다'는 것이다. 이를 위한 주된 논거로 글쓴이가 언급하는 것은 이전 장에서 다룬 것과 같은 맥락인 '인공지능은 스스로 문제를 제기할 수 없다'는 것이다. 글쓴이는 "인공지능은 계산할 뿐이다. (······) 사람은 알고리즘을 스스로 바꾼다"(143쪽)라며 인공지능과 인간 지능 사이에 근본적인, 그리고 글쓴이의 뉘앙스를 해석하자면, 넘을 수 없는 장벽이 있음을 주장한다.

글쓴이가 예시로 드는 것은 알파고 제로 등의 비지도 학습 인공지능이다. 글쓴이는 19×19 규격의 바둑판에서만 알파고 제로가 특출난 능력을 발휘하며, 20×20이나 18×18 규격의 바둑판에서는 완전히 무력해질 것이라 추정한다. 인간 고수는 바둑판 규격이 바뀌어도 금방 적응할 것이지만, 19×19 규격에만 적응된 알파고는 그렇게 할 수 없으므로 인공지능의 한계는 명확하다고 주장하는 것이다. 그렇지만 이는 글쓴이가 강화 학습의 원리를 잘못 이해하고 있기 때문에 벌어지는 오해다. 근본적으로 바둑 같은 게임은 2차원 정사각 격자 위에서 순차적으로 0(백)과 1(흑)이 번갈아 경계가 닫힌 공간상에 배치되는 시스템이다. 이 게임 시스템은 통계물리학에서는 이징 모형(Ising model)으로 정확히 모사될 수 있으며, 각각의 돌이 놓인 위치가 갖는 '맥락'은 위상수학에서 활용되는 그래프(graph) 개념으로 정량 측정될 수 있다. 알파고의 기보는 통계물리학의 이징 모형에서 측정되는 자유에너지 해밀토니안(Hamiltonian)을 따르는 것으로 나타나고 있으며 (마치 알파고 제로가 스스로 물리학의 해밀토니안 개념을 알고 따르는 것처럼 관찰된다) 승률이 높아질수록 전략적 가치가 높은 그래프들의 출현 빈도도 점차 높아지는 것으로 관찰되었다. 이는 원리상 바둑판의 규격이 19×19인지 20×20인지에 영향을 받지 않는다. 심지어 15×20이나 100×50 같은 비대칭적인 규격에서도 이러한 원칙은 그대로 적용된다. 알파고의 기보에 내포된 물리와 수학적 원리는 게임의 규칙 이면에 있는 추상적인 개념으로 직결되는 통로로서, 알파고 제로는 자연에 존재하는 가장 기본적인 원리들을 '스스로' 발견한 셈이다. 따라서 글쓴이가 든 사례는 글쓴이의 논증을 뒷받침한다고 보기 어렵다.

　　컴퓨터와 인간 뇌의 작동 방식이 '전혀' 다르다는 주장 역시 성급하다. 앞서 언급했듯, 컴퓨터의 작동 방식은 반드시 폰 노이만 방식만 따라야 하는 것은 아니다. 인간의 신경망을 개념적인 단계뿐만 아니라, 물리적으로 거의 그대로 복제한 뉴로모픽 컴퓨터(neuromorphic computer)가 대표적인 사례다. 뉴로모픽 컴퓨터에서는 전형적인 트랜지스터 대신, 메모리와 트랜지스터가 합쳐진 멤리스터(memristor)를 사용한다. 이는 인간 뇌 속에 있는 개별 신호 전송 및 조합 매개체인 신경 세포와 작동 방식이 흡사하다. 멤리스터들의 연결 위상 구조를 인간의 뇌와 거의 동일한 밀도와 개수를 따라 구현하는 것은 현재로서는 기술적 한계로 인해 거의 불가능하다. 그렇지만 신경망의 연결 지도가 완전히 파악된 예쁜꼬마선충(C. elegans) 같은 미생물의 연결체학(connectomics) 정보를 활용하여 그것을 그대로 따라 한 뉴로모픽 컴퓨터가 최근 들어 기술적으로 구현되고 있고, 이 '인공 뇌'는 마치 사람의 뇌처럼 기본적인 외부 자극을 감지하고 자극에 담긴 정보를 처리할 수 있음이 보고되었다. 물론 미생물과 인간이 같은 생명체라고 해서 두 종의 신경 세포망도 반드시 같은 작동 원리를 가질 것이라 판단하는 것은 이르다. 그렇지만 생성형 AI의 매개 변수가 폭발적으로 늘어나면서 이전에 예측하기 어려웠던 기능과 창발 현상이 관측되는 것처럼, 훨씬 더 높은 밀도의 연결도를 갖는 뉴로모픽 컴퓨터 기반 인공 뇌가 기술의 진보에 따라 인간의 뇌에 근접하는 종합 (멀티모달) 판단력을 갖지 말라는 법은 없다.

　　글쓴이의 인공지능에 대한 해석과 한계에 대한 논의는 오히려 사회과학이나 인문학 영역에서 빛을 발한다. 글쓴이는 3장에서 인공지능 법관의 한계를 논한다. 많은 사람들은 인공지능이 대체할 수 있는 영역으로 판사가 포함될 수 있을 것이라 전망한다. 그렇지만 글쓴이는 그러한 기대가 대개 판례 검색과 정보 분석에 초점을 맞춘 것임을 정확히 지적한다. 글쓴이의 지적대로, 정말 중요한 가치 판단의 단계는 윤리와 법적으로 문제가 될 수 있는지에 대한 맥락의 발견이다. 이는 글쓴이가 이 책에서 일관적으로 주장하는 '스스로 문제 발견하기, 스스로 가치 평가하기, 스스로 의문 제기하기' 등의 맥락과도 맞닿아 있는 것이다. 글쓴이의 논의는 충분히 곱씹어 소화해야 하는 부분이다.

인공지능에 대한 철학의 고민은 계속되어야 한다

이 책은 챗GPT가 세상을 떠들썩하게 만든 시점, 글쓴이의 표현을 빌리자면 '고점'처럼 보였던 시점인 2023년 상반기에 정말 재빠르게 출판되었다. 물론 글쓴이의 문재와 글쓰기 능력이 뒷받침되고, 글쓴이 본인이 지난 10여 년간 기술 분야에 대한 관심이 커져 이른바 기술철학에 매진해 왔기 때문에 나올 수 있었던 성과였을 것이다. 그렇지만 글쓴이의 생각과는 다르게, 생성형 AI에 대한 관심의 고점은 아직도 오지 않았고, 계속 오르는 중이다. 글쓴이가 설정한 좁은 영역을 벗어나, 인공지능의 영향은 사회적 맥락은 물론 개인의 창의성에까지 넓고 깊은 영향을 미치고 있다. 빠르게 변하는 과학기술 영역에 대한 인문학적 통찰은 주기적으로 이루어질 필요가 있다. 글쓴이가 주장한 것처럼, 인문학은 삶의 가치들을 끊임없이 평가하고 현실에 끝없이 아이디어를 줄 수 있기 때문이다.

　　그렇지만 그 통찰은 충분한 시간과 기술 본연의 특성을 더 깊이 이해한 다음에 이루어져야 한다. 이 책은 충분한 시간 동안 생성형 AI의 핵심과 그 영향력을 통찰했다고 보기 어려우며, 기술 본연의 특성을 더 깊이 파악했다고 보기도 어렵다. 기술의 디테일에 대한 한정된 이해가 그 원인 중 하나이지만, 다른 한편으로는 저자가 철학적 논증 구조에 입각한 생각의 흐름을 유지하려는 의지가 반영된 것도 주요한 원인으로 보인다. 서양의 근대, 현대 철학과 미학, 사회학과 심리학, 교육학 이론에 대부분의 근거를 두고 있고, 이것이 교조화되어 성급한 결론에 이르는 부분이 곳곳에 분포한다. 과학과 기술에 대한 공부가 충분히 이루어지지 않아 오해하는 대목도 빈번하게 찾을 수 있으며, 그로 인해 유비와 개념을 혼동하는 경우도 책 곳곳에서 드러난다.

　　그럼에도 불구하고 글쓴이는 철학과 미학에서 출발하여 기존의 학자들, 특히 비평자를 포함한 이공계 바탕의 학자들이 영역 바깥에서 바라보기 힘든 측면을 제대로 조망하는 것은 높이 인정받아야 하는 지점이다. 인공지능 알고리즘 개발자나 그것을 응용하여 공학 문제를 푸는 엔지니어들, 인공지능 자체의 수학적 원리를 연구하는 수학자나 물리 메커니즘을 연구하는 이론물리학자들의 연구는 인공지능 연구의 최전선에 있지만, 오히려 이 최전선의 후방에서 우리는 인간과 인공지능 사이의 관계를 단편적으로 이해하는 위험에 종종 빠질 수 있다. 글쓴이같이 인문학, 특히 철학으로 훈련받은 학자들이 이 위험을 인지하고 그 영향을 다방면으로 평가하며 분석하는 것은 그래서 더더욱 중요하며, 이 책은 앞으로도 철학으로 인공지능의 영향력을 파헤치고자 하는 사람들에게 좋은 들머리이자 가이드가 될 수 있다. 글쓴이의 과감한 주장 전부에 동조할 수도 없고, 일부 근거와 논리에는 더더욱 동의하기 어렵지만, 글쓴이의 시도와 실험은 글쓴이가 주장한 '창조성'을 다시 한번 들여다보는 그 자체로 새로운 시도가 된다. 이 책을 읽는 독자들은 다양한 배경을 가지고 있겠지만, 책을 관통하는 '인공지능의 시대, 인간 지능의 의미는 무엇인가?'라는 철학자의 고민에 동참할 수 있을 것이라 생각한다. 서리북

권석준
본지 편집위원. 성균관대학교 화학공학부/고분자공학부 및 반도체융합공학과 교수로 재직 중이며, 주로 계산과학과 물리학에 입각한 반도체 소자, 소재, 공정에 대한 연구를 하고 있다. 대표 저서로 『반도체 삼국지』가 있다.

📖 인공지능이 결국 인공 일반 지능이 될 것인지에 대해
가장 급진적인 주장을 전개하는 미래학자가 쓴 책.
이 책의 출판이 챗GPT 같은 생성형 AI가 출현하기 훨씬
전인 2014년이었다는 사실을 감안하면 닉 보스트롬의
혜안은 놀랍다. 그가 정의하는 초지능은 마치 통제되지
않는 핵무기의 확산과 맞먹는 듯한 위험을 내포하고 있다.
그와 동시에 인간의 지능이 인공지능에 의해 오히려 새로운
단계로 진화하게 될 것이라는 가능성도 내포되어 있다.
이 책은 인공지능 시대, 우리의 삶이 왜 과거와 달라질
수밖에 없는지 조망하며, 동시에 철학적 질문을 던지고 있다.

"초지능의 잠재적인 영향력을 생각할 때, 그것을 인간
기준에서 의인화하여 바라보지 않는 것이 중요하다."
— 책 속에서

『슈퍼인텔리전스』
닉 보스트롬 지음
조성진 옮김
까치, 2017

📖 인공지능이 단순히 컴퓨터과학의 범위를 넘어,
인간의 모든 문명에 본격적으로 영향을 미치고 있는 현재,
인공지능의 미래를 논하는 것은 오히려 점점 어려워진다.
천체물리학에서 연구 커리어를 시작했지만, 이제는 오히려
인공지능 기반 물리학 연구로 더 유명한 저자가 풀어놓는
인공지능에 대한 전망은 일반적인 상상력을 벗어나야 함을
암시한다. 인공지능에 대한 담론이 창조성, 의식, 철학 등의
기존 범위를 넘어, 진화, 나아가 우주론까지 뻗어 나가게
되는 것은 이러한 상상력 확장의 경로일 뿐이다.
저자가 왜 인공지능 이후의 인간을 라이프 2.0도 아니고,
라이프 3.0이라는 표현을 사용하면서 재정의하려는지
지적 모험에 동참할 가치가 있다.

"자신의 운명의 주인이 돼 마침내 진화의 족쇄에서 완전히
벗어나는 것이다." — 책 속에서

『맥스 테그마크의
라이프 3.0』
맥스 테그마크 지음
백우진 옮김
동아시아, 2017

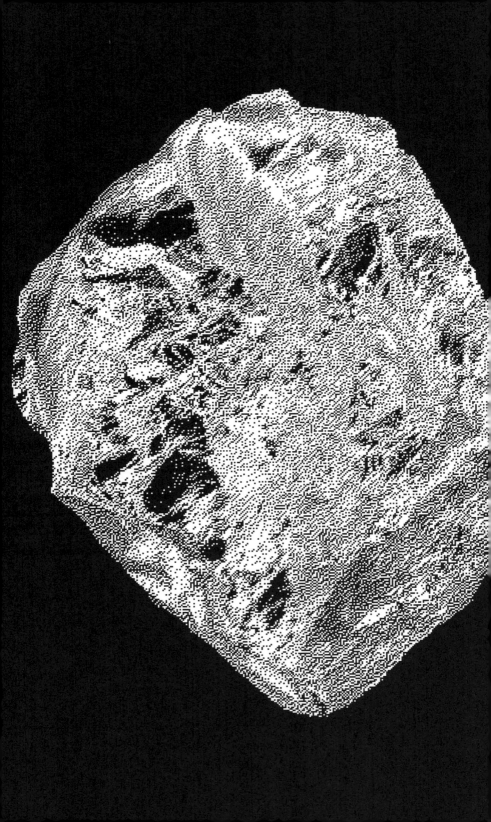

이마고 문디

디자인 리뷰

북 & 메이커

서울
리뷰 오브
북스

장 뤽 고다르 감독의 〈알파빌〉.(출처: 다음 영화)

'미래'라는 변수

현시원

개인은 질문한다

장 뤽 고다르의 영화 〈알파빌(Alphaville, une étrange aventure de Lemmy Caution)〉(1965)은 우리가 알지 못하는 어떤 세계에서 시작한다. 이때 '우리'라고 쓸 수 있는 것은 주인공 레미 코숑이 화면 가운데에 종종 혼자 등장하기 때문이다. '우리'로부터 자발적으로 밀려 나간 주인공 레미 코숑은 영화 안에서 여러 번 통로와 계단 사이를 걷는다. 그가 두 세계 사이를 오간다는 사실은 자명해 보인다. 방문객이라고 하기에는 호기심의 눈빛이 없다. 그가 내뱉는 추상적인 질문들의 반복은 눈앞의 문제를 지연시키는 듯 보인다. 그는 선각자도 아니고 해결자도 아닌 듯하다. "당신에게 불을 주려고 6천 마일을 달려왔다"라는 대화로는 주인공이 처한 상황을 파악하기에 불충분하다. 그는 흡사 책에 쓰인 문자에 가까운 말들을 내뱉는다. 화면에 상반신을 가득 채우는 남자 주인공 레미 코숑이, 알파빌이라는 괴상한 도시와 맺는 관계는 끝까지 서사로는 충분히 해결되지 않는다.

　레미 코숑은 회로 사이를 걷는다. 도시의 건물 복도와 나선형

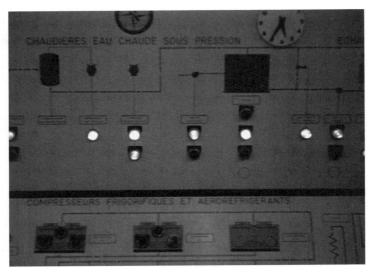

1965년 고다르는 중앙 컴퓨터가 통제하는 사회의 시스템을 기호로 그렸다.(출처: 필자 소장 DVD 캡처)

계단을 배경으로 한 그의 존재가 우선 그렇다. 한편 그는 회로도 안에 있다. 논리적 세계만을 허용하는 컴퓨터 지휘하의 도시 알파빌이 세운 유무형의 회로도 안에 들어온 것이다. 이곳은 미래 도시가 맞기는 할까? SF 영화가 종종 선사하는 묵시록적 암시나 도시 재건과 설계를 둘러싼 스펙터클이 이 흑백 영화에는 없다. 나선 형태의 계단과 엘리베이터, 유리창, 장식 없는 무미건조한 로비, 건물의 복도를 오가는 장면이 영화가 제시하는 도시 풍경의 거의 전부다. 복도, 높고 좁은 미로, 공간에 대한 시각적 묘사를 통해서 여기 알파빌이 미래 도시인지 아닌지조차 불분명하다. 레미 코숑이 시작부터 줄곧 들고 있는 카메라 한 대는 과연 무엇을 촬영하고 있을까. 그가 이 영화 안에서 사물과 맺는 관계는 빈약하고 압축적이다. 카메라, 총, 설계국으로부터 취조당하는 마이크, 그리고 나타샤와 함께 읽는 시집이 전부다. 영화의 끝에서 그는 알파빌의 건물

밖으로 나와 차의 방향을 튼다. 그러니까 지금까지 이 영화가 배경으로 했던 곳이 외부 세계와 차단되어 있는 알파빌이라는 점은 분명하다. 알파빌의 실체보다 더 정확한 것은 이 영화가 1965년 1월과 2월의 파리에서 촬영되었다는 사실이다.

〈알파빌〉의 흑백 이미지 사이로 등장하는 인물들은 태양 표준 시간 24시 17분에 있다. 영화의 시작에서 레미 코숑은 《피가로-프라우다 타임즈》 기자 이반 존슨으로 위장한 채 알파빌 외곽에 도착한다. 이곳은 '알파 60'이 통제하는 도시다. '알파 60'은 거대한 컴퓨터다. 레미 코숑은 질문을 설정하고 그 질문을 해결하기 위해 노력한다는 점에서 '문제적 자아'라 할 수 있다. 그러나 영화 초반에서부터 그의 문제 해결 과정에 답이 없으리라는 예상을 하게 된다. 질문하기 '자체'와 싸우는 곳, 질문하기를 금하는 곳이 이 알파빌이기 때문이다. 논리만이 허용되는 알파빌에서 '왜'라는 질문은 금지되어 있다. '왜냐하면'이라는 원인-결과 사이의 대화만이 허용된다고 여자 주인공 나타샤가 알려 준다. 레미 코숑은 질문하는 행위 자체만으로도 알파빌 안에서 거대한 컴퓨터와 유일하게 대화할 수 있는 존재가 된다. 알파빌이라는 도시의 논리를 만들어 내는 주체는 인간이 아니라 '기계 장치'이자 '인공두뇌'인 거대한 컴퓨터다. 즉 질문에 답하기가 아니라 질문하기 자체를 통해 컴퓨터와 동 시간을 사는 인간의 행로를 보여 주는 것이다.

알파빌은 기호와 이미지의 도시다. 〈알파빌〉에 대해 연구한 이지순과 황혜영은 도시에 대해 이렇게 묘사한다. "원과 화살표, 항상 혼란스러운 방향 표시, 컴퓨터 알파 60에서 나오는 확성기의 지시, 스타카토처럼 분리된 말들, 대화를 중단시키는 불길한 네온의 아인슈타인 공식 등 기호들이 도처에 존재한다. 영상과 독립적으로 화면에 자주 등장하는 숫자, 기호와 같은 언어적 요소는 부호화되어

1965년 제작된 이 영화의 실내 구조는 숫자, 기호, 화살표 등의 이미지와 겹쳐진다.
(출처: 필자 소장 DVD 캡처)

가는 현대 사회의 이미지를 은유하는 것"이다. "영화의 배경은 밤의 도시 위로 지나가는 지하철과 공장 지대, 호텔과 어두운 밤의 거리 등으로 표현된 작품 제작 당시의 파리의 풍경 그대로이다."*

영화 〈알파빌〉에 등장하는 세 명의 주요 인물(레미 코숑, 나타샤 폰 브라운, 레오나르 폰 브라운) 또한 각각 하나의 기호다. 레미 코숑의 알파빌 도착으로 시작하는 영화의 축은 그의 혼돈과 성취, 나타샤를 사랑하는 순간들을 따라간다. 영화 속 공간의 액자 사진으로 종종 등장하는 브라운 박사는 도시 알파빌의 창시자다. 알파빌 호텔 벽과 건물 곳곳에 걸린 이 사진은 마치 왕이 자신의 신체와 이미지라는 두 개의 몸을 가진 것처럼 액자 안에 부박되어 있다. 브라운 박사

---

* 이지순·황혜영, 「고다르의 〈알파빌(Alphaville)〉에 대한 소고」, 《프랑스어문교육》 31, 2009, 429-450쪽.

의 딸 나타샤는 이 세계 안에서 2계급 프로그래머로 레미 코송을
만난다. 영화 끝에서 나타샤는 이 도시에서 한 번도 배우지도, 사용
해 보지도 않았던 단어 '사랑'을 말한다. 이 도시의 사전(성경)에 금
지되어 있던 한 단어를 타인으로부터 배우며 사용해 보기 시작하
는 것이다. 이렇게 인물들은 금지된 단어를 새롭게 배우며, 기호에
서 벗어난다.

컴퓨터는 답한다

1965년의 고다르는 '개인의 각성(양심)'과 '사랑'을 미래 사회, 컴
퓨터가 지배하는 기호의 도시에 배치하고자 한다. 근대 소설의 오
랜 역사에서 문제적 자아의 존재는 근대 소설을 발생하게끔 하는
원동력이 되어 왔다. 질문하고 고민하는 자아를 가진 한 개인이 있
을 때 마찰이 발생한다. 어딘가 떠났다 다시 돌아오거나 대상을 종
결하는 사건이 여정을 만든다. 〈알파빌〉 안에서 인물의 여정은 '원
형'을 그린다. 주인공은 한정된 공간 안에서 뇌가 이동하고 각성하
며, 금지된 언어와 새로 사용하게 될 인간의 언어를 향해 나아간다.
수직이나 수평으로 쭉 뻗은 다른 세계로의 이동이 아니라 시간을
중심축에 두고 영화는 나선형을 그리는 대화들로 채워져 있다. 점
멸하는 빛처럼 천천히 짧게 반복하는 이미지와 함께 등장하는 낮
은 목소리가 전하는 내레이션이 알파빌의 시공을 뚫고 나오는 듯
하다. 이 내레이션은 〈알파빌〉을 통해 1965년의 고다르가 전하고
자 하는 말인 셈이다.

　　현재는 모든 삶의 형태, 시간이란 끊임없이 돌아가는 원과 같은 것.
　　내려가는 부분은 과거, 올라가는 부분은 미래이다.

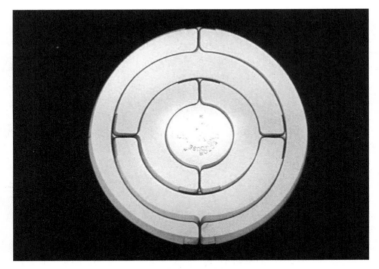

거주자 통제국의 목소리(내레이션)가 들릴 때 등장하는 이미지. 거주자 통제국 컴퓨터는 '당신은 외부 세계에서 왔다'고 말한다.(출처: 필자 소장 DVD 캡처)

어떤 설계의 세세한 부분은 이해될 수 있다. 그러나 전체의 의미는 놓치게 된다.

〈알파빌〉을 보며 관객인 나는 레미 코숑의 시선을 따라가기도, 나타샤의 책 읽기를 따라가기도 불안정하다고 느낀다. 영화의 관객으로서 내가 있는 곳은 두 대화 사이에 그어지는 화살표 위치 정도 아니었을까. 남자는 모자를 쓰고 있고 줄곧 같은 옷을 입고 있으며 언제나 심각한 시선을 보낸다. 그가 싸우고자 하는 도시 알파빌은 남자의 대척점에 있지 않다. 그가 이미 나타샤를 만남으로써 알파빌의 일부가 되었기 때문이다. 실로 남자는 "알파빌에서의 첫 번째 밤, 하지만 나는 몇 세기 동안 거기 있었던 느낌이 들었다"고 말한다/쓴다. 2023년 인공지능과 컴퓨터 기반 사회에서 스마트폰이 이미 손과 눈의 일부가 된 것처럼, 레미 코숑은 알파빌의 시선으로 세계를 본다.

　영화 속 개인인 레미 코송을 이해하는 데 가장 큰 힌트가 되는 것은 라이터 그리고 카메라다. 그는 빛이 부족한 이 도시에서 라이터와 전구 조명을 통해 빛/불 이미지와 함께 종종 화면에 등장하고, '구식' 카메라를 들고 다닌다. 레미 코송은 중앙 통제부와의 대화에서 "난 테크놀로지를 싫어한다"고 말한다. 통제부에서 두려워하는 것은 미래보다 과거를 생각하는 사람이다. 이런 사람들은 스스로 체념하여 자살하거나 공개 극장에서 영화를 보는 가운데 사형당한다. '왜'라는 질문에 과도하게 집착하는 레미 코송 같은 부류는 미래보다 과거를 생각한다. 중앙 기억 통제 장치에서, 레미 코송의 몇몇 답변은 "기호화되지 않았다"고 판명된다. 빅데이터에 의해서 읽히지 않는 낯선 감각과 질문하기의 다른 차원은 레미 코송을 일종의 예술가로 만든다. 이를테면 중앙 통제부와의 대화에서 그는 이렇게 답했다. 죽은 자의 특권은 무엇인가라는 질문에 "더 이상 죽지 않는 것"이라고. 또 무엇이 어두움을 빛으로 바꾸는지 아는가라는 질문에는 "시"라고.

인풋/아웃풋

　어떤 비디오 예술가는 퍼포먼스나 모든 일시적인 행위예술의 시간 구조를 만들고 나면 수정하기를 거부한다. 다시 말해 그들은 인풋 타임과 아웃풋 타임이 일치해야 한다고 주장한다. 반면 우리 삶에서는 인풋 타임과 아웃풋 타임의 관계가 매우 복잡하다.*

---

* 백남준, 에디트 데커·이르멜린 리비어 엮음, 임왕준 외 옮김, 『백남준: 말에서 크리스토까지』(백남준아트센터, 2018), 225쪽.

영화 안에서 레미 코숑은 언제나 구식 카메라를 들고 있다.(출처: 필자 소장 DVD 캡처)

장 뤽 고다르의 〈알파빌〉은 제목부터가 어떤 '마을'을 지칭한다. 알파라는 이름을 가진 마을은 개인과 집단을 통제한다. 통제의 방향과 전술이 무엇인지 정확하게 알 수는 없지만 분명한 것은 알파빌은 어떤 규칙에 의해 반복적으로 작동한다는 점이다. 규칙과 반복을 이용한 통치술은 알파빌의 핵심이다. 앞서 말했듯 여기 사람들은 컴퓨터에 조종당한다. 영화 속 사람들은 몇 단어들을 분실했다. '사랑', '양심', '왜'라는 말들을 잃어버린 이들에게 대신 존재하는 것은 부호다. 화살표가 화면 안에 등장하고 여러 공식과 부호들이 등장한다.

　백남준이 썼듯, 인풋과 아웃풋이 일치해야 한다고 생각하는 사람들에게 결심이란 없다. 마음을 결정한다는 뜻의 결심은 인간의 특권이다. 고다르가 그린 〈알파빌〉에서 인풋-아웃풋의 두 축으로 움직이는 계산된 사회는 결심의 시스템이 없다. 오작동을 포함

레미 코숑이 질문에 답하는 장면. "어둠을 빛으로 바꾸는 것은 무엇인가"라는 질문에 "시"라고
답한다.(출처: 필자 소장 DVD 캡처)

하는 결심과 결정의 맥락 안에서 세상은 계획대로 흐르지 않는다.
〈알파빌〉안에서 두 주인공이 움직이는 방향대로 카메라는 움직
인다. 관객은 어떤 서사를 관찰하고 타자화하기보다 영화 속 인물
이 보고 움직이고 걷는 방향대로 함께 간다. 영화가 만든 리얼리티
안에 관객도 들어가게 되는 것이다. 관객은 알파빌에 들어가고 나오
는 주인공의 과정을 좇는 게 아니라, 알파빌 안에 같이 살게 된다.
　　알파빌은 가상의 시공간이 아니라 실재하는 공간으로 그려지
고 있다. 나는 지금 장 뤽 고다르의 〈알파빌〉에 대해 생각한다. 그
가 만들어 놓은 어떤 이계(異系)에 대해 떠올린다. 하지만 중요한 것
이 있다. 고다르는 다른 세계에 대해 묘사하려 하지 않았다는 점이
다. 도시를 묘사하는 시각적인 장치들 없이, 그는 그 세계로 찾아
들어간 한 개인과 거기 있는 집단들을 그린다. 통상 미래 세계를
그렸다고 할 때 떠오르는 장치들이 없다. 도시의 전체 부감도를 볼

수 없으며, 도시가 어떤 세부로 구성되어 있는지를 알 수 없다. 소위 도시의 압축된 계획도로서의 지도가 보이지 않는다. 대신 〈알파빌〉곳곳에는 신호들이 등장한다. 이 신호는 0과 1의 사이에서 점멸하듯 깜박거린다.

이 깜박거리는 것은 숫자와 연관된다. 고다르가 찾은 신호 체계는 숫자에 의거한다. 엘리베이터 안 신(scene)에서 1부터 10까지의 숫자가 카메라에 몇 초간 길게 잡힌다. 〈알파빌〉은 폴 엘뤼아르(Paul Éluard)의 시집 『고뇌의 수도(Capitale de la douleur)』를 따라간다. 레미 코숑은 나타샤에게 이 책을 건네며 읽어 보라고 말한다. "너의 목소리, 너의 눈, 너의 손, 너의 입술, 우리의 침묵, 우리의 말 (······) 우리 둘을 위한 단 하나의 미소." 나타샤는 영화 안에서 이렇게 말한다. 누군가 오늘날 인공지능에게 다음과 같이 말한다면 인공지능은 아무 대답도 해줄 수 없을 것이다.

외부 세계는 어떤 곳이죠?

지금은 생각하는 것도 금지되어 있죠.

인생에는 현재만이 있을 뿐이에요. 아무도 과거나 미래에 살았던 사람은 없어요.

인공지능과의 관계에서 '대화'가 왜 중요한지 생각해 본다. 챗GPT와 대화를 나누며 나는 챗GPT가 반어법이나 유머를 이해하지 못한다고 결론 내렸다. 챗GPT는 정보를 나열하고 집적하지만 가치 판단을 주저한다. 명확한 예스 오어 노가 아닌 '거리두기'를 통해 결정을 지연시킨다. 챗GPT를 사용하면서 돌연 말하고 사

폴 엘뤼아르의 『고뇌의 수도』를 읽는 나타샤.(출처: 필자 소장 DVD 캡처)

고하고 글 쓰는 것의 중요성을 느꼈다. 그것의 핵심은 질문하기다. 챗GPT는 '이상한 질문'을 만들어 내지 않는다. 답변하는 태도는 절제되어 있지만, 그 내용은 인풋과 아웃풋의 계산에 의거한 데이터이다. 그러나 실제 삶에서, 이 데이터는 교란된다. 백남준이 말하듯 "극한의 상황이나 꿈에서 우리는 전체 삶을 초 단위로 응축된 플래시백 형태로 다시 체험할 수 있다."*

영화/도시, 시와 이미지

〈알파빌〉은 두 가지 영화와 겹쳐 볼 수 있다. 하나는 〈알파빌〉과 비슷한 시기에 파리를 배경으로 제작된 자크 타티(Jacques Tati)의 영화 〈나의 삼촌(Mon Oncle)〉(1958)이다. 〈나의 삼촌〉은 파리의 구시가지

---

* 같은 곳.

와 도시 공간을 오가며 기계 문명과 함께 살아가는 인물의 모습을 그린다. 〈나의 삼촌〉 안에서 주인공 윌로가 새롭게 등장한 각종 가전제품, 기기들의 작동과 관계 맺는 장면은 흥미롭다. 특히 〈나의 삼촌〉을 채운 변화는 영화 속 소리들로 등장하는데, 소리가 하나의 주인공이라 할 만큼 〈나의 삼촌〉 안에서 소리는 두 세계를 나누는 감각을 대변한다. 구시가지에서는 과일 장수의 과일이 툭 하고 떨어지는 소리가 난다. 반면 도시화되어 가고 있는 공장과 신식 주거지에서는 기계가 내는 굉음이 사람 목소리를 압도한다. 그래서 전화를 하는 주인공의 목소리는 기계가 내는 사운드를 뚫고 나올 수가 없게 된다.

〈알파빌〉과 겹쳐 볼 수 있는 다른 영화는 〈헤어질 결심〉(2022)이다. 박찬욱의 〈헤어질 결심〉은 미래 사회나 인공지능에 대해 그 어떤 말도 하지 않는다. 하지만 〈헤어질 결심〉 곳곳에 등장하는 두 남녀 사이의 회로는 '언어'를 통해 움직인다. 외국어를 사용하는 여자 서래와 모국어를 사용하는 남자 해준은 '붕괴'라는 단어로 이어진다. 서래가 인터넷 사전을 통해 '붕괴'라는 말을 찾아볼 때, 이 단어는 그가 현실을 이해하고 어떤 판단을 일으키는 기저가 되는 것이다. '붕괴'란 무엇일까. 그 뜻을 인공지능은 알 수 있을까? 사랑하는 두 사람 사이에 어떤 단어나 개념을 공유한다는 것은 어떤 의미일까. 서래는 사전을 찾아 붕괴의 의미가 '무너지고 깨어짐'이라는 것을 알게 된다. 나아가서 서래는 이 단어를 행동에 옮긴다.

〈알파빌〉에 대해 쓰는 동안 나는 1925년 지어진 서울의 구 기차역(현재 전시장인 문화역 284)에 있었다. 2023년 11월 10일 개막하는 전시 '언폴드 엑스: 달로 가는 정거장'을 기획하고 설치하는 중이었기 때문이다. 만주와 시베리아, 파리까지 달렸던 이 기차는 2010년대 들어 '문화역 284'라는 이름을 얻었고, 전시장이 되

었다. 〈알파빌〉을 생각하며 전시를 설치하고 준비하면서 미술관
과 다른 이 통 건물에 매료되었다. 입구에서부터 전시장이 바로 연
결되기 때문에 전시장의 방은 외부 세계와 바로 통한다. 이를테면
1993년 작가 백남준이 만든 〈시스틴 채플〉을 1, 2등 대합실에 제
작하는 과정에서, 바깥의 계절 감각과 공기는 바로 이 1, 2등 대합
실 안으로 들어온다. 미술관이나 전시 공간에 들어설 때 입구에서
부터 로비, 전시장의 공간을 걷는 것과 달리 서울역사의 건물에 있
는 기둥, 전쟁 때 빼고는 옮겨진 적 없는 시계, 천장 벽화 등은 일부
그대로 남아 있다.

　　〈알파빌〉에서 과거도 미래도 없이, 컴퓨터에 의해 통제되어
살아가던 사람들에게 지식과 감각의 축적이란 애초 부재했다. 그
러나 지식이 축적되어 전달되는 순간 그것은 공동의 경험과 각자
의 사랑이 된다. 서사적으로 이 영화는 질문에 합당한 답으로 귀결
되는 여정이 없다. 대화들은 불연속적이고, 각자는 각자의 몸에 새
겨진 일련번호 외에 자신의 과거와 기억에 대해 스스로 알지 못한
다. 그러나 고다르가 1965년 만든 이 영화에서 이미지는 특정한 결
론을 내는 듯 보인다. 계산 불가능한, 예측 불가능한 시를 이야기하
는 것과 동시에 영화의 마지막 장면에서 빛과 어둠이 바뀐 음화의
자동차 신이 등장한다. 엑스레이를 투사한 듯 보이는 이 이미지는
〈알파빌〉이 흑백 영화이기 때문에 우리가 볼 수 있는 이미지이다.
마치 백남준이 가상 현실(VR)이 없던 시기에 사람의 산만하게 펼
쳐진 뇌 속을 보는 듯한 〈시스틴 채플〉을 만들었듯이 말이다. 고다
르의 〈알파빌〉은 이미지와 시를 통해 오늘날 AI가 판독할 수 없는
문자들과 이미지의 존재 방식에 대해 생각하게 한다. SF 영화가
독특한 방식의 리얼리티를 획득하게 되는 순간이다. 영화학자 이
윤영은 고다르의 〈영화의 역사(들)〉(1988-1997)에 대해 고다르의 영

영화의 끝에서 레미 코숑이 등장하는 장면.(출처: 필자 소장 DVD 캡처)

화에서 말은 그 자체로 이미지를 만들며, "영화에 나오는 다른 이미지들과 멀리서, 그러나 정확하게 관계를 맺는다"고 쓴다. "말보다 이미지를 우위에 두고 의미가 '먼저' 오는 것이 아니라 '나중에' 오게 하는 보여 주기의 방법은, '보게 하기(faire voir)'를 향해 나아간다."* 서리북

---

* 이윤영, 「덧쓰기 예술, 몽타주, 멜랑콜리: 장-뤽 고다르의 〈영화의 역사(들)〉」,《프랑스어권 문화예술연구》86, 2023, 111쪽.

현시원
본지 편집위원. 독립 큐레이터이자 연구자로 전시 도면에 관한 박사 논문을 썼다. 다양한 전시를 기획하며 저서로 『1:1 다이어그램: 큐레이터의 도면함』 등이 있다. 전시 공간 시청각랩을 운영한다.

📖 〈알파빌〉에는 폴 엘뤼아르 시선집 『고뇌의 수도』가
등장한다. 국내에서는 600쪽에 달하는 『엘뤼아르 시
선집』에서 읽을 수 있다. 1926년 출간된 『고뇌의 수도』
안에는 시 「더는 함께하지 않기」, 「파블로 피카소」,
「조르주 브라크」, 「한순간의 거울」이 있다. 엘뤼아르는
1920년대부터 피카소의 작품을 사 모았고 1935년
이후부터는 피카소와 서로 영향을 주고받았다.

"한순간의 거울/(……)/그것은 돌처럼 단단하다,/무정형의
돌,/움직임과 시각의 돌,/그리고 그것의 섬광은 그 어떤
갑옷이나, 그 어떤 가면도 일그러뜨릴 만큼 찬란하다./
(……)" ― 책 속에서

『엘뤼아르 시 선집』
폴 엘뤼아르 지음
조윤경 옮김
을유문화사, 2022

🎞 베르너 헤어조크의 〈사이버 세상에 대한 몽상〉은
헤어조크 감독의 내레이션을 따라간다. 영화 안에서 인터넷
선구자 레너드 클라인록은 사상 최초의 인터넷 장비를
가리키며 "이 기계는 엄청나게 견고하다"며 툭툭 두드린다.
오늘날 디폴트값이 된 사이버 세상의 초기 역사를 말하는
이 영화를 보며, 더 이상 아무것도 궁금하지 않은, 세상의
일부가 되어 버린 사이버 세상에 대해 질문하는 '방법'을
생각해 보게 되었다.

"승려들 몇몇은 명상을 그만두었습니다. 다들 SNS를 하는 것
같군요."
"스페이스 X의 설립자 일론 머스크는 인터넷으로 화성
식민지와 소통할 방법을 찾고 있습니다." ― 영화 속에서

〈사이버 세상에 대한 몽상〉
베르너 헤어조크 감독
2016

사진의 가장 끝에서, 사진책이 시작되다

전가경

1, 2층으로 연결되는 열 개의 육각형 방을 차례대로 둘러본 후
통로로 이어지는 긴 공간을 관통해야만 다다르게 되는 하나의
전시. 제9회 대구사진비엔날레 부대전시 '포토북 페스티벌:
사진의 힘, 책이 되다'이다. 9월 22일 개막하여, 11월 5일 종료된
대구사진비엔날레에서 사진 비평가 박상우 예술총감독은
'다시 사진으로!'라는 전시명을 통해 "회화, 언어 등 다른 매체가
결코 흉내 낼 수 없는, 오직 사진만이 표현할 수 있는 '사진적인
사진'"*이라는 전시의 방향성을 선명히 했다. 구호와도 같은
전시명은 전시의 선언적 성격을 부각한다.

　　먼저, 전시는 오늘날 '동시대 비엔날레'라면 으레 다루기
마련인 "사회·정치, 생태, 재난, 디아스포라, 소수자"**담론에서
벗어났음을 강조했다. 동시대 미술계를 지배하다시피 한 거대
담론으로 인해 정작 광학적 기술이자 기계 매체로서의 사진 혹은
카메라에 대한 초점이 흐려졌다는 문제의식이다. 둘째, '사진의
영원한 힘'을 복기한다는 목표하에 전시는 사진 본연의 속성과
특징을 총 열 개의 소주제로 나눠 선보였다. '지금, 여기: 증언의
힘'에서는 특정 사건이나 대상을 기록하는 사진의 '증거' 능력을,
'폭발하는 빛: 빛을 기록하는 힘'에서는 사진 탄생의 배경이 된
빛에 관한 사진적 연구를, '멈춘 시간: 순간 포착의 힘'에서는
오로지 카메라만이 포착할 수 있는 움직임의 정지 형상을, '지속의
시간: 시간을 기록하는 힘'은 시간과 빛의 지속성을, '비포 애프터:
반복과 비교의 힘'에서는 사진이기에 가능한 시차와 연속성의
장면들을 전시했다. 이어지는 나머지 소주제는 '시점: 시점의

---

* 박상우, 「다시, 사진으로!: 동시대 시각예술과 사진 매체의 힘」, http://daeguphoto.
com/2023/content/theme/.
** 같은 곳.

'포토북 페스티벌: 사진의 힘, 책이 되다' 전시장. (출처: 대구사진비엔날레)

힘', '클로즈업: 확대의 힘', '미장센: 연출의 힘', '변형: 변형의 힘',
'정면: 관계의 힘'으로서 모두 '사진의 힘'을 정면에 드러냈다.
근래 들어 보기 드문 '박진감' 넘치는 전시 구성인 셈이다.

　　일각에서는 이러한 기획을 두고서 복고적이거나 교과서적 혹은
설명적이라고 비판한다. 동시대의 첨예한 이슈를 의도적으로
배제하는 기획도 문제가 있다는 지적이 사전 심포지엄에서도
오갔다. 이러한 비판에도 불구하고, 주제전, 특별전 및 야외전
등으로 다채롭게 구성된 제9회 대구사진비엔날레는 40만여
명의 관람객 동원이라는 역대 최대 성과로 막을 내렸다. 한
매체에 따르면, 일반 대중이 알기 쉽게 이해할 수 있도록 구성한
점이 적중했다는 것이다. 이번 대구사진비엔날레에 대한 평가는

종료와 함께 그 윤곽이 더 선명해지겠지만, 현재로서는 대중적
아카데미즘과 현대 미술의 동시대성이라는 과제 사이에서 대중과
평단의 평가가 엇갈리는 모양새다. 그리고 이 저울질 사이에
'포토북 페스티벌'이 자리 잡고 있다.

주제전에 대한 해석이자 반문, 동시에 확장으로서의 부대행사
'포토북 페스티벌'은 서울에서 사진 전문 서점 이라선을 8년째
운영하는 김진영 대표의 기획이다. 1, 2층으로 이어지는 수백
종의 사진들을 감상하고 나면, 전시 동선은 자연스럽게 '포토북
페스티벌'을 제목으로 내건 가벽으로 이어진다. 벽 너머에는
120여 종의 사진책들이 방사형으로 뻗어 공간을 가득 채운다.
이 중 100종은 주제전과 직결되며, 20여 권은 사진책에 관한
사진책들이다. 각국의 사진책 전문가들이 전송해 온 수십 종의
사진책에 관한 설명문 또한 전시장 벽을 메우고 있다. 각 책에
동원되는 사진책 설명문에서부터 120종의 사진책 그리고
벽면의 설명문까지 더한다면, 지금까지 국내에서 몇 차례 있었던
사진책에 특화된 단일 행사로서는 가장 큰 규모로 보인다. 아트북
및 사진책 애호가들이나 평소 출판이나 출판 디자인에 관심
있는 관계자들에게는 국내에서 보기 드문 풍성하고 호사스러운
장면임에 틀림없다. 그런데 이 전시의 매력은 비단 가시적으로
드러나는 '압도적 물량'에만 있지 않다. 비엔날레 주제전의
연장선에서 사진책 관련 부대행사가 본 전시에 개입하거나
이바지할 수 있는 당찬 면모들을 보여 줬기 때문이다.
　　전시는 주제전의 포맷을 가져와 사진책 전시에 대입했다.
앞서 거론된 10개의 소주제별로 각각 10종의 사진책이 엄선된
것이다. 그중에는 전시에 참여한 사진가들의 사진책들도

포함되어 있지만, 이는 100권의 책 중 극히 일부에 지나지 않는다.
다시 말해, 기획자는 10개의 소주제마다 10권의 사진책을
별도로 선별했고, 각각의 사진책이 지닌 다양한 소재와 사진의
특성 및 책의 만듦새를 고려할 때 '포토북 페스티벌'은 김진영
기획자의 시선에서 재해석된 또 하나의 '주제전'이라 부를 만하다.
독립된 주제전으로서의 진가는 일렬로 놓여 있는 사진책과
그 옆에 평균 500자 분량으로 작성된 설명문에서 드러난다.
100권의 사진책을 감상하거나 설명문을 꼼꼼하게 읽다 보면
올해 대구사진비엔날레 주제전의 한계가 상당 부분 극복되거나
의문이 해소된다. 지면상 몇 가지 사례에 한정 지어 이 매력을
포착해 본다.

단편적 사진에서 함축적 서사로의 확장

주제전의 소주제에 따라 정렬된 사진책 중 몇 종은 기존 주제전이
미처 풍족하게 전달하지 못하는 작가의 작품 세계를 '책'이라는
매체를 통해 더욱 깊고 넓게 펼쳐 보인다. 사진 전시라는 특성상
각 작가의 주제는 공간의 제약을 받을 수밖에 없고, 관람객들에게
전달되는 주제는 불가피하게 단편적임과 동시에 단면적이 된다.
그러나 책이란 매체는 전시 공간보다야 한참 좁은 면적이지만,
수십 장에서 수백 장 이상의 사진을 담을 수 있는 지면이
비축된—의외로—광활한 공간이다. '비포 애프터' 분야에
초대된 사진가 하야히사 토미야스의 〈TTP〉 연작과 사진책 간의
관계가 이에 대한 성실한 예시다. 독일 라이프치히에 있는 자신의
아파트에서 5년 동안 창밖의 탁구대를 관찰하며 기록했다는
토미야스 작가의 탁구대 사진들은 주제전에서는 시차에 따라
여러 용도로 변경되는 탁구대를 포착하는 사진의 '비포 애프터'

하야히사 토미야스의 〈TTP〉 연작 전시. (출처: 대구사진비엔날레)

하야히사 토미야스의 『TTP』. (출처: 이라선)

힘을 보여 주었다.

그런데 260쪽에 걸쳐 탁구대 사진 연작이 전개되는
책은 그 이상의 '힘'을 발휘한다. 수백 장의 내지를 들춰 본 후
마주하게 되는 마지막 사진과 그 사진이 주는 서사적 여운은
오로지 책이라는 공간이기에 전달할 수 있는 작가의 함축적
메시지다.* 다소 평면적이거나 단일 시점으로 다뤄진 주제전의

---

* 사진책 감상을 반감할 수 있는 일종의 '사진책' 스포일러가 될 수 있어 마지막 사진의

사진 메시지가 사진책을 매개로 확장되거나 심화하는 것이다.
주제전이 사진의 앞면 보기를 일정 부분 유도했다면, '포토북
페스티벌'은 사진의 앞면과 후면 그리고 사이의 공간을 읽어

장면은 밝히지 않는다.

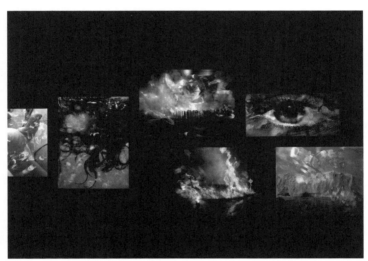

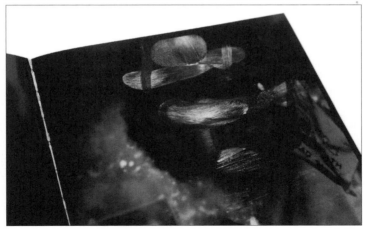

보기를 적극 권한다.

보는 사진에서 만지는 사진으로

감각적 확장 또한 '포토북 페스티벌'의 사진책이 담당하는 몫이다.
주제전 벽면에 걸렸던 사진들은 '포토북 페스티벌'에서는 촉각의
대상이 되어 다시 나타난다. 흥미로운 사례가 두 번째 소주제인
'폭발하는 힘'에 전시되었던 타비사 소렌의 〈표면 장력〉 연작이다.
이 사진들은 작가가 아이패드에 묻은 손가락 자국을 찍은
것들로서 디지털 기계와 생체 이미지 간의 예상치 못한 시각적
경험을 전달한다. 주제전에서 관람객들은 이 경이로운 장면들을
눈으로 감상하면 된다.

　　그런데 소렌의 같은 제목의 사진책은 독자가 사진을 보는
경험에서 나아가 만지는 경험을 유도한다. 기획자 김진영은
설명문에 이렇게 썼다. "기름에 취약한 고광택 종이를 사용한
결과, 책을 넘기는 과정에서 독자 역시 책에 얼룩을 남기게 된다."
프레임 안에 제한되어 있던 시각적 경험은 사진책에서 독자
참여형 경험으로 확장된다. 엄숙한 매체로서 곧잘 인식되는
책은 디지털만큼이나 변형과 변신을 할 수 있는 유연한 매체로
탈바꿈한다. 주제전이 눈에 집중한 시각적 경험에 머무른다면,
'포토북 페스티벌'은 사진의 촉각적 혹은 공감각적 경험을 적극
권장한다.

주제전에 대한 도발적 해석

한편, 주제전이 선명하면서도 당차게 구축한 분류에 대해
'포토북 페스티벌'은 '부대행사'라는 이름을 넘어 주제전에
귀속되지 않고, 오히려 적극 해석하고 반문한다. 주제전이 지닌

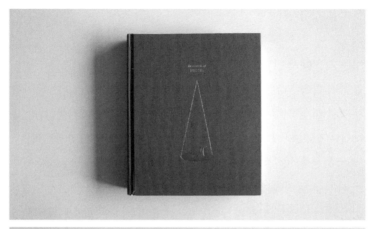

김신욱의 『네시를 찾아서』 (출처: 이라선)

얼마간 딱딱하고 경직된 틀로부터의 해방감과 지적 희열을
사진책을 감상하며 즐길 수 있다. 이 사례로 거론할 수 있는
두 종의 책이 김신욱 작가의 『네시를 찾아서』와 질 페레스의
'빅 북'인 『무엇이든, 아무 말도 하지 마』(이하 『무엇이든』)이다.
두 작가 모두 주제전에는 참여하지 않았지만, '포토북
페스티벌'에서는 '증언의 힘' 부문에 초대되었다.
　『네시를 찾아서』는 우리에게 익히 알려진, 스코틀랜드

질 페레스의 『무엇이든, 아무 말도 하지 마』(출처: 이라선)

네스호 괴물에 관한 사진책이자 아카이브북이다. 이 책에서
김신욱 작가는 네시를 둘러싼 '전설'과 이 전설을 '사실적 기록'
혹은 네시 존재의 '증거물'로서 믿도록 만드는 뉴스 사진 등을
다양하게 수집하여 나열했다. 여기서 사진책은 증언으로서의
사진의 힘을 '입증'하기보다는, 반문함으로써 기록으로서의
사진의 힘이 갖는 역설을 되묻는다.

　세계적인 다큐멘터리 사진가 질 페레스의 『무엇이든』도

증언으로서의 사진의 힘에 대한 한계를 '다큐멘터리 픽션'이라는
말로써 질문한다. 오늘의 다매체 디지털 환경에서 증언으로서
사진이 갖는 힘과 그 믿음은 갈수록 나약해지고 있다.
이러한 질문이 일상에서 충분히 제기할 수 있는 때 사진책들은
사진적 증언이란 과연 무엇인가라는 화두를 묵직하게 던진다.
『무엇이든』은 북아일랜드 분쟁을 기록했지만, 작가는 가상의
낱말들로 자신의 다큐멘터리 사진을 편집함으로써 사실이지만
동시에 사실이지 않은, 사진에 기초한 대안적 역사기술학을
시도했다.

사진의 가장 끝에서 만나는 사진책의 힘

'포토북 페스티벌'의 부제는, "사진의 힘, 책이 되다"이다.
이것은 주제전과의 미묘한 긴장 관계를 형성한다. 문자적
의미에서 부제는 주제전의 포맷을 그대로 계승하는 인상이지만,
기획자 김진영이 100권의 사진책에 붙여 나간 설명문들은 마치
한 종의 교과서와도 같은 주제전의 전개 방식과 담론을 보다
동시대적 자장 안으로 끌고 왔다. 이 책들을 주제전에 대한 거대한
해설로 보아도 무방한 이유다. 동시에 '포토북 페스티벌'은 전시와
책의 관계에 대한 흥미로운 성찰이기도 하다.
　　　지난 몇 년간 전시와 책의 관계에 관한 논의 속에서
디자이너와 큐레이터 및 미술가들은 책과 전시 그리고 작품 간의
유기적 관계를 탐구한다. 전시와의 관계에서 한때 책은 전시의
부속물 정도의 위치에 있었다면 이제는 다양한 방식으로
구실을 한다. 그런 점에서 '포토북 페스티벌'은 제9회
대구사진비엔날레의 의외 발견이었다. 전시는 단순한 사진책
컬렉션에 머무르지 않고, 주제전에 의문을 던짐과 동시에 의미를

'포토북 페스티벌: 사진의 힘, 책이 되다' 포스터.(출처: 전가경 제공)

확장했다는 점에서 전시와 책의 관계를 재설정한다. 주제전이 '사진의 힘'에 충실했다면, '포토북 페스티벌'은 '사진책의 힘'을 다층적으로 보여 줬다.

　　사진의 가장 끝에 자리한 100종의 사진책과 그 행사인 '포토북 페스티벌'. 주제전과의 관계에서 팽팽한 긴장감을 잃지 않았던 행사는 그 자체로서 또 하나의 독립된 주제전이라 부를 만하다. 서리북

전가경
그래픽 디자인에 대해 연구하고 글을 쓰고 강의하며, 대구에서 '사월의눈'이라는 이름으로 사진책을 기획하고 만든다. 갈수록 짧아지는 그래픽 생애주기의 현장과, 공백으로 놓여 있는 한국 그래픽 디자인 역사를 텍스트 생산을 통해 연결 짓는 데 관심이 있다. 지은 책으로 『세계의 아트디렉터 10』과 『세계의 북 디자이너 10』(공저)이 있으며, 여러 디자인 단행본과 잡지에 글쓴이로 참여했다.

'책 기자'라는 환상과 환장: 코로나, 페미니즘 출판 전쟁, 그리고 검열의 기억

이유진

오랜만에 만난 어느 1인 출판사 대표가 말했다.

"죄송한 말씀이지만, 요즘은 언론사에 (홍보용) 책을 많이 보내지 않아요."

뒷말은 듣지 않아도 알 것 같았다. 출판계가 어렵고 언론사 영향력은 줄었다는 얘기다. 요즘 나는 한겨레신문사가 만드는 시사 주간지 《한겨레21》 선임기자로 일하면서 출판 면을 맡고 있다. 2014년 신문사 학술 기자로 발령받아 책팀에서 기사를 쓰기 시작했고 어쩌다 보니 책팀 팀장을 두 번이나 했다. 10년 넘게 출판계 언저리에서 지켜본바, 이제는 인플루언서의 한마디가 신문 한바닥을 가득 메운 서평보다 힘이 세다는 것을 모르지 않는다. 신문이 그럴진대 주간지야 오죽하겠는가. 미디어 환경의 변화는 자연스러운 것을 넘어 인류 역사의 필연이다.

　　오늘날 출판계는 말할 수 없이 불경기이다. 이름 있는 큰 서점이
　　문을 닫기도 하고 출판사가 도산하는 등 국민으로서 수치로 알아야
　　할 일들이 출판계에 속출하고 있다. (……) 활자 미디어보다 시청각
　　미디어가 접근하기에 좀 더 안이하기 때문에도 독서하는 시간이
　　줄어들었다고 볼 수 있겠다. 그러나 겨우 명맥을 유지하고 있다는
　　일부 출판사도 국민문화의 향상이라는 보다 차원 높은 계획을
　　세우기보다 당장 출판해서 당장 수익을 올리자는 투기성의 지배를
　　받아 오늘날 출판계는 악화가 양화를 구축한다는 한심스러운
　　실정에 빠져 있다.*

강경한 어조로 사태의 심각성을 일깨우는 이 글은 55년 전,

---

* 사설, 「출판문화의 향상책」, 《조선일보》, 1968년 10월 19일 자.

1968년 10월 19일 자《조선일보》사설이다. '단군 이래
최대 불황'이라는 말을 노상 입에 달고 살아온 출판계이건만,
요즘 상황은 정말로 심각한 것 같다. (이 얘기도 사실 한두 번 한 게 아니다.)
55년 전처럼 '당장 수익을 올리자'며 기획 출판으로 돈 버는
회사를 '투기성'이라고 비판할 수조차 없는 시대다.

출판 면, 중요해도 정경사만큼은 아니야

최근 몇 년 동안 출판계는 독서 인구가 줄어드는데 출판사가
신간만 쏟아 낸다고 걱정했다. 그것도 배부른 소리였을까. 급기야
이제는 신간까지 줄어들고 있다. 대한출판문화협회(이하 출협)
자료를 보면, 2022년 발행 종수는 6만 1,181종으로 전년도에
견줘 5.4퍼센트 감소했고, 신간 평균 발행 부수도 1,192부로
전년도보다 3.6퍼센트 감소했다. 2022년 등록된 출판사는 7만
5,196곳이지만, 2022년 출협에 납본한 출간 이력이 있는 출판사는

지난 8월 17일, 문화체육관광부 서울 사무소 앞에서 열린
'책문화살리기 출판문화인 궐기대회'. (출처: 대한출판문화협회 제공)

불과 5,611곳에 그쳤다. 정부도 출판 지원 예산을 삭감하고 있다.
이에 2023년 8월 17일 오후 서울역 앞에서 출판인들이 '책은
미래다! 출판이 뿌리다!'라는 손팻말을 들고 시위를 벌였다.
곳곳에서 터져 나오는 악 소리가 잦아들기는커녕 커져만 가는
듯하다.

　　마음이 편치 않다. 언론과 출판은 떼려야 뗄 수 없기
때문이다. 아무리 발달한 미디어라도 책과 분리될 수 없거니와,
책 그 자체가 새로운 지식·소식·진실을 전달하며 사회를 비평하는
언론의 기능을 갖고 있기도 하다. '스타 강사' 김미경 MKYU
대표는 코로나19 팬데믹 시절 강의가 모두 사라졌을 때 새롭게
공부하면서 가장 먼저 종이 신문과 주간지부터 구독했다고
한다. 포털 사이트에서 임의로 큐레이션한 뉴스가 아니라, 신문
오피니언 면에서 역사학자가 외롭게 써 내려간 칼럼에 자신이
찾던 이야기가 딱 세 문장으로 적혀 있더라는 것이다.*
많은 사람이 주목하지 않는 중요한 사실, 발화가 공공연하게
금지된 소식이나 정작 그 시대에 중요한 지식은 베스트셀러의
그림자에 가려 대중의 눈에 거의 띄지도 않는 책이나 종이 매체
한 귀퉁이에 은근슬쩍 실리는 수가 많다.

　　출판인과 언론인은 지식과 소식을 다루는 글쟁이로서 서로
넘나드는 직업군이고, 종이 매체에서도 출판 면은 중요한 위치를
차지한다. 하지만 '정경사'라 일컫는 정치·경제·사회 면만큼은
아니다. 정경사는 매일 발행되는 데 견줘 출판 면은 일주일에
한 번 나가고, 그것도 기껏해야 두세 면이다. 전국 종합 일간지 중

---

* 최윤아, 「코로나 탓은 그만, 이제는 멈춘 나를 일으켜 세울 때」, 《한겨레》, 2020년 7월
3일 자, https://www.hani.co.kr/arti/culture/book/952077.html.

2016년 7월 8일 자 《한겨레》 별지 '책과 생각' (왼쪽)과
2023년 10월 28일 자 《한겨레S》 책 면 (오른쪽. 출처: 이유진 제공)

출판 면이 가장 많은 《한겨레》는 타블로이드 판형으로 발행되는
주말판 《한겨레S》에 매주 10개의 면을 만든다. 한때는 출판 면을
대판 8면짜리 '별지'로 발행하기도 했다.

　　2016년 7월 1일 《한겨레》 책팀장으로 '책과 생각'이라는
문패를 달고 출판 면을 독립시켰다. 지면 개편을 주도하는 처지에
놓여 있었던지라 무척 괴로웠던 기억이 난다. 출판 면을 따로
발행한다면 독자들이 '본지'라고 일컫는 스트레이트 지면만 읽고
'별지'인 출판 면을 쏙 빼서 버릴 거라는 내부 반발에 부닥쳤기
때문이다. 결과는 달랐다. 지하철에서 '책과 생각'을 펼쳐 들고
읽는 사람을 종종 만났고, 그런 사람들을 보았다는 얘기도 가끔
전해 들었다. 그것조차 흘러간 옛 노래가 되었다. 지하철에서
신문을 읽는 사람들이 아예 없어졌으니까.

　　요즘 조간신문에서 책 면은 주로 토요일에 실린다.

신문쟁이들은 독자들이 주말에 신문을 보고 서점에서 책을
산다고 생각하기 때문이다. 사실 관성일 뿐, 주말 서평란도 이제
큰 의미가 없다. 사람들은 주말에 OTT를 챙겨볼지언정,
책을 읽지 않는다.

일주일에 책 한 권 읽고 쓰는 것쯤이야

시절 타령은 그만하고, 출판 담당 기자들이 어떤 일을 하는
사람들인지 살펴보자. 먼저, 매주 나오는 신간들 가운데 중요한
책을 선별해 읽고 서평을 쓴다. 매주 수백 권의 신간이 신문사
책팀에 배달된다. 예전에는 적잖은 출판인들이 불쑥 신문사를
찾아와 새로 나온 책을 설명하기도 했지만 코로나19 이후에는
그런 만남이 자유롭지 않다. 코로나19가 한창이던 시기에는 책을
놓고 회의를 하면서 마스크도 모자라 얼굴을 덮는 가리개까지
쓰고 최대한 침방울이 튀지 않도록 조곤조곤 말을 했다.
가관이었다.

　　많은 사람들이 '책 기자'에 대한 환상을 품는다. 기자들끼리도

2020년, 마스크와 가리개를 쓰고 회의를 하던 책지성팀.
(출처: 이유진 제공)

마찬가지다. 오는 책을 가만히 앉아서 받아 읽고 글로 '썰 푸는' 일이
뭐가 어렵냐고 하지만, 그게 그렇게 만만치 않다. 하루 이틀 만에
책 두어 권을 읽는 사이사이 학계와 출판계 소식도 취재해야 한다.
각종 도서전 취재나 출판사 소식뿐만 아니라 인터뷰, 나라 안팎
유명 작가, 학자들의 부고 기사까지 챙기려면 보통 바쁜 것이
아니다. 지금처럼 정부가 출판 예산을 들었다 놨다 하는 때라면
이를 감시하고 비판하는 일도 빼놓을 수 없다. 정부나 관계 기관의
검열이나 근현대사 왜곡 논란 같은 정치적 이슈가 터지면
몇 달이고 내내 거기 매달려 기사를 써야 할 수도 있다. 표절 문제,
문단 내 성폭력 사건도 마찬가지다. 서평 쓰기는 책 기자 궁극의
업무이지만 극히 일부일 뿐이다. 고상하게 우아 떨며 일하기보다
낮에는 사방팔방 취재하고, 집에 와서는 까만 밤을 하얗게 새워
책 읽고 지저분한 꼴로 마감 시간까지 줄창 자판을 두들긴다. 여러
외부 필자들을 '관리'하며 의견을 나누고 원고를 빨리 달라고
엄살을 피우면서 쪼기도 해야 한다. 에디팅(editing)과
라이팅(writing)을 겸하는 일이다.

책 면을 만들 때 제일 중요한 건 책 선정이다. 읽고 쓰는
일보다 책 선정이 더 어려울 때도 많다. 외국에서 화제가 된
번역서, 중량감 있는 작가가 낸 신간, 작지만 실력과 소신을 갖춘
출판사의 책이라면 먼저 눈여겨본다. 중요한 책들은 출판 전에
이미 소문이 돈다. 작가나 출판인들은 중요한 소식을 전해
주는 취재원, 정보 제공자이기 때문에 대체로 친밀하지만 너무
가깝거나 너무 멀지 않은 '불가근불가원(不可近不可遠)'을 지켜야
한다. 그렇지 않으면 비슷비슷한 책들이 경합할 때 팔이 안으로
굽을 수 있기 때문이다.

책 기자들은 타사의 출판 면을 꼭 확인한다. 우리와 비슷한

책지성팀 사무실 풍경. 책상마다 신간 도서들이 쌓여 있다.
(출처: 이유진 제공)

책을 선택했는지, 중요한 책을 빼먹은 건 아닌지 확인하기
위해서다. 진보 언론이건 보수 언론이건 가리지 않고 지면을
할애한 책이라면 그 책은 꽤 중요한 책이고, 베스트셀러가
될 가능성이 높다. 하지만 개인적으로는 지면에 실리는 책들이
좀 더 다채로웠으면 좋겠다. 그래서 주간지 책 면에는 일간지가
주목하지 않는 책들, 상대적으로 좀 더 작은 규모의 출판사에서
내는 작지만 소중한 책들을 일부러 많이 소개하려고 한다.
어렵고 현학적인 말로 '폼' 잡지 말아 달라는 요구가
독자들한테서 들어오기도 했다.

　　　서평의 여러 기능 중에서 언론사 서평의 가장 중요한 기능은
'미리 읽기'다. 예비 독자에게 신간에 대한 첫인상이나 정보를
먼저 제공하기 때문이다. 책 내용을 잘 요약하는 것이 우선이지만
해당 책의 의미와 위치를 파악할 수 있도록 쓴다. 한마디로,
이 책이 왜 중요한지 와닿게 써주는 것이다. 때로는 200자짜리

원고지 3-4매에 해당하는 짧은 서평조차 비판하는 내용을
꼭 한 마디 넣으려는 기자도 없지 않다. 하지만 짧게는 몇 달
길게는 몇십 년 걸려 나온 책들을 하루 이틀 만에 읽고 평하면서
비판하는 일은 삼가는 것이 낫다고 생각한다. 비판을 하려면
각 세우고 진지하게, 정성껏 해야 한다. (하지만 중요한 책을 비판하는
기사는 책 면이 아닌 문화 면에 주로 실리기 때문에 책 면에는 원칙적으로 좋은 책을
소개하는 것이 맞다.)

어려운 벽돌책은 두께를 막론하고 들입다 읽는다고 문제가
해결되지 않는다. 엉뚱한 서평을 쓸 가능성도 높다. 신문사
책 기자들은 오래 출판을 담당했던 베테랑들이 많지만 낯선
분야의 책을 읽어야 할 때도 적지 않다. 그럴 때는 책을 읽는
것만으로 충분치 않다. 편집자, 번역가, 저자, 관련 학자에게 묻고
묻고 또 물어야 한다. 신문 서평을 읽는 사람은 소수지만, 그들
대부분이 공부를 많이 하고 눈 밝은 독자들이다. 열심히 읽고
써줘서 고맙다는 인사도 많이 듣지만, 조금만 삐끗해도 잘못을
지적하는 메일이 날아든다.

또 빼놓을 수 없는 일이 토론이다. 신문사는 검찰이나
군대처럼 '기수' 중심 문화가 발달해 있고 경직된 위계적인
조직이라 토론이 생각만큼 활발하지 않다. 하지만 우리 회사
책팀은 대대로 '계급장 떼고' 토론하는 문화가 있었다. (나만 그렇게
느꼈을 수도 있다.) 특히 역사서나 사회 비평서를 두고 서로 다른
견해를 가진 기자들 사이에서 뜨거운 논쟁이 붙으면 끝날 줄을
몰랐다. 한국 출판은 한국 사회의 축소판이니 어찌 보면 당연한
일이다.

페미니즘 출판 전쟁과 검열

2016년 8월, '페미니즘 출판 전쟁!'이라는 제목의 기사를 썼다.*
현장에서 지켜본 2010-2020년대 한국 출판 문화의 대표적인
흐름 중 하나가 '페미니즘 출판'이다. 전례가 없었다. 교보문고
서울 광화문점 정치·사회 베스트셀러 매대 1-10위 중에 여성학
책이 네 권이나 올랐다. 관련 이슈도 매달 터져 나왔다. '나는
페미니스트가 싫다'는 글을 트위터에 남기고 2015년 1월 IS에
합류하기 위해 튀르키예로 떠난 김 군의 사례가 있었고, 그다음
달 한 패션 남성지에 어느 남성 팝 칼럼니스트가 「IS보다
무뇌아적 페미니즘이 더 위험해요」라는 글을 써서 논란이
됐다.** 세계적으로 '#나는 페미니스트입니다' 해시태그 운동이
불붙었다. 2015년 8월, 미러링(반사) 표현을 기반으로 하는 여초
커뮤니티 '메갈리아'가 생겼고 비슷한 시기에 일체의 꾸밈
노동을 거부하는 '탈코르셋 운동'이 벌어졌다. 2016년 5월
17일 발생한 강남역 살인사건은 여성혐오 범죄라는 공감대
속에 공분을 불러일으켰다. 2016년 10월 트위터를 중심으로
'#문단_내_성폭력' 해시태그 운동이 벌어졌다. 2018년 1월
서지현 당시 검사가 검찰 고위 간부에 의한 성추행 피해를
폭로하고 두 달 뒤 안희정 당시 충남도지사 수행비서 김지은 씨가
안 지사의 성폭력을 고발하는 등 '미투(Me Too)' 운동이 이어졌다.

　　2011-2014년 대부분 서점에서 페미니즘·여성학 도서
판매량은 매년 줄어들고 있었다. 하지만 2015년을 시작으로
페미니즘 책 출판과 판매량은 급증했다. 특히 디지털 페미니즘

---

* 이유진, 「페미니즘 출판 전쟁!」, 《한겨레》, 2016년 8월 19일 자, https://www.hani.
co.kr/arti/culture/book/757359.html.
** 김태훈, 「IS보다 무뇌아적 페미니즘이 더 위험해요」, 《그라치아》 48, 2015, 62쪽.

운동 초기인 2015-2016년 페미니즘 도서의 인기는
폭발적이었다. 2016년 1-7월 온라인 서점 알라딘의 '여성학/
젠더' 분야 도서 판매량은 전년도 같은 기간에 견줘 두 배가 넘는
178퍼센트 증가율을 기록했다. 거의 대부분 서점에서 비슷한
양상이었다.

　　　비슷한 시기 또 하나의 사건은 출판계 블랙리스트, 검열이었다.
문화체육관광부가 주최하고 한국출판문화산업진흥원이
주관하는 우수 도서 선정 사업인 세종도서 사업이 있다.
2014년 세종도서 문학나눔 3차 심사에서 한강의 『소년이
온다』(창비, 2014), 이기호의 『차남들의 세계사』(민음사, 2014),
이시백의 『사자클럽 잔혹사』(실천문학사, 2013), 공지영의 『높고
푸른 사다리』(한겨레출판, 2013) 등이 탈락했다. 2016년 11월,
이를 취재할 때 관계자들은 '검열은 있을 수 없다'고 강변했다.
국회의원실을 통해
2014-2015년 학술·교양 분야 심사평들을 요청해 받았다.
산더미 같은 자료를 며칠 동안 밤새 뒤지면서 '도서의 사상적
편향성을 검토했다'거나 '편중된 시각을 가진 작품들을 조정'했고
'정치적 성향'의 도서를 제외했다고 심사위원들이 남겨 놓은
흔적을 찾아냈다. 제보를 받은 지 석 달 만에 1면 기사를 썼다.
이후 출판계 블랙리스트의 존재는 사실로 드러났다.

　　　시간은 빠르게 흘렀다. 사람들은 거리로 뛰쳐나가 촛불을
들었고 대통령을 탄핵했다. 곧 새로운 세상이 열릴 것처럼 들떠서
흥분한 사람들은 오래지 않아 실망에 부닥쳐야 했다. 양서 출판에
보탬이 되는 도서정가제를 유지하고 검열 없이 자유로운 출판
환경을 만들면 책을 만드는 사람도, 읽는 사람도 좋으리라
생각했다. 하지만 그 뒤로도 걸핏하면 도서정가제가 도마 위에

올랐고 출판 예산은 깎여 나갔다. 미디어 검열은 이제 신호탄 수준이다. 앞으로가 더 큰 문제다.

공공적인 지원이 없으니 세상에 꼭 필요하고 중요하다 싶은 책일지라도 대중의 지지를 받지 못하면 금세 절판이 된다. 가난한 학자들이 구입해서 곁에 두어야 할 중요한 학술서는 너무 비싼 값이 매겨진다. 중고책 시장에서 미친 듯이 비싼 가격에 팔리는 책들은 대체로 일찍 절판된 교양, 학술서들이다. 책들의 홍수 속에서 왜 꼭 필요한 책들은 만나기 힘든 걸까? 도서관에서 책을 볼 수 있다고 하지만, 2021년 한국 공공 도서관이 책 등 자료를 사는 데 사용한 액수는 전체 도서관 예산의 평균 8.9퍼센트도 안 된다.

독서는 갈수록 돈과 시간이 있어야 향유할 수 있는 고급 취미가 되어 가고 있고, 출판 기자들도 이제는 '대중' 독자가 아니라 소수의 '지식인' 독자에게 말을 거는 듯 기사를 쓰는 경우가 늘고 있다. 학계에는 신진 학자가 데뷔할 수 있는 무대가 좁아지고, 중요한 학술서를 내온 출판사들은 경제적 문제로 허덕인다. 뜻 있는 서평지가 많아지고 있다는 점이 그나마 위안이랄까. 책이 배척받는 시대, 책쟁이와 책기자들의 건투를 빈다. **서리북**

이유진
《한겨레21》 선임기자. 《한겨레》 편집국 문화부, 편집부, 사회부 기자를 거쳐 책지성팀장과 토요판 부장을 지냈다. 대학원에서 여성학과 문화학을 공부했다. 지은 책으로 『지성이 금지된 곳에서 깨어날 때』가 있고, 『엄마도 아프다』, 『종이약국』을 다른 필자들과 함께 썼다.

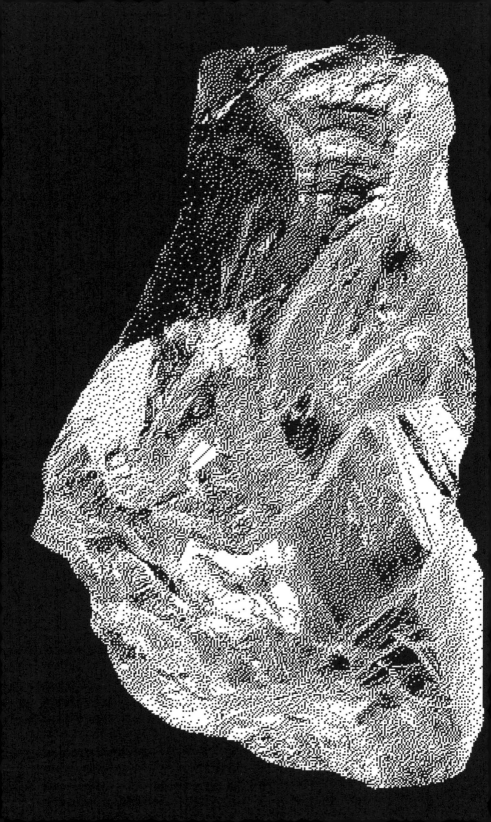

리뷰

서울
리뷰 오브
북스

세계 끝의 버섯

자본주의의 폐허에서
삶의 가능성에 대하여

THE MUSHROOM AT THE END OF THE WORLD

애나 로웬하웁트 칭 지음
노고운 옮김

현실문화

『세계 끝의 버섯』
애나 로웬하웁트 칭 지음, 노고운 옮김
현실문화, 2023

송이버섯 냄새를 맡자. 그다음은?

조문영

폐허에서 발견한 버섯

"삶이 엉망이 되어갈 때 여러분은 무엇을 하는가? 나는 산책을 한다. 그리고 운이 좋으면 버섯을 발견한다."(21쪽) 언론에서 이 책을 소개할 때마다 프롤로그의 첫 문장이 등장했다. 확실히 매혹적인 문장이다. 삶이 엉망진창일 때 보통은 '잠수'를 타는 나도 설레었던 문구다. 확신이 없어도 여전히 바랄 무언가가 있다는 건 축복이다. 그것이 새로운 길잡이가 된다면 더더욱. 저자가 잠시 흘리고 지나친 이야기들을 서평 담당 기자들은 재빨리 주웠다. 1945년에 히로시마가 원자폭탄으로 파괴된 후 아비규환의 풍경 속에서 처음 등장한 생물이 송이버섯이었다거나, 1991년에 소련이 무너지자 정부 지원이 끊긴 수천 명의 시베리아인이 버섯을 따러 숲으로 달려갔다는 이야기. 이번 가을 기후정의행진에 운집한 3만 시민도 그런 이야기를 발견하고 싶지 않았을까. 우리 것인 줄만 알았던, 질서 있게 통제된 세계가 실패작으로 판명 났을 때 여전히 할 일이 남았다는 이야기. 산책하다 운이 좋으면 버섯을 발견하고, 그 버섯이 당신을 다른 세계로 인도할지도 모른다는 이야기를.

그래서였을까. 애나 칭의 책『세계 끝의 버섯』은 올해 여름 끄트머리에 번역·출간되자마자 중쇄를 거듭하고 있다. 미국에서 나온 지 8년이 지난, 500페이지가 넘는 인류학 전문 학술서가 누리는 대중적 인기가 예사롭지 않다. 캘리포니아대학 산타크루즈 캠퍼스 인류학과 교수로서, 이미 일흔 살이 넘은 그가 인류학계에 남긴 거대한 자취를 한국의 독자들이 좇았을 것 같지는 않다. 국내에 번역되지 않은『다이아몬드 여왕의 왕국에서(*In the Realm of the Diamond Queen*)』(1993)와『마찰(*Friction*)』(2004)은 인도네시아 숲을 중심으로 각각 주변성(marginality)과 글로벌라이제이션의 문제를 날카롭게 해부한 역작이다.『세계 끝의 버섯』이 자랄 수 있게 잔뿌리를 내어 준 소나무들이기도 했다. 하지만 인류학자로서 저자의 업적을 계보화하지 않더라도, 이 책을 집어 든 독자들이 감당해야 할 부담은 차고 넘친다. 칭이 여러 인류학자와 '마쓰타케 월드 리서치 그룹'을 만들어 협업하고, 7년 동안 송이버섯 시즌마다 미국, 일본, 캐나다, 중국, 핀란드를 이동하면서 만난 행위자들의 목록을 헤아리기조차 버겁다. 채집인, 과학자, 산림관리인, 송이버섯 무역업자 등 인간 행위자는 물론, (이 책에서 중간마다 삽화로 등장하는) 곰팡이 포자, 빗방울, 균근(菌根), 버섯 등 비인간 행위자를 따라가다 길을 번번이 잃는다. 곰팡이가 형성하는 네트워크에서 글로벌 공급사슬의 역사까지, 다양한 송이버섯 배치를 따라가는 것만으로 숨이 찬다.

이렇게 '고된' 독서를 한국 독자들이 자청하고 있다. 거금을 들여 '벽돌책'을 구입하고, 온라인 서점에 번역해 주어서 감사하다는 댓글을 정성껏 남긴다. 알라딘 김경영 MD가 이 책에 바친 찬사대로 "황폐화된 시대의 상상력"을 채집하는 일이 그토록 간절했던 걸까? 인류학자인 내게도 쉽지 않은 독서였다. 자연과 문화를 대립적으로 보던 시대에 훈련받은 문화인류학자에게 인간과 비인

현지인과 인터뷰 중인 애나 칭.(출처: 오르후스대학교)

간 생명의 얽힘을 따라가는 다종(multi-species) 인류학은 결코 만만한 대상이 아니다. 오래전 원서로 읽다 칭이 생물학 지식을 엮어 가며 곰팡이를 추적하는 부분에서 좌절했는데, 한국어 번역본을 읽다 머리가 다시 지끈거렸다.

　희한한 점은, 페이지를 넘기다 보면 긴장한 채 시작한 독서가 어느덧 감각적인 율동이 된다는 것이다. 숲에서도 책에서도, 송이버섯은 나보다 멀리 이동하고, 예상치 못한 곳에서 갓을 드러낸다. 저자의 행보도 버섯만큼 오리무중이다. 무수한 세계를 펼쳐 놓고는 '끝맺음에 반대하며' 책을 마무리한다. 나는 결국 알 수 없는 방향과 리듬에 몸을 내맡기기로 한다. 중간에 흐름을 놓치면 쉬었다 다시. 이 책 인터루드(interlude) 제목대로, '냄새 맡기', '추적하기', '춤추기'를 계속한다. 송이버섯도, 저자도, 나도, 그리고 이들과 다른 수많은 생명체가 존재하는 공간도 모두 불확정성에 둘러싸여

있다. 존재들의 마주침이 비참을 더할지, 예기치 못한 가능성을 움
트게 할지 당장은 알 수 없다. 이 공간에서 칭이 곱씹는 주제는 다
름 아닌 자본주의다.

비/자본주의적 공급사슬

칭이 보기에, 오늘날 자본주의를 분석하는 비평가 대부분은 이 체
제의 통일성과 동질성을 당연시하면서 종말론을 부추긴다. 그는
자본주의 '제국' 바깥을 부정한 안토니오 네그리와 마이클 하트
를 대표적 인물로 소개했으나, 내가 보기에 자본주의의 삶정치적
(biopolitical) 생산에서 위기이자 기회를 포착하고,* 심지어 사랑을
삶정치적 사건으로 재해석한 이들은 적어도 유쾌함을 잃지는 않
았다. 자본주의에 대해 대안을 상상하는 것조차 불가능하다는, '자
본주의 리얼리즘' 감각의 전방위적 확산을 경고했던 마크 피셔는
어떤가.** 영국인들 사이에서 반성적 무기력과 우울증적 쾌락이
팽배한 현실에 절망했던 그는 스스로 생을 마감했다.《경제와 사
회(Economy and Society)》의 특집호 주제로 '투기(speculation)'를 다루면
서 로라 베어가 전면에 내세운 질문—"자본주의가 자기비판을 통
해 재창조되는 마당에 그것을 비판하는 게 어떻게 가능한가"—에
도 우울이 배어 있다.*** '좌파 멜랑콜리'의 공기가 어찌나 만연한
지, 미셸 페어는 "우울이 언제나 좌파의 전유물이었던 것은 아니

---

* 자본주의적 생산은 "사회적 관계와 삶의 형태들을 점점 더 그 결과물로 산출하고 있
다는 점에서" 삶정치적이다. 안토니오 네그리·마이클 하트, 정남영·윤영광 옮김, 『공통
체』(사월의책, 2014), 197쪽.
** 마크 피셔, 박진철 옮김, 『자본주의 리얼리즘』(리시올, 2018), 11쪽.
*** Laura Bear, "Speculation: A Political Economy of Technologies of Imagination",
Economy and Society 49(1), 2020, p. 2.

다"라는 문장으로 제 책을 시작했다.*

　칭은 경제적 다양성의 존재를 무시하는 자본주의 비평을 거부하지만, 그렇다고 다양성을 환기하며 섣불리 희망을 찾는 흐름도 경계한다. 대표적으로 J. K. 깁슨-그레이엄은 자본주의를 난공불락의 괴물로 만드는 서사에 반대하면서, 자본주의 세계의 중심 어디서나 소위 '비자본주의적' 형식이 발견된다는 점을 지적했다.** 깁슨-그레이엄은 이러한 형식을 자본주의의 대안으로 주목하지만, 칭은 자본주의가 비자본주의적 요소들에 의존하는 현실을 파고든다.

　전술한 두 경향과 거리를 두면서, 이 책에서 저자가 제안한 두 개념이 '구제(salvage)'와 '주변자본주의적(pericapitalist)' 장소다. 자본주의적 통제를 받지 않고 생산된 가치가 자본주의적 수익으로 전환되는 과정이 '구제 축적'이라면, 이 축적이 활발히 일어나는 자본주의의 내부이자 외부인 장소들을 칭은 '주변자본주의적'이라고 부른다.

　칭을 따라 미국의 오리건주 산맥을 올라 보자. 그곳의 송이버섯 채집인들은 매일 밤 구매인들에게 버섯을 파는 과정에서 (후술할) '자유'를 공연한다. 그가 만난 프리랜서 채집인 중 누구도 송이버섯으로 얻는 돈을 제 노동에 대한 대가로 생각하지 않았으며, "때때로 정말 중요하게 교환되는 것은 자유이며, 버섯과 돈이라는 트로피는 자유 수행의 연장선에 존재하는 증거처럼 보였다."(143쪽) 하지만 채집인의 손을 떠나 현장의 구매인·중개인을 거쳐 대규모 구매업자에게 전달된 송이버섯은 더는 "트로피"가 아

---

* 미셸 페어, 조민서 옮김, 『피투자자의 시간』(리시올, 2023), 7쪽.
** 국내에 번역·소개된 저서 『그따위 자본주의는 벌써 끝났다』(알트, 2013)와 『타자를 위한 경제는 있다』(동녘, 2014)를 참고하기 바란다.

니다. 구매업자의 창구에서는 버섯에 아무런 관심이 없는 시간제 호출 노동자들이 새로운 분류자로 등장한다. 이들은 생산 과정은 물론 자신이 생산한 사물로부터도 소외된 고전적 의미의 프롤레타리아트다. 버섯의 역사에 관한 지식도 관심도 없으므로 그것을 수출 상품으로, 재고품으로 변형하는 데 최적이다. 그런데 재고품으로 전락한 송이버섯은 공급사슬의 종착지인 일본에 도착하면서 다시 운명이 바뀐다. 일본에서 송이버섯의 가치는 개인적 유대를 만드는 힘에서 나오기 때문에, 중개를 맡은 도매업자는 자신이 취급하는 버섯에 담긴 관계의 속성을 찾고, 특정 구매인과 버섯의 자연스러운 중매가 이루어지도록 "번역의 마법"(230쪽)을 발휘한다. 송이버섯 상품이 비싼 선물이 된 것이다.

　　우리가 칭과 함께 따라간 송이버섯의 공급사슬에서 경제를 틀 짓는 단일한 합리성은 보이지 않는다. 합리화가 중요한 게 아니라고 그는 역설한다. 핵심은 자본주의적·비자본주의적 경제 행위가 다양하게 교차하면서 구제 축적이 발생하는 주변자본주의적 장소들을 연결해 내는 '번역' 작업에 있다. "차이가 존재하는 장소를 교차하며 행해지는 번역이 바로 자본주의다."(119쪽) 오리건주 산맥 숲에서 구매업자의 대형 창고를 거쳐 일본의 고급 식당에 도착하기까지, 송이버섯은 배치를 달리하며 변화를 거듭한다. 마침내 귀한 송이버섯 선물을 주고받는 일본인들 사이에 귀한 관계가 형성된다. 동시에 어떤 관계는 말끔히 잊힌다. 오리건주의 생태적 환경도, 자유를 향한 채집인의 열정도, 분류 노동자의 기계적인 작업도 완벽하게 풍경에서 사라진다.

'자유'에 오염된 버섯

오리건주의 채집인들은 왜 송이버섯으로 얻는 돈을 노동에 대한 대가로 생각하지 않았을까? 일본인 중간 상인과 소비자에게는 이미 관심 밖의 주제이나, 칭에게는 자본주의의 구제 축적을 이해하기 위한 핵심 질문이다. 인간과 비인간, 자연과 문화의 얽힘을 탐색하는 다종 인류학은 기존 학문에 뿌리내린 인간중심주의에 대한 중대한 도전이나, 인간 사회 내부의 위계와 불평등은 물론, 역사와 문화, 종족과 민족 등 인류학이 한 세기 넘게 다뤄 온 주제들을 단순화·주변화한다는 비판을 받기도 한다. 인류학자로서 칭의 탁월함은, 버섯 곰팡이와 소나무, 송이버섯과 채집인, 동남아시아 난민과 일본계 미국인 사이의 마주침에 모두 감각적으로 열려 있다는 점이다. 30여 년 전 칼리만탄 숲 속 주변적 삶으로부터 '글로벌'의 문제의식을 벼렸던 인류학자로서, 그는──동남아시아 구릉에 온 듯한 분위기를 만드는──오리건주 숲 채집인들의 문화를 섬세하게 짚어 낸다.

　밤이 되면, 채집인들은 하루 내내 딴 송이버섯을 들고 '오픈티켓'에 모여든다. 이들과 구매인들은 교환인지 쇼인지 분간이 안 가는 거래 행위로 서로에게 '버섯 열병'을 전염시킨다. 그런데 '오픈티켓'은 도시에서 도망쳐 온 사람들, 전쟁의 유산을 이고 사는 사람들이 어지럽게 뒤섞인 곳이기도 하다. 백인 전역 군인들은 베트남전쟁의 트라우마를 자극하는 군중에게서 벗어나길 원했다. 그들은 미국에서 인종 융합을 이끌었던 복지국가의 유산을 거부하면서 전통주의자를 자처했다. 반면 전쟁 협력의 대가로 미국에 정착한 동남아시아 난민들은 미국 입국을 위해 열렬히 지지한 자유 개념을 "생계 전략으로 번역"(190쪽)해야 했다. 미국의 복지 제도가 급격히 축소되던 1980년대에 시민권자가 된 이들은 감옥 같은 공공주택에서 빠져나와 산속의 삶이 주는 자유를 찾아 헤맸다. 숲은 이들을 기억 속의 동남아시아로 데려간다. 지난 전쟁의 상처를 치유하는 곳도, 전쟁을 통해 연마한 기술을 채집에 활용할 수 있는 곳도 숲이다. 한편 경제 성장기 미국의 풍요와 복지를 온전히 누렸던 일본계 미국인들에게 송이버섯 채집은 이민자 공동체를 살리는 여가 생활의 일부다. 이들에게 '욕심 많은' 동남아시아 채집인들은 완전한 타인이다. 이 숲이 "아시아인이 오기 전에는"(197쪽) 참 좋았다고 얘기할 만큼.

요컨대, 오리건주 숲에 모인 채집인들에게 자유란 모두가 공유하면서도 의미도, 방향도 달리 뻗어 나갈 수밖에 없는 '경계물(boundary objects)'이다. "운이 좋으면 버섯을 발견한다"는 프롤로그의 인상적 문구를 희망으로 직역했던 독자라면 이쯤에서 미궁에 빠졌을지도 모르겠다. 오리건주의 버섯은 '순수한' 채집인들이 '자유'의 숨결을 불어넣는 곳에서 자란 게 아니다. 그것은 "'자유'의 문화적 실천에 오염되어 있었다."(132쪽) 생존자들을 탐욕, 폭력, 환경 파괴의 역사에 연루시키는 '오염된 다양성'이야말로 송이버섯을 출현케 한 힘이다. 기업의 신규 인력 모집이나 규율 없이도 수많은 버섯이 모이고 일본으로 운송될 수 있는 것도 전쟁 경험과 기억이 굴절되면서 다양하게 뻗어 나간 자유 서사 덕분이다. 칭은 구제 축적을 찾는 자본가들에게 이 자유의 프로젝트를 주목하라고 말한다. "이보다 더 글로벌 공급사슬에 적합한 참여자가 있을까!"(199쪽)

교란된 숲

칭이 보기에 '오염된 다양성'은 어디에나 존재하며, 필연적으로 불확정성을 낳는다. "우리 '자신들(selves)'의 진화는 이미 마주침의 역사를 통해 오염되었다. 그 어떤 새로운 협력을 시작하든 간에 우리는 이미 다른 것과 섞여 있다."(67쪽) 다양성은 복잡하고 심지어 추할 때도 있지만, 그 자체가 협력적 생존의 방식을 보여 주는 증거

땅을 뚫고 올라오고 있는 송이버섯.(출처: 『세계 끝의 버섯』, 250쪽, 현실문화 제공)

다. 인위적인 재배 노력을 거듭 수포로 만든 송이버섯이 오히려 인간이 교란한 숲에서 쑥쑥 자라나지 않던가.* 환경 파괴를 기꺼이 견디고, 나무에 영양분을 줘서 척박한 땅에서도 숲이 형성될 수 있게 돕지 않던가.

인간이 교란한 풍경에서 벌어지는 협력적 생존을 이해하려면, 무엇보다 우리는 인간이 길들이고 지배할 수 있는 자원으로 자연을 타자화하는 낡은 습성을 버려야 한다. 풍경은 단순히 역사적 행위의 배경이 아니라, "인간 너머의 드라마"(271쪽)가 펼쳐지는 역동적인 장소다. 칭은 생태학의 통찰을 빌려와 교란(disturbance)에 주목한다. 그 개념이 많은 생물종이 서로 조화를 이루지도, 정복하지

---

* 송이버섯 인공 재배가 성공한 사례들이 드물지만 등장하고 있다. 윤희일, 「16년 만에 '송알송알'…송이버섯 인공 재배, 산불 피해지 첫 성공」,《경향신문》, 2023년 11월 11일자, https://n.news.naver.com/article/032/0003260543?cds=news_edit.

도 않으면서 함께 살아가는 풍경을 드러내고, 더 나아가 "풍경의 핵심 렌즈인 이질성"(287쪽)을 보여 주기 때문이다. 숲 관리에 관한 전문적 지식은 글로벌 표준화를 강제하는 듯 보이지만, 칭이 찾아 간 일본 중부, 미국 오리건주, 중국 윈난성, 핀란드 라플란드에서 "각 지역의 숲이 서로 다른 방식으로 숲을 '이룬다'."(289쪽) 그리고, "각각의 숲은 상대방의 그림자를 통해 모습을 보인다."(290쪽) 교란 이 일어났을 때 삶의 방식이 어떻게 조율되는지, 인간이 교란한 지 구에서 어떻게 살지 배울 기회다.

오리건주 캐스케이드 산맥으로 돌아가 보자. 한때 산업비림* 으로 명성을 누렸으나 현재는 죽은 나무가 지저분하게 널려 있는 숲에 송이버섯이 나타났다! 칭은 송이버섯과 로지폴소나무 사이 에 형성된 친밀한 반려 관계가 우연의 결과임을 강조한다. 19세기 에 이곳을 찾은 정부나 기업은 거대한 폰데로사소나무에 집착해 나무를 베어 내기 시작했다. 이후 산림청은 산업적 산림 관리를 도 입해 새로운 나무가 자랄 수 있도록 개벌을 추진했으나, 아메리카 원주민의 화전은 물론 모든 산불을 금지한 탓에 폰데로사소나무 는 더 이상 자라지 않았다. 하지만 바로 이 금지 규정 덕에, 송이버 섯 곰팡이가 자실체를 맺을 수 있는 40-50년령의 로지폴소나무가 개벌로 남겨진 빈터에서 무리를 이루며 서식하게 됐다. 교란을 싫 어하지 않는 로지폴소나무가 산림청의 실수로 평가받는 산불 금 지로 인해 살아남은 것이다.

반면 일본의 사토야마 회생 프로그램은 '인간에 의해 교란된 풍경은 인간이 사라져야 복구된다'는 통념을 뒤집는 사례다. 일본

---

* 기업이 필요한 원자재를 자급할 목적으로 소유·사용하거나 수익을 낼 수 있는 산림을 뜻한다.

의 숲도 메이지 유신 이후 대규모 벌목이 자행되는 산업비림이 됐으나, 무역 회사가 동남아시아 열대림으로 눈길을 돌리면서 경쟁력을 잃고 폐허가 됐다. 숲을 공유지로 이용하던 오랜 전통도 주민들이 마을을 떠나면서 퇴색했다. 그런데 폐허에서 송이버섯이 등장하는 과정은 다른 나라와 사뭇 다르다. 사토야마 프로젝트에서 인간은 숲의 배치 속 일부로 적극적으로 등장한다. 소농민이 참나무 그루터기에서 싹이 다시 자라나길 바라며 나무를 베어 넘어뜨리고, 이렇게 '코피싱(coppicing)'된 숲이 밝고 개방적이기 때문에 소나무가 자랄 공간이 생긴다. 교란의 주체로 초대된 소농민이 소나무, 참나무와 활발한 상호작용을 이루면서 다양한 생물종이 다시 등장한다. 주민들은 살아난 생태계와 마을 공동체를 새롭게 접속한다. 칭에 따르면, 숲을 회생시키려는 노력은 구원보다는 "소외의 무더기"(467쪽)를 살피는 일이다. "봉사자들은 과정 중에 있는 세계가 어느 방향으로 나아가는지 알지 못하는 상태에서 다종의 다른 존재들과 섞일 때 필요한 인내력을 얻는다."(467쪽)

'숲의 관점'으로 세계를 보자. 인간과 비인간에 의한 세계 만들기의 궤적들을 따라가며 역사를 재발견하자. 이 역사에는 새롭게 추가되는 기록도, 여전히 포착하기 어려운 움직임도 차고 넘친다. 송이버섯은 소나무 뿌리와 결합해 균근 네트워크를 만들 뿐 아니라, 심지어 포자(胞子)로 날아다닌다. "포자는 분명하게 정의하기 힘들다. 그것이 포자의 품격이다."(404쪽) 칭이 일본의 한 박사로부터 들은 송이버섯 포자의 발아 방식은 독특하다. 인간처럼 다른 반수체의 포자와 짝짓기를 해 완벽한 쌍을 이루는가 하면, (다이몬(di-mon) 교배라 불리는 방식으로) 이미 염색체의 쌍을 이룬 체세포들과 결합하기도 한다. "이것은 마치 나 자신의 팔과 (……) 짝짓기 하기로 결정하는 것과 같다. 얼마나 퀴어한가."(425쪽) 그 어떤 '하나'의 곰팡이 몸체도 마주침에서 제외된 채 자급자족할 수 없다는 사실, 이 몸체가 나무와 다른 생물·무생물, 다른 형태로 바뀐 곰팡이와 역사적으로 합류하는 지점에서 생겨난다는 사실로부터 칭은 세계를 다르게 감지할 필요를 제안한다. 잔뿌리를 내리기를 주저하는 과학적 방법론도, 진보적 역사관도 이렇게 "이상하고도 멋진 세상"(426쪽)을 포착하기에는 역부족이다.

역사의 조각보를 덧대기

사실 '구제 축적'이나 '주변자본주의' 같은 논의들이 인류학자들에게 새롭지는 않다. 특히, 1970년대 이후 경제 인류학자들은 자본주의 기업들이 여성의 부불 가사노동, 농민의 자급 생계, 소상품 생산 등을 유지함으로써 어떻게 이득을 취했는지 세밀하게 탐색해 왔다. 하지만 이 책의 독특한 점은 우리가 곳곳에서 발견하는 '비자본주의적' 형식들을 인간 너머로 확장하고, 특정 지역에서의 현장 연구 사례로 자본주의 보편 법칙에 균열을 내는 대신 자본주의 그 자체를 패치들(patches)*의 잠정적 연합으로 파악한다는 점이다. 세계에 관한 기존의 인식론을 문제 삼으면서, 칭은 아래 문장에서 '배치(assemblage)'의 존재론을 전면화한다.

> 나는 각각의 사례를 통해 뒤얽힌 삶의 방식들이 열린 배치의 모자이크를 이루면서 그 하나하나가 시간적 리듬과 공간적 원호의 모자이크를 향해 더 깊게 열리는, 말하자면 나 자신이 패치성에 둘러싸여 있음을 깨닫는다.(27쪽)

---

* 사전적 의미로 패치는 구멍 난 곳을 때우거나 덧대는 데 쓰이는 작은 조각을 뜻한다. 이 책에서 칭은 자본주의가 일관된 원리를 따라 작동하지도 않고, 작동을 관할하는 거대한 '전체'를 상정할 수도 없다는 점을 강조하기 위해 '패치'란 용어를 사용한다.

존재 방식이란 마주침에서 창발하는 결과이므로, 하나의 배치 안에서 여러 생물종이 서로 어떻게 영향을 끼치는지는 미리 정해져 있지 않다. 참나무와 소나무와 송이버섯은 특정한 '유형'이라서 배치를 형성하는 게 아니다. "그들은 배치를 만들어가면서 그들 자신이 되어간다."(289쪽) 배치에서 의도치 않은 조율 패턴이 발달할 때, 우리가 할 일은 다양한 삶의 방식이 모여 빚어내는 시간적 리듬과 규모의 상호작용을 지켜보는 것이다.

배치를 살피고, 따라가고, 때로 (당연하게도) 길을 잃기도 하는 이 여정의 방해물은 여전히 많다. 칭은 진보와 과학에 대한 맹신이 여전히 똬리를 튼 현실을 비판한다. 진보는 서로 다른 시간을 하나의 리듬에 맞추면서 전진하는 행진으로서, 하나의 강력한 물줄기만 보고 나머지는 무시하는 방식으로 세계를 조형한다. 교육자, 기술자, 동료 평가자들이 "초과된 부분을 잘라내고 남은 부분을 적절한 장소에 박아 넣을 준비가 된 채로 대기"(383쪽)한다는 점에서, 과학은 여전히 '번역 기계'로 작동한다. 특히 과학이 기반으로 삼는 '확장성(scalability)'은 변화를 초래하는 다양성을 몰아내고, 마주침에 깃든 불확정성을 감지할 수 없게 만든다. 하지만 과학적인 연구 프로젝트가 확장성을 동력으로 국제적 학문 체제를 구축하는데도 왜 송이버섯에 대한 '국가 단위'의 과학이 존재할까? 권위 있는 연구가 왜 국경 밖에서 영향력을 쉽게 상실할까? 일본의 송이버섯 연구가 '서술적'이라며 미국 연구자들은 무시하는데, 왜 중국 윈난성에서는 송이버섯 비즈니스 조합이 일본 과학자의 글을 직접 찾아 번역까지 했을까?

버섯 포자처럼, 과학의 세계에서도 가끔 예상치 못한 곳에 싹이 트는 사건이 출현한다. 칭이 참석한 국제 송이버섯 연구 학회는 한 중국 과학자가 윈난성 바이족 공동체를 연구하러 온 일본인 인류학자와 어린 시절에 만난 기억으로부터 탄생했다. 전 세계 과학자들이 다른 품종, 다른 가치, 다른 의도를 갖고 '춤을 추는' 자리에서,* 참가자들은 공동 작업의 출발점으로서 차이를 깨닫고, '듣기의 기술'을 실천했다. 칭은 이야기를 쏟아 내고 귀 기울여 듣는 것이야말로 하나의 연구 방법이라고, 새로운 지식이자 과학이라고 역설한다. 이때 연구 대상은 오염된 다양성이고, 분석 단위는 불확정적인 마주침이다. 어떤 이야기든 깔끔하게 요약될 수 없고, 요약하기에 저항한다. "그 이유는 하나의 이야기에 끼어들어 방해하는 다른 지형과 박자가 우리의 관심을 사로잡아 더 많은 이야기를 이끌어내기 때문이다. 이것이 바로 이야기를 쏟아내는 연구 방법이 하나의 과학으로서 갖는 힘이다."(80쪽)

송이버섯 냄새를 맡는 것으로 충분할까?

2017년 가을 한국문화인류학회에서 애나 칭을 초청했을 때, 그와 함께 제주 곶자왈을 산책할 기회가 있었다. 숲에서 오염과 교란의 생태계를 감지하고, 복수의 마주침이 만드는 배치와 역사에 오랫동안 천착해 온 인류학자에게 곶자왈을 걷는 경험이 어땠을지는 독자의 상상에 맡기겠다. 나무와 다른 생물, 흙과 곰팡이에 관한 칭의 질문이 계속됐다. (이 책의 번역자이기도 한) 노고운 교수는 생경한 생물학 전문 용어들을 통역하느라 애를 썼다. 당시 다종 인류학에 큰 관심이 없던 나는 비인간 나무보다 인간 칭에 호기심이 발동했다. 나이 지긋한 아시아계 여성 인류학자가 학회 마지막 날 의례용

---

* 일본인 참석자들이 다양한 비일본계 품종에 열광하고, 중국인 참석자들이 정부의 송이버섯 보호 노력을 홍보하고, 북미계 인류학자들이 과학과 사회의 관계를 설명하는 동안, 북한인 참석자들은 자국에서 금지된 국제 과학 논문 복사본을 얻고자 동분서주했다는 내용이 실려 있다.

선물로 끼워 둔 답사 코스에 너무나 진지하게 화답했다. 그의 열정과 우연히 마주쳤고, 돌아와 그의 책을 읽었고, 기후 재난으로 부서지는 세계를 체감하면서 '폐허 속 송이버섯'을 재차 떠올렸다.

칭은 섬세하고 해박한 인류학자이면서, 그 자신이 마주침을 통해 창발한 배치이기도 하다. 다른 인류학자, 과학자, 현지인들과의 협업이 없었다면, "영웅적으로 물신화된 자본주의 이면의 자본주의를 알고 싶다는 생각을 하게"(15쪽) 만든 비판적 페미니즘 연구자들과의 교류가 없었다면 이 책은 출현하지 못했을 것이다.

펼쳐 낸 배치가 아름다운 만큼 질문도 쑥쑥 자라난다. 비판은 이 책의 숲을 더 풍성하게 만들 '교란'이기도 하다. 우선, 앞만 바라보지 말고 주변을 둘러보자는 칭의 방법론적 제안은 매력적이지만, 주변은 너무나 광활하며, 선택적으로 포착될 수밖에 없다. 저자라는 배치 또한 제한적인 연구 기간과 자원에 영향을 받을 수밖에 없다면, 패치들이 부분적으로 교차하면서 등장한 연구 결과를 우리는 어떻게 평가해야 할까? 배치의 근본적 불안정성과 (연구자가 선별적으로 추적하거나 연결을 빠뜨렸기 때문에 발생하는) 연구의 불완전성은 어떻게 구분해야 할까?* 예컨대 오리건주 산맥의 동남아시아 채집인에 관한 칭의 분석은 탁월하지만, 채집인이 오픈티켓에서 치켜든 송이버섯이 '자유'의 트로피로만 남은 건지, 자녀들의 미국 정착과 성공을 돕는 주요 생계 자원이 됐는지 우리는 알 수 없다. 칭은 진보에 관한 이야기가 견인력을 잃었다고 말하지만, 세계의 불안정한 가장자리에서 발전의 목적론이 외려 기승을 부리는 풍경은──그의 전작인 『마찰』이 생생하게 보여 줬듯──너무나 흔하다.

---

* 행위자-네트워크 이론에 대한 나의 비판을 참고하기 바란다. 조문영, 「행위자-네트워크-이론과 비판인류학의 대화」, 《비교문화연구》 27(1), 2021, 433-436쪽.

'알아차림'의 기술, '감지(感知)'의 실천을 통해 자본주의 폐허에서 살아갈 가능성을 발견하자는 제안이 기후위기와 불평등의 최전선에서 싸우는 사람들에게 얼마나 호소력이 있을지도 고민해 볼 만하다. 칭은 '잠재해 있는 공유지(latent commons)'를 발견하려면 우리의 감각이 깨어 있어야 한다고 강조한다. 송이버섯 냄새를 맡고, 버섯의 생명선을 찾는 채집인의 리듬을 배우고, 오염된 다양성으로 가득한 세계의 불협화음에 귀 기울여야 한다. 불안정성과 함께 살아가려면 우리를 이런 처지에 빠뜨린 자들을 탓하기만 해서는 안 되며, "상상력을 펼쳐 이 세계의 윤곽을 감지해야 한다."(26쪽) 칭 역시 송이버섯 냄새를 맡는다고 해서 축적과 권력을 향한 분노가 저절로 생겨나는 건 아님을 잘 알고 있다. "다양하고 이동하는 연합체의 힘을 가진 정치"(249쪽)의 필요성을 강조하는 것도 이 때문일 테다. 그러나 이 책에서 가능성의 정치는 구제 축적이라는 자본주의의 마법만큼 정교하게 논의되지 않는다.

계급, 노동, 저항 등 자본주의 비판의 핵심 수사가 사라진 자리를 대체한 게 무엇인가도 모호하다. 일본의 고급 식당에 도착한 송이버섯이 상품에서 선물로 바뀌는 국면은 자본주의 '패치성'을 잘 보여 주지만, 이 선물 거래에 깃든 계급성은 저자의 분석에서 등장하지 않는다. 내가 본 다큐멘터리에서 중국 서남부의 송이버섯 채집은 '극한 직업'으로 등장하는데,* 이 책 어디서도 채집은 고된 노동을 떠올리게 하지 않는다. 사토야마 옹호자인 다나카 씨가 퇴직금으로 숲을 사서 돌보는 행위는 어떤가? 우리가 그에게서 다종적으로 살아가는 감각을 배우는 것은 중요하나, 그 또한 산이 개

---

* EBS 〈극한직업〉 "샹그릴라 송이버섯 채집꾼", 2012년 8월 1일 방송분, https://www.youtube.com/watch?v=fTSw5xx0irI&t=513s.

인의 소유물이 될 수 있냐는 질문을 던져야 하지 않을까?

　　무엇보다, 불안정한 세계를 연구하는 정규직 교수의 위치성이 목 안의 가시처럼 남는다. 칭은 불안정성을 예외적 상황으로 취급하지 말고 우리 시대의 조건으로 끌어안자고 제안한다. "불안정한 세계는 목적론이 없는 세계"(52쪽)이고, 진보와 근대화가 강제해 온 역사와 결별할 기회를 터준다. 중요한 논점이다. 그러나, '예외적'으로 안정된 고용 상태를 누리는 엘리트가 당당히 외칠 수 있는 주장은 아니다. 더구나 고도로 전문화·산업화된 학계에서 그나나 "확장성 있는 프로젝트가 지속적으로 헤게모니를 장악하는 현실"(90쪽)에 공모했기 때문에 정규직 교수가 된 게 아닌가.

　　칭을 포함해 북미의 인류학자들로 구성된 '마쓰타케 월드 리서치 그룹'은 협업의 의의에 관해 별도의 논문을 쓴 바 있다. 이들은 아이디어를 재빨리 상품화하도록 재촉하는 연구 풍토와 학술 기관의 에스노그라피(ethnography) 심사에서 고집스럽게 요구되는 과학적 방법론을 신랄하게 비판했다.* 하지만 지구상의 많은 인류학자는 여전히 대규모 프로젝트는 접해 보지도 못한 채 고독한 채집인으로, 불안정한 세계의 계약직 노동자로 살아가거나, (만날 때마다 '테뉴어(정년 보장)' 얘기만 하는 미국 상아탑의 교수들과 달리) 학술 연구와 정치적 실천을 잇는 움직임에도 안간힘을 쓰고 있다. 칭이 "지적인 숲"(500쪽)을 이뤘다고 자부한 연구팀은 감각의 촉수로 보자면 지구적인데, 연구의 생태를 논하는 시야는 놀라우리만치 국지적이다.

　　지리학자 그레첸 스니개스(Gretchen Sneegas)는 이 책 서평에서

* Timothy K. Choy, Lieba Faier, Michael J. Hathaway, Miyako Inoue, Shiho Satsuka, and Anna Tsing, "A New Form of Collaboration in Cultural Anthropology", *American Ethnologist* 36(2), 2009. pp. 380-403.

연구자들이 연루된 '구제 축적'을 환기했다. "우리는 연구 현장과 그곳에서 만난 참여자들이 생산한 것들, 그리고 이들이 제공한 선물을 수확한다. 다시 말해, 우리는 우리 자신이 만들지 않은 조건들로부터 가치를 추출하는 구제 축적을 수행하고 있다."* 이 불확정적인 마주침에서 감히 '희망'이라 부를 수 있는 게 있을지 그는 망설이며 질문한다. 칭은, 나는 어떻게 대답해야 할까?

출간의 대중적 열기로 보건대, 이 책은 (나를 포함해) 엉망인 삶, 폐허의 세계와 불안하게 마주하는 사람들, 교육 자본과 섬세한 문화적 감수성을 갖춘 독자들을 충분히 매료했다. 칭과 나, 그리고 송이버섯 냄새를 맡기 시작한 사람들이 이 감각을 자기 삶의 윤리로 만드는 것을 넘어 송이버섯이 보여 준 협력적 생존을 실천하고, 폐허에서 실제로 뒹굴고 있는 인간·비인간 생명들과 진지하게 마주하는 방법을 계속 고민할 때다. 또한, 인간의 비참을 수선하는 '사회'가 저무는 시대에 '지구'가 돌봄의 최전선으로 등장한 역설을 곱씹을 때다. "포자와 함께 날아다니고 범세계적인 과잉을 경험하는 것"(426쪽)의 행복을 더 많은 사람이 누릴수록, 이 경험을 행복으로 느낄 만한 토대를 모두가 공유할수록 더 즐겁지 않겠나. **서리북**

---

* Gretchen Sneegas, "Anna Lowenhaupt Tsing, The Mushroom at the End of the World", *Antipode Book Reviews*, 2016, p. 5.

조문영

본지 편집위원. 연세대 문화인류학과 교수. 지은 책으로 『빈곤 과정』, *THE SPECTER OF "THE PEOPLE"*('인민'의 유령), 엮은 책으로 『우리는 가난을 어떻게 외면해왔는가』, 『민간중국』, 『문턱의 청년들』, 『동자동, 당신이 살 권리』, 옮긴 책으로 『분배정치의 시대』가 있다.

📖 500쪽이 넘는 애나 칭의 책과 마주하는 게 부담스러운 독자라면 친절한 개론서를 먼저 살펴도 좋겠다. 『21세기 사상의 최전선』은 책의 부제대로 '전 지구적 공존을 위한 사유의 대전환'에 혜안을 준 25인의 사상가들을 소개한다. 『세계 끝의 버섯』 역자인 노고운 교수가 소개한 애나 칭, 칭이 오랫동안 지적 교류를 주고받은 도나 해러웨이와 메릴린 스트래선, 칭의 작업을 열렬히 옹호했던 브뤼노 라투르 등 저명한 학자들의 연구 궤적과 얽힘을 간단히나마 들여다보자. 그리고, '요약하기'를 거부하면서 다시 개별 사상가와 만나기로 하자.

『21세기 사상의 최전선』
김환석 외 21인 지음
이감문해력연구소 기획
이성과감성, 2020

"21세기 사상은 우리가 사는 세계가 다양한 인간 및 비인간 행위자의 결합으로 이루어져 있다고 본다. 21세기 세계에서 기후 변화, 생태 위기, 과학 기술의 획기적 변화 등 하이브리드적 현상들이 점점 확대 및 심화되고 있다면, 인간 중심적 이원론에 기초한 20세기 사상은 이 문제에 대한 올바른 이해와 해결에 더 이상 적합하지 않다. 인간과 비인간을 동등한 행위자로 보면서 그들의 다양하고 역동적인 결합을 이해하려는 21세기 사상의 탈인간 중심적 일원론이야말로 우리 시대의 문제를 다루는 데에 훨씬 더 필요하고 적절하다." — 책 속에서

📖 아미타브 고시가 육두구나무의 역사적 행로를 추적하는 방식은 송이버섯을 따라가는 칭의 작업과 교차하면서도, 흥미로운 분기(分岐)를 보여 준다. 인간종 중심주의와 자연-문화 이원론에 대한 고시의 비판은 서구 식민주의의 (아주 오랜) 폭력을 정면으로 겨냥한다.

『육두구의 저주』
아미타브 고시 지음
김홍옥 옮김
에코리브르, 2022

"(지구에서 실제로 고갈된 것은 지구의 자원이 아니다.) 지구가 잃어버린 것은 의미다. 정복당해서 무기력하고 게으른 지구는 더 이상 품격을 높여줄 수도 기쁨을 안겨줄 수도 새로운 열망을 빚어낼 수도 없다. 지구가 미래 정복자의 마음속에 불어넣을 수 있는 것이라곤 익숙함에서 오는 일종의 경멸뿐이다." — 책 속에서

도시와
그 불확실한
벽

무라카미 하루키
장편소설

홍은주 옮김

街 と そ の 不 確 か な 壁

MURAKAMI
HARUKI

문학동네

『도시와 그 불확실한 벽』
무라카미 하루키 지음, 홍은주 옮김
문학동네, 2023

그는 무엇과 작별하는가

김미정

도시, 벽, 소녀라는 화두: 노년의 다시 쓰기

무라카미 하루키가 최근 발표한 장편소설 『도시와 그 불확실한 벽』이 유독 화제가 되고 있는 것은 (책 광고마다 강조하고 있듯) 그가 서른한 살에 발표한 작품을 꼭 40년이 지나 리메이크했다는 사실과 관련될 것이다. 원작 「도시와, 그 불확실한 벽(街と、その不確かな壁)」은 1979년 데뷔 직후 잡지 《문학계(文學界)》(1980년 9월)에 발표한 중편 분량의 작품이었다. 하지만 하루키 스스로 실패작이라 공언하며 이후 단행본에도 실리지 않았고 작가 컬렉션에서도 빠져 있다. 청년 작가의 '실패작'을 노년의 거장이 다시 쓰기로 작정했고 그것이 완결을 보았다는 것만으로도 지금 발표된 장편이 기대와 관심을 불러 모을 이유는 충분했다.

　하지만 '작가 후기'에도 적혀 있듯 중편은 이미 다른 장편 『세계의 끝과 하드보일드 원더랜드』(1985, 이하 『세계의 끝』)*를 통해 결실

---

* 한국어 번역본은 무라카미 하루키, 김난주 옮김, 『세계의 끝과 하드보일드 원더랜드 1, 2』(민음사, 2020).

《문학계》 1980년 9월호에 실린 「도시와, 그 불확실한 벽」.(출처: shoshitakou.com)

을 본 셈이었다. 충분히 성공한 과거의 작품이 있음에도 그것을 다시 써야 할 이유 혹은 맥락은 무엇이었을까. 게다가 노년이 되어서 젊은 시절의 상실이나 '나'란 누구인지에 대한 질문을 계속 서사화한다는 것은 대체 어떤 의미일까. 변주라고 하더라도 과거 익숙한 주제나 설정이 반복될 때 독자는 성공한 작가의 관성을 떠올리기도 쉽다. 그런데 그러한 의혹에 대한 부담을 감수하면서까지 젊은 날의 화두를 작정하고 고쳐 이야기하는 이유는 무엇일까. 그렇다면 불가피하게도 중편 「도시와, 그 불확실한 벽」, 장편 『세계의 끝』, 장편 『도시와 그 불확실한 벽』의 관계를 우선 생각하지 않을 수 없는 것이다.

　　중편 「도시와, 그 불확실한 벽」은 벽으로 둘러싸인 도시에 대한 이야기만 남겨 놓고 사라진 소녀를 찾아 나서는 '나'의 이야기이다. '나'는 소녀가 말한 도시에서 소녀를 만나지만 그녀는 자신의 그림자를 잃고 기존의 기억도 갖고 있지 않다. 결국 '나'는 그녀를 떠나며 그 도시를 버리기로 결심한다. 소설에서 두 세계는 비장한 양자택일을 요하는 선택지로 놓여 있다. 그리고 모든 것을 잃어버리고 한때 아름다웠던 시간과 도시가 사라져 간 것을 이야기하는 진혼가로 마무리된다.

　원작에서 가장 큰 특징은 처음과 끝에서 반복적으로 '말'에 대한 인식이 강조된다는 사실이다. 예컨대 소설은 이렇게 시작한다. "말해야 할 것은 너무 많은데 말할 수 있는 것은 너무 적다. 게다가 말은 죽는다. 1초마다 말은 죽어간다."* 이것은 바로 직전 작품인 『바람의 노래를 들어라』(1979)**와 상통하는 지점이다. (단, 『바람의 노래를 들어라』에서는 말에 대해 불신하는 '인물'이 등장하여 서사를 이끌어 가는 데 비해 1980년의 중편에서는 그 메시지가 소설 처음과 끝에 반복적으로, 그리고 일인칭 단수의 시점에서 직접적으로 진술된다.) 또한 말에 대한 고민과 그림자 없는 세계(그녀와의 관계의 문제)에 대한 고민은 내내 길항하지만, 소설은 결국 말의 문제 쪽으로 수렴한다. 즉, 중편 「도시와, 그 불확실한 벽」은 애초에 '말'의 한계와 그에 대한 불신을 화두 삼아 시작한 소설이었다. 소설 속 설정이나 그에 기반하는 세계관 역시 이미 완성되어 있었다.

　하지만 하루키는 스스로 이 작품을 실패작으로 간주했고 대신 1985년의 장편 『세계의 끝』으로 다시 완성한 듯 보였다. 『세계의 끝』은 애초에 벽으로 둘러싸인 도시의 설정을 아예 웅장한 규모의 두 세계가 대결하는 구도로 확대했다. 소설은 상반된 두 세계

---

* 村上春樹, 「街と、その不確かな壁」, 《文學界》 34(9), 1980, 46쪽.
** 한국어 번역본은 무라카미 하루키, 윤성원 옮김, 『바람의 노래를 들어라』(문학사상사, 2006).

『세계의 끝과 하드보일드 원더랜드』 초판본.(출처: 위키피디아)

를 병렬적으로 교차시키며 시작한다. 하지만 점차 그 구별은 모호해지고 두 세계가 서로 만나는 가운데 '나'는 애초의 이질적 세계가 결국 스스로에 의해 만들어진 것임을 알아차린다. 이때 중편과 결정적으로 다른 점은 '나'의 선택이다. 앞서 중편에서 그림자 없는 세계를 떠나기로 마음먹은 '나'와 달리 『세계의 끝』의 '나'는 이곳에 남기로 결정한다. 이것은 스스로가 만든 세계에 대한 책임의 서사다. 나아가 스스로 만든 세계를 폐쇄하고 그곳을 나의 소우주로 격상하는 주제이기도 하다. 하루키 소설에서의 '나'의 왕국은 이렇게 완성된 듯 보였다.

하루키식 내성이 도달한 곳:
후쿠시마의 도서관 혹은 계승이라는 새로운 테마

그리고 시간이 흘렀다. 그사이 하루키는 1990년대 일본 사회를 근본적으로 질문한 사건 중 하나인 옴진리교 사건의 피해자 인터뷰집 『언더그라운드』(1997)*의 저자가 되기도 했고, 2009년 이스라엘의 가자 지구 침공 와중 예루살렘상 수상 연설로 화제가 되기도 했다. 그리고 코로나19가 번지기 시작하던 2020년 장편 『도시와 그 불확실한 벽』을 구상하고 집필을 시작하여 1부를 완성했고, 어딘지 1부만으로는 충분치 않다고 여겨 2, 3부를 보충했다고 한다. 이번 소설은 총 3부로 이루어졌다. 1부는 원작과 동일한 설정이다. 하지만 앞서 원작에서 강조된 '말'에 대한 인식은 거의 삭제되었고, 후술하겠지만 오히려 같은 상황에 대한 정반대의 인식까지 엿보인다. 또한 '나'의 선택에도 수정이 가해진다. '나'는 벽으로 둘러싸인 도시에 남고, 나의 그림자는 그곳을 떠난다. 아직 1부에서는 벽의 의미가 어떻게 수정되었는지까지 엿보이지는 않는다. 그리고 장편 『도시와 그 불확실한 벽』에는 반드시 2부와 3부가 있어야만 했다. 왜냐하면 1부는 1980년 중편을 고쳐 쓴 것이었지만, 1985년 『세계의 끝』까지 고쳐 쓰기 위해서는 새로운 지면이 필요했을 터였기 때문이다.

소설의 2부는 후쿠시마의 한 작은 도서관을 매개로 하는 관계들(이전 도서관 관장의 유령, 사서, 커피숍 여자, 옐로 서브마린 소년)이 서사화된다. 1부에서 벽 안의 도시에 남기로 했던 '나'는 '영문을 알 수 없지만' 다시 본래 장소에 살고 있다. 2부를 거치며 소설은 타인들의 사연과 그에 대한 나의 연루에 할애된다. 3부는 다시 벽 안의 '나'

---

* 한국어 번역본은 무라카미 하루키, 양억관 옮김, 『언더그라운드』(문학동네, 2010).

의 이야기다. 2부에서 사라진 '옐로 서브마린 소년'이 그곳에 와 있다. 즉, 2부와 3부에서 우선 흥미로운 것은 관계의 확장과 연결이 서사를 끌어가고 있다는 점이다. 각 인물이 후쿠시마의 작은 마을에 터전을 잡고 살아가게 된 사연들은 단지 장편소설의 규모가 요청한 것이라 볼 수만은 없다. 본래 술 창고였던 장소를 개조한 도서관, 그리고 외지인으로서 그곳에 정착한 그들의 삶이 도서관이라는 장소와 뒤섞이는 장면은 일종의 타자성에 대한 의식이기 때문이다. 여기에서 '후쿠시마'라는 고유명은 어떤 맥락도 없이 불현듯 소설 안에 들어와 있다. 하지만 2011년 이후 독자는 '후쿠시마'가 단지 지명을 의미하는 것이 아님을 알고 있다. 굳이 설명하지 않아도 될 기표로서의 후쿠시마에서의 삶들이 무엇을 함의하는 것일지 충분히 가늠된다. 즉, 2부와 3부는 일종의 '세계의 끝' 이후에도 지속되고 있는 삶들의 이미지와 결코 분리할 수 없는 것이다.

그런 의미에서, 이 소설의 2부와 3부 속 '계승'이라는 테마가 두드러지는 것도 주목하고 싶다. 이것은 일견 작가가 일찍이 완성한 '나'의 왕국의 계승처럼 여겨지기도 한다. 하지만 '도서관'의 직무를 둘러싼 계승이라는 설정은 기존 하루키 소설 속 '내성(內省)'의 벡터와 다르다. 예컨대 소설 속 '나'가 벽 너머 세계에 남기로 결정하는 것도 소녀 때문이라기보다 그곳 도서관에서 맡겨진 직무 때문이라고 할 수 있다. 2부의 세계에서 누군가들의 책 읽을 환경을 제공하는 역할을 하는 것도 전 도서관 관장의 일을 이어받은 것에 다름 아니다. 그리고 3부에서 그 일이 옐로 서브마린 소년에게 넘겨지며 그 소년과 '나'와의 합체가 암시되는 결말을 보자면, 이 소설이 주제화하는 '계승'은 '나'의 테마를 넘어 일종의 '역사'의 시간까지 향하고 있음을 알게 된다. 이때 '나'의 역할을 이어받는 옐로 서브마린 소년이 서번트 증후군이라는 특징을 부여받는 설정도 중요하다. 계승의 주체와 성격에 대한 암시로 충분하기 때문이다.

이미 늘 유동하고 있었던 벽

요컨대 2023년 발표된 『도시와 그 불확실한 벽』은 스스로 실패했다고 공언한 중편 「도시와, 그 불확실한 벽」뿐 아니라, 그것을 기반으로 완성했다고 알려진 『세계의 끝』을 다시 쓴 소설이다. 40여 년에 걸쳐 거듭된 다시 쓰기는 '나'라는 문제에 대한 탐색을 젊음의 예외성에 부속시켜 온 사유의 관습을 질문한다. 또한 '나'를 타인과 구별하는 자기의식이 어쩌면 늘 사후적일 수밖에 없음을 환기한다. 이때쯤 떠올릴 것이 바로 2020년 발간된 하루키의 단편소설집 『일인칭 단수』*다. 『도시와 그 불확실한 벽』 직전에 발간한 책의 제목이 하필 '일인칭 단수'라는 사실은, 이 작가가 말년의 형식으로서 일종의 '사소설'을 택하고 있는 것 아닐까 생각하게 만들기도 한다. 하지만 이 사소설은 근대적 소설의 초기 형식으로 채택된 그 사소설은 아니다. 지금 하루키 소설 속 '일인칭 단수'들은 어쩌면 이제까지의 '나'들의 내면을 배태한 풍경 쪽을 향하고 있기 때문이다.

　관련하자면, 장편 『도시와 그 불확실한 벽』 속 벽의 의미 역시 처음부터 명료하게 제시되어 있지 않다. 이전 소설들처럼 분리와 구획과 배제를 목적으로 하는 것도 아니다. 오히려 벽은 서사의 개연성을 깨트리는 장치가 되기도 한다. 예컨대 설정에 따르자면 1부의 '나'는 2부에 등장할 수 없었다. 하지만 1부의 '나'는 2부에 동일하게 등장한다. 이것은 '벽'이 무언가를 견고하게 구획하는 의미로

---

* 한국어 번역본은 무라카미 하루키, 홍은주 옮김, 『일인칭 단수』(문학동네, 2020).

2009년 예루살렘상을 수상할 당시의 무라카미 하루키.(출처: 위키피디아)

환원되지 않음을 암시한다. 오히려 그러한 통념 자체를 질문하는 듯하다. 게다가 소설에는 흥미롭게도, 하루키의 2009년 예루살렘상 수상 연설에서의 그 유명한 벽의 비유도 반복된다. 예컨대 벽은 사람이 세운 셈이지만 곧 "독자적인 의지와 힘을 지니"게 되면서 "사람이 제어할 수 없을 만큼 강력"해지고 "그 자체로 완결되는, 굳게 폐쇄된 시스템"(529쪽)이 된다는 소설 속 인식은 정확히 하루키의 2009년 연설의 한 대목을 연상시킨다.

2009년 예루살렘에서의 수상 연설은, 당시 이스라엘 측의 가자 침공을 비판하는 맥락에 있었고, 그는 '높고 단단한 벽과 그것에 부딪쳐 깨진 계란 사이에서, 나는 언제나 계란 쪽에 서겠다'*는 요지의 말을 했다. 물론 2009년 연설 속 '벽'과 2023년 소설 속 '벽'이 동일한 의미가 아니다. 하지만 그가 내내 화두로 삼아 온 '벽'이 각 시간대를 통과하며 다른 맥락에 놓이는 사정은 기억해야 한다. 2020년 고쳐 쓴 '벽'의 의미는 그의 작품을 통틀어 2009년 '벽'의 비유에 가장 근접한 듯 보인다. 이때 '벽'이란 일종의 시스템, 인간의 손에서 만들어졌지만 어느새 인간의 손을 떠나 자체적으로 살아 움직이며 인간을 초과해 버린 생물체에 가까워 보인다. 하지만 그러한 벽이 무엇이든 개개의 존재나 힘은 보잘것없다. 이 벽의 비유는 적어도 '나'의 안을 향하는 이야기는 아닌 것이다.

1960-1970년대 일본의 학생운동을 실패한 혁명으로 전제하며 내성의 문학으로 시작한 하루키가 말년에 도달한 곳은 앞서 살폈듯 후쿠시마의 한 개조한 도서관이었다. 이 도서관은 침묵으로 가득 차거나 폐쇄되어 있는 공간이 아니다. 그곳은 무언가가 이어지고 있는 장소다. 즉, 1980년의 벽은 이곳과 저곳을 나누며 '나'를 지키기 위한 선택지를 제공하는 것이었다면, 1985년의 벽은 이곳과 저곳을 '나'의 안으로 통합하며 나의 왕국을 성립시켰다. 그리고 지금 2023년의 벽은 역설적이게도 나와 타자의 상호 침투를 상상케 한다. 이곳과 저곳이라는 구획과 그러한 이항 대립적 구도의 상투성마저 질문되고 있다. "이곳은 높은 벽돌 벽의 안쪽일까, 아니면 바깥쪽일까"(426쪽) 혹은 "생각하면 할수록 나라는

---

* 村上春樹, 「僕はなぜエルサレムに行ったのか」,《文藝春秋》87(4), 2009, 156-169쪽.

존재를 알 수 없었다"(727쪽)라는 자기 질문이 소설에는 내내 반복된다. 이것은 답을 요하는 것이 아니다. 질문 안에 이미 작가의 관점은 내재되어 있다. 게다가 '작가 후기'는 이렇게 맺는다. "요컨대 진실이란 것은 일정한 어떤 정지 속이 아니라, 부단히 이행=이동하는 형체 안에 있다. 그게 이야기라는 것의 진수가 아닐까. 나는 그렇게 생각할 따름이다."(767쪽)

쉼표가 사라진 세계, 봉인 해제된 소녀

즉, 이 소설 전체의 사유 형식은 일종의 동사형이다. 말년의 하루키는 의외로 끊임없이 움직이고 유동하고 어디론가 이행하고 있는 이 세계의 풍경들을 그리고 있다. 이 풍경들로부터 뚜렷하게 구분되며 성립한다고 믿어진 '나'의 자명함은 오히려 그 자명함의 조건을 질문하는 방식으로 대체되고 있다. 그리고 보니 1980년 중편 「도시와, 그 불확실한 벽」과 2023년 장편 『도시와 그 불확실한 벽』 사이의 결정적 차이도 아직 이야기하지 않았다. 2023년 장편에서는 제목에서 쉼표가 지워져 있다. 쉼표란 무엇인가. 그것은 일종의 휴지(休止) 혹은 분리의 기호다. 쉼표가 사라진 제목은, 도시와 그 성벽 혹은 나와 타자 사이의 유동하고 이행하는 관계성 쪽에 방점을 찍는 듯하다. 하지만 유의할 것은, 이것이 작가 안의 중요했던 어떤 세계와의 결별을 대가로 얻어진다는 점이다. 이제 마지막으로 하루키 소설의 진원지와 같았던 소녀에 대한 진술을 확인해 본다.

　　장편 『도시와 그 불확실한 벽』의 도입부는 너와 나의 만남에 대한 묘사가 초기 하루키 특유의 서정적 분위기로 가득 차 있다. 이때 유독 눈에 띄는 대목이 하나 있으니 다음 구절이다. "그런 시간에는 너에게도 나에게도 **이름이 없다. 열일곱 살과 열여섯 살의**

여름 해질녘, 강가 풀밭 위의 선명한 기억―오직 그것이 있을 뿐이다. 얼마 지나지 않아 머리 위에 하나둘 별이 반짝일 테지만 별에도 이름은 없다. 이름을 지니지 않은 세계의 강가 풀밭 위에, 우리는 나란히 앉아 있다.”(12쪽, 강조는 인용자) 그리고 이 구절은 본문에서 정확히 다시 한번 반복된다. 이것은 앞서 인용한 중편의 첫대목과 상반된다. 1980년 중편이 이 세계를 말로 포착할 수 없음에 대한 비관과 절망에 의해 추동되었다면, 2023년 장편에서는 같은 사태를 반대로 인식하고 있다. 지금 그에게 말의 제약은 회의나 환멸의 대상이 아니다. 오히려 명명할 수 없으나 생생한 세계 자체가 긍정되고 있다. 말로 포착하고 가둘 수 없는 생동하는 현재가 예찬될 뿐이다. 여기에서 ‘소녀’는 늘 말을 초과하여 유동하고 있던 존재다. 이 소설의 결말에서 ‘나’가 소녀에게 고하는 작별은 정확히 이러한 인식의 진원지이자 동시에 도착 지점인 셈이다.

　　소녀와 작별하고 소년과 합체를 암시하며 촛불을 끄는 마지막 장면은 그 어떤 하루키 소설의 장면보다 처연하고 아름답다. 하루키 소설들에서 자주 귀환되는 소녀라는 억압은 곧 불변의 고유함이라고 여겨지는 것에 대한 믿음과 강박에서 비롯되었을 것이다. 어쩌면 하루키는 소녀와 작별하기 위해 이 소설을 썼다. 아니 정확히 말하자면 이것은 이전에 알던 소녀는 늘 존재하지 않았다는 사실을 이제야 수긍하는 소설이다. 그런 의미에서 이 소설은 일종의 만가(挽歌)다. 달리 말하면 소녀는 이제야 ‘나’의 관념과 욕망으로부터 봉인 해제된 셈이다. 소설 속 ‘나’들을 배반하고 있던 것은 말이 아니라 소녀 쪽이었을지 모른다는 이 인식의 반전에서, 모종의 세계관의 변화를 감지하지 않을 수 없다. 이것이 한 작가 개인만의 변화를 의미하는 것일까.

　　문득, 이제 막 봉인 해제된 소녀들의 그간 행방도 궁금해진다.

'나'의 관념이나 욕망을 배반한 그녀들은 내내 어느 도시마다 자기의 거처를 마련해 두고 있었을 것이다. 어딘가에서 내내 '나'가 알지 못하는 그녀들 스스로의 이야기를 하고 있었을지 모른다. 즉, 이 거대한 40여 년이 응축된 대서사시를 노년 문학이라거나 한 작가의 신화를 강조하는 방식으로만 환원하고 싶지는 않은데, 이른바 소설(novel)을 성립시켜 온 근대의 조건들이 질문되고 있는 시대의 사유와 『도시와 그 불확실한 벽』이 매우 근접해 있음을 생각한다면 그것은 지면을 달리해야 할 것이기 때문이다. **서리북**

김미정
문학평론가, 연구자. 쓰고 옮긴 책으로 『움직이는 별자리들』, 『전후 동아시아 여성서사는 어떻게 만날까』(공저), 『정동의 힘』(역서) 외 여러 권이 있다. 각 시대의 이야기 양식은 곧 그 시대의 인식·정동 체계라는 점을 새삼 각별히 생각하며 동시대 서사를 읽고 있다.

📖 1985년 장편 『세계의 끝과 하드보일드 원더랜드』는 1980년의 원작(「도시와, 그 불확실한 벽」)을 다시 써서 완결한 작품으로 알려져 있다. 이것은 세계를 책임지고자 하는 '나'의 서사다. 하지만 2023년 장편 『도시와 그 불확실한 벽』에서 '나'는 타자에 의해 윤곽이 흐려진다. 그리고 소설 전체적으로 세계의 운동성과 그 잠재성에 대한 인식이 두드러진다. 비교하며 읽다 보면 작가의 세계관 변화가 충분히 감지될 것이다. 이것이 작가 안에서의 변화일 뿐 아니라 이 세계의 40여 년 변화일 것임을 상기해 보면 꽤 의미심장하게 여겨진다.

"그러나 누가 어떤 이름을 갖다 붙이든, 그것은 나 자신이다."
— 책 속에서

『세계의 끝과 하드보일드
원더랜드』(전2권)
무라카미 하루키 지음
김난주 옮김
민음사, 2020

📖 무라카미 하루키는 자기 소설 속 원천으로서의 '소녀'와 작별하기 위해 『도시와 그 불확실한 벽』을 쓴 셈이다. 이번 작품에서 소녀는 비로소 봉인 해제되었다. 하지만 그 소녀들은 어쩌면 진작부터 소설 속 '나'들의 욕망으로 환원되지 않는 자리에서 무한히 자기 서사를 써 나가고 있었을 것이다. 최근 젊은 여성 작가들의 서사가 약진하는 자리와 이 거장의 작별 장면이 묘하게 오버랩되는데, 이는 문화사 속 세대·젠더적 교체나 이행뿐 아니라 한 세계의 인식·정동의 틀이 조정되는 징후로 읽히기도 한다. 한국어권 대조군의 하나로 김초엽의 소설을 읽어 보아도 좋겠다.

"조명이 완전히 꺼졌을 때 나는 처음으로 어둠에 잠긴 격자 구조물을 마주 보고 있었다. 그것은 우리의 인지공간이었다. 공동의 기억이었다. 한때 우리가 가진 모든 것이었다. 그리고 방금 내가 떠나온 세계이기도 했다." — 책 속에서

『방금 떠나온 세계』
김초엽 지음
한겨레출판, 2021

『알로하, 나의 엄마들』
이금이 지음
창비, 2020

하와이에 산다면
이런 비쯤 아무렇지 않게 맞아야 한다[*]

심채경

그들은 인생을 건 모험을 떠났다. 낙원이라 불리지만 실체는 도저히 파악할 수 없는 막연한 미지의 세계, 포와(布哇, 하와이)로. 그곳에 도착하면 이제껏 한 번도 만나 본 적 없는 새로운 가족이 그들을 기다리고 있을 것이다. 알지 못하는 땅에서 알지 못하는 사람과 손잡고 운명을 개척한 사람들. 이금이 작가의 『알로하, 나의 엄마들』은 100여 년 전, 하와이로 떠난 특별한 이민자들의 이야기다.

하와이로 간 이민자들, 노동자와 사진신부

19세기 중반, 하와이에는 사탕수수 산업이 번성했다. 노동력 수요는 급증하는데 전염병 등으로 하와이 원주민의 수는 급감하자 농장주들은 1851년 중국 노동자를 시작으로 포르투갈과 일본에서 수만 명의 이민자를 받아들였다. 그러나 긴 노동 시간과 작열하는 태양, 노동 강도가 높아 잠시라도 일손을 놓을라치면 달려와 채찍을 휘두르는 관리 시스템 등으로 작업 환경은 열악했고, 중국인들

---

[*] 이금이, 『알로하, 나의 엄마들』(창비, 2020), 396쪽.

하와이의 사탕수수 농장에서 휴식을 취하고 있는 한인 이주민 노동자들의 모습.
(출처: 하와이대학교 한국학연구소)

은 당초의 계약 기간만 끝나면 새로운 일을 찾아 도시로 빠져나가
고는 했다. 총노동자의 과반을 이루고 있던 일본 노동자들은 비교
적 오랜 기간 사탕수수 플랜테이션의 주 노동력을 제공했다. 그러
나 이들이 단합하여 크고 작은 파업을 일으키자, 농장주들은 반복
되는 노동 거부 사태의 근원을 찾아 문제를 해결하는 대신 또다시
새로운 노동자를 물색했다. 이번에는 한인이었다.

　　고종의 승인을 얻어 1903년 1월부터 1905년 8월까지 7천여 명 이상의 한인 이민자가 하와이에 왔다. 드물게는 가족이 함께 온 경우도 있었지만 절대다수는 독신 혹은 가족을 남겨 두고 홀로 떠 나온 남성이었다. 몇 년간의 적응 끝에 하와이에 정착한 남성들은 결혼하여 가족을 이루기를 꿈꿨다. 당시의 사회 분위기는 동양인 에 대한 차별과 배척이 심했고 미국인과 동양인의 결혼은 법으로 금지되어 있었다. 동양인 이민자들은 말과 정서가 잘 통하는 사람 과 가정을 이루기 위해 본국에 사진을 보내 배우자를 찾는 사진결 혼 방식을 택했다. 사진만 보고 결혼을 약속하면 혼인 신고부터 한 뒤 고국의 가족을 하와이로 초청하는 이민 형태였다. 1910년부터 1924년까지 1천여 명 이상의 한인 사진신부들이 하와이에 왔다. 『알로하, 나의 엄마들』의 세 주인공인 버들, 홍주, 송화가 바로 그 들이다.

　　버들은 하와이로 가는 길의 경유지에서 미국에 유학하러 간 다는 여학생 김에스더를 만난다. 에스더의 본명은 붙들이다. 위로 오빠들이 둘이나 죽은 뒤 태어난 딸이라서 나중에 남동생 태어나 면 꼭 붙들라는 의미다. 에스더는 아직 태어나지도 않은 남동생을 위해 붙여진 이름 대신 교회에서 세례받을 때 직접 고른 세례명을 자신의 이름으로 쓰고 있었다. 붙들이가 아닌 에스더는 곧 '남성이 아닌 존재'로서의 여성으로만 살아가라는 사회의 압박으로부터 벗어나 내면의 목소리에 귀 기울이며 자기 주도적으로 살아가는 사람이다. 버들은 그렇게 살기를 다짐한다.

　　호놀룰루 항구에서 사진신부들의 하와이 입성은 눈물바다로 시작하는 경우가 많았다고 한다. 예비 신랑감이 10여 년 전의 젊은 시절 사진을 보내며 나이를 한참 속이거나, 남의 집이나 차 앞에서 찍은 사진을 보내며 재산을 부풀리는 경우가 많았기 때문이다. 사

20세기 초, 하와이 호놀룰루의 풍경.(출처: picryl.com)

진신부들은 연중 내내 날씨가 온화하고 먹을 것이 널려 낙원이라 불리는 하와이에 가면, 여자라고 못 했던 공부도 하고 민주주의 사회에서 자유롭게 살며 남편과 함께 열심히 일해서 고국에서 곤궁하게 지내는 가족들도 돕겠다는 열망을 품고 왔다. 그렇게 운명을 거는 결심을 하고 용감하게 떠나왔는데 시작하자마자 물릴 수는 없다. 게다가 지금 고국은 일제 치하에서 굶주리고 핍박당하는 곳이다. 다시 돌아간다고 해서 더 나은 삶을 기대할 수 없다. 그리고 대개는 어차피 돌아갈 배삯을 치를 돈도 없었다. 그래서 사진신부들은 사기 결혼 앞에서도 무너질 수 없었다. 현실을 받아들이고 감내하며 더욱 강한 존재로 거듭날 수밖에.

소설 속 홍주와 송화도 아버지 혹은 할아버지뻘의 남편을 만났지만, 버들은 운 좋게도 나이를 속이지 않은 제 또래의 남편 서태완을 만났다. 그는 1905년 3월, 부모님 손에 이끌려 남동생과 함께 하와이로 온 초기 이민자다. 그의 부모님을 포함한 한인 이민자들은 힘든 농장 일을 하면서도 주말에는 교회에 다니고 아이들에

하와이로 출발하기 전 촬영한 세 명의 사진신부.(출처: 하와이대학교 한국학연구소)

게 글도 배우게 했다. 그들이 하와이에 온 이듬해, 감리교 재단은 한인들의 요청에 의해 한인 기숙학교를 세운다. 여기에 한인들의 기부금도 상당액 들어갔다. 힘없는 나라에서 온 이민자들은 내 자식, 남의 자식 할 것 없이 다음 세대를 공부시켜야 한다는 데에 뜻을 모았던 것이다. 서태완은 열다섯 살부터 그 한인 학교에 다니며 공부하고, 스물세 살에는 카할루 너머에 있는 군사학교에 다녔다.

가족보다는 조선의 자유와 독립에 더욱 신경 쓰던 그는 훗날 아내 버들과 두 아이들을 하와이에 남겨 둔 채 중국으로 가 무장 독립운동에 투신했다가 부상을 입고 돌아온다.

실제와 허구의 세계를 촘촘히 엮어 내는 이야기의 힘

작가 이금이는 어린이와 청소년을 위한 작품을 지속적으로 써내는 작가다. 그런데 성인이 읽기에도 유치하지 않은 게 이금이 소설의 특징이다. 이미 한참 전에 성인이 된 작가가 어린 사람들의 행동을 흉내 내고 극화하는 게 아니라, 중요한 등장인물 중 아동, 청소년의 비중이 높을 뿐 어떤 연령의 독자에게도 다가갈 수 있는 글이다. 그래서 이금이의 책은 서점 일반 소설 서가에도 자주 놓인다. 모든 어른은 다 한때 청소년이었고 어린이였으므로 그들의 이야기는 곧 모든 어른의 이야기이기도 하다. 또 하나 이금이 소설의 주요한 특징은 작품의 배경이 되는 사회적 현실, 당대의 사회적 이슈를 높은 비중으로 함께 담는다는 것이다. 이금이의 소설은 어린이·청소년 문학의 범주 안으로만 한정할 수 없다.

『알로하, 나의 엄마들』에서도 작가는 당시의 하와이 사회와 초기 한인 이민에 얽힌 역사적 사실을 허구의 주인공들의 삶 속에 꼼꼼히 녹여 낸다. 버들을 주축으로 하는 세 사진신부들의 삶은 실제 하와이 사진신부들의 이야기를 바탕으로 한다. 특히 연관성이 높아 보이는 것은 1915년 사진신부로 하와이에 간 천연희의 기록이다. 그는 자신의 삶과 생각을 정리한 일곱 권 분량의 노트와 24개의 구술 녹음테이프를 남긴 바 있다.* 천연희는 경남

---

* 문옥표·이덕희·함한희·김점숙·김순주, 『하와이 사진신부 천연희의 이야기』(일조각, 2017).

진주 태생으로, 한일병합 전후 일제의 압제하에서 학교를 다니다 1915년 19세의 나이에 사진신부로 하와이에 갔다. 27세 연상이었던 첫 번째 남편은 술을 많이 마시느라 농장 일을 제대로 하지 못했다. 가난하고 아이들을 제대로 키울 수 없는 환경이 지속되자 천연희는 결혼 9년 만에 이혼하고 다른 한인 남성과 재혼했고, 세 아이가 더 태어났다. 쉬지 않고 다양한 일을 하며 가족을 부양하고 살림을 키워나갔다. 그러나 남편이 딸의 대학 교육을 반대하자 다시 이혼하고 1941년에 미국인 남성을 세 번째 남편으로 맞았다. 천연희는 숙박업, 부동산 사업, 카네이션 농사 등 70대 중반까지 쉬지 않고 다양한 일을 하며 아이들을 키우고 교육시키는 데 전력을 다했다.

나이가 많고 나쁜 습벽을 가진 천연희의 첫 번째 남편은『알로하, 나의 엄마들』속 송화의 '할배' 남편, 다정한 미국인이었던 세 번째 남편은 작품 속 홍주의 세 번째 남편과 겹쳐 보인다. 대한동지회 등의 활동을 함께 했던 두 번째의 젊은 남편은 작품 속 버들의 남편과 닮은 데가 있다. 소설 속에서 서태완이 입학한 군사학교는 실존했던 학교로, 당시 하와이 한인 교민을 이끌던 지도자급 인사들이 카훌루 지역에 대조선국민국단을 창설하며 세운 대조선국민국단 사관학교다. 또한 한인 여성들이 수를 놓고 떡을 파는 등의 일을 해서 모은 돈을 독립운동 자금으로 보내던 일, 처음에는 뜻을 한데 모았던 한인들이 나중에는 이승만 지지파와 박용만 지지파로 나뉘어 대립하던 것 등 작가 이금이는 하와이 한인 이민사를 그대로 따라가며 소설의 힘을 빌려 재구성한다.

'사진신부'라는 단어 뒤에 숨겨져 있는 도전과 용기와 모험

그런데 이 작품의 힘은 단지 역사적 사실을 정교하게 재현해 내는

19세기 하와이 한인 이민자 가정의 가족사진.(출처: 위키피디아)

데에 그치지 않는다. 전체적인 이야기는 거대한 시대적 흐름을 따라 힘 있게 진행되는 구조를 이루고 있으면서도, 장면마다의 섬세한 묘사가 자칫 고루하고 현실과 멀어 보이는 역사적 시대 배경 위로 주인공들이 겪는 사건과 감정을 독자에게 효과적으로 전한다. 물론 과거의 사건들을 마치 지금, 여기에서 일어나는 것인 듯 생생하게 재연하는 것이 언제나 장점인 것은 아니다. 책을 읽다 보면 이러다가 버들과 홍주, 송화를 역사의 맥락 안에 남겨 둔 채 소설이 마무리되지 않을까 하는 우려도 든다. 그러나 『알로하, 나의 엄마들』은 마지막 두 개의 장에서 청소년 소설 특유의 면모를 내보이며 독자를 새로이 사로잡는다. 내내 주인공이었던 세 사람의 사진신부 대신 버들의 둘째 아이, 딸 진주의 시점에서 또 하나의 새로운 이야기가 펼쳐지는 것이다.

진주는 은은하면서도 고귀한 사람이 되기를 바라는 마음으로 버들이 직접 지은 이름이다. 영어로는 펄(pearl). 버들은 하와이에 오는 길에 만났던 김에스더의 이름을 떠올리며, 제 이름을 스스로 짓는다면 자기 것으로 하고 싶은 그 이름을 딸에게 주었다. 그런데 진주가 학교에 다닐 무렵, 일본이 진주만을 공습하는 일이 벌어졌다. 하필이면 일본에 침략당한 나라에서 온 부모님을 둔 아이의 이름이 진주인 바람에 놀림감이 되고 만다. 버들 딴에는 선물 같은 이름을 주었지만, 인간의 삶이 어디 마음먹은 대로만 흘러가던가. 진주가 꿈을 찾아 미국 본토에 있는 대학에 가려고 할 때, 처음에는 반대했던 버들이 우여곡절 끝에 마침내 꿈을 좇으려는 진주의 모험을 허락한다. 진주가 꿈꾸는 세상에 가서 이름처럼 고귀한 사람이 되기를, 그래서 자신이 꿈꾸던 이상적인 삶이 자신이 아닌 자식에게서라도 펼쳐지기를 바라서다. 버들과 홍주, 그리고 송화는 단지 가난이나 일제의 억압으로부터 도망친 것이 아니라 꿈을 찾아 하와이까지 훨훨 날아온 사람들이다. 비록 꿈을 다 이루지는 못했지만 매 순간 최선을 다했고, 포기하지 않았다.

하와이 사진신부들은 그랬다. 언어도 체제도 낯선 사회에서 고된 노동과 차별을 견디며 살아남았다. 다음 세대 아이들을 낳아 먹이고 입히고 가르쳤다. 아무리 쪼개도 부족하기만 한 돈과 시간을 모아 조국의 독립을 위해 열과 성을 다했다. 그들은 결혼 시장에서 사진 한 장을 근거로 얼마간의 여비와 교환된 무기력한 존재가 아니라 누구보다도 당당하게 인생을 개척해 낸 선구자들이다. 작가 이금이는 이 한 권의 책을 통해 '사진신부'라는 단어 뒤에 숨겨져 있는 도전과 용기와 모험, 그리고 애국의 정신을 독자 앞에 망라한다. 마지막 책장을 덮을 때 이 책은 다시 첫 장으로 돌아가는 듯하다. 이제 사진신부들의 기록과 다큐멘터리를 찾아보며 그들의 이야기를 또다시 되짚어 보게 될 테니까.

섬세한 심리 묘사와 등장인물들끼리 나누는 대사의 생생함, 깊고 넓은 강처럼 묵직하면서도 빠르게 전개되는 이야기의 힘을 빌려, 100여 년 전 하와이로 떠났던 한인 이민자들의 피땀 어린 눈물이 바로 눈앞에서 되살아나는 듯하다. 한번 읽기 시작하면 도중에 쉽게 내려놓을 수 없는 책이다. 이 작품을 기반으로 하는 동명의 뮤지컬이 상연되어 큰 호응을 얻는 것도 원작이 가진 그러한 힘 때문일 것이다. <mark>서리북</mark>

심채경
본지 편집위원. 태양계 천체를 연구하는 행성과학자. 현재 한국천문연구원에 재직하며 달 탐사 프로젝트에 참여하고 있다. 지은 책으로 『천문학자는 별을 보지 않는다』, 옮긴 책으로 『우아한 우주』 등이 있다.

📖 1915년 사진신부로 하와이에 간 뒤 세 번의 결혼과 두 번의 이혼을 겪으며 아이들을 키워 내고 독립운동에 참여했던 천연희가 남긴 기록을 종합적으로 정리하고 해제를 담아 출간한 책. 개인적인 술회와 함께 당시 하와이 한인 사회를 보여 주는 중요한 기록이 담겨 있다.

"내 가슴이 쓰리고 아파 내 염통을 칼에 찔리는 것같이 슬퍼 통곡하며 내 정지간 뒷문의 청대에 앉아 하늘을 쳐다보면 월색은 천지를 비추고 별이 솟아 여기저기 반짝하는데, 인생의 한세상은 너무도 고락하니 이 우주에 나 같은 사람이 얼마나 되는지 상상할 수 없더라."

— 책 속에서

『하와이 사진신부
천연희의 이야기』
문옥표·이덕희·함한희·
김점숙·김순주 지음
일조각, 2017

📖 대한제국 말기, 미래에 대한 기대와 희망을 품고 이민선에 오른 또 다른 이들이 있었다. 1905년 멕시코 에네켄 농장으로 떠난 한인 이민자들이다. 비인간적인 노동 환경에 시달리며 고통스러운 계약 기간을 겨우 버텨 내는 사이, 돌아갈 나라는 없어져 버렸다. 떠나고 싶어도 떠나지 못한 채 유카탄 반도를 휩쓴 혁명의 불길에 함께 휘말려야 했던 그들의 이야기를 담은 소설.

"병사들은 죽은 자의 품을 뒤졌다. 그의 품에서는 손만 대면 찢어질 것 같은 낡고 바랜 증명서 한 장이 발견되었다. 그 문서엔 '전라도 위도생 28세 박광수'라는 한자와 대한제국의 관인이 희미하게 번들거리고 있었다. 그러나 그 문자를 해독할 수 있는 사람은 아무도 없었다."

— 책 속에서

『검은 꽃』
김영하 지음
문학동네, 2020, 개정판

『부동산과 정치』
김수현 지음
오월의봄, 2023

차가운 이성을 기대하며

오지윤

그나마 금년은 잠잠한 편이다. 지난 몇 년은 주택 시장 이슈로 온 나라가 들끓었다. 특히 문재인 정부에서는 주택 가격이 끊임없이 오르면서 진풍경이 펼쳐졌다. 왼쪽에서는 더 규제하지 못하고 불로소득을 허하는 약해 빠진 정책을 비판했고, 오른쪽에서는 시장을 무시하고 규제를 쌓아 올려 주택 가격이 폭등했다고 질타했다. 결과론적으로 서울을 위시하여 전국적으로 매매 및 전세 가격이 대폭 오르면서 이 시기 부동산 정책에 대한 아군은 표면적으로 찾아볼 수 없는 지경에 이르렀다. 전멸한 것으로 보였다. 그런데 문재인 정부 초기 주택 정책을 진두지휘했던 당사자가 문재인 정부가 왜 집값을 못 잡았는지, 무슨 책임이 있는지, 주택 정책이 진영 논리에 얼마나 휘둘려 왔는지를 회고하는 도전적인 책을 출판했다. 이 책에 대한 대중적인 호기심이 클 수밖에 없는 이유이다.

저자 김수현

저자 김수현은 참여 정부에서 국민경제비서관으로 재직하면서 주택 정책을 담당했고, 문재인 정부에서는 2017년 5월부터 2019년 6월까지 청와대에서 사회수석과 정책수석을 맡으며 초기 주택 정책을

서울 여의도. 앞쪽에 아파트 단지와 오른쪽 상단에 국회의사당이 보인다.(출처: web.archive.org)

설계했다. 저자가 2017년 청와대에 다시 입성하자 그의 저서 『부동산은 끝났다』(오월의봄, 2011), 『꿈의 주택정책을 찾아서』(오월의봄, 2017)는 주택 정책 향배를 알고자 하는 사람들에게 널리 읽혔다. 김수현은 두 번 모두 진보 정부의 주택 정책을 총괄했고, 두 번 모두 주택 가격이 폭등하면서 그의 이름은 진보 정부 부동산 정책의 대명사가 되었다. 실패한 부동산 정책의 주범으로 인식되면서, 저자가 시장에 대해 무지하거나, 오히려 주택 가격을 올리려고 작정한 것이 아니냐는 비아냥을 받기까지 했다.

저자의 세 가지 질문과 저자에게 던지는 네 가지 질문

저자 김수현은 『부동산과 정치』에서 세 가지 주요 질문을 던진다. 첫째, 문재인 정부는 왜 집값을 못 잡았을까? 둘째, 문재인 정부의 책임은 무엇인가? 셋째, 앞으로 한국 사회는 무엇을 배워야 하는가? 저자는 책에서 주택을 둘러싼 많은 이야기를 담아내고 있지만, 주요 질문에 대한 그의 답은 다음과 같다. 첫째, 문재인 정부에서 집값을 못 잡았던 것은 저금리와 유동성 때문이고, 둘째, 그럼에도 불구하고 문재인 정부는 정책 금리를 올리지 않거나 금융 규제를 더 옥죄지 않았던 데에 책임이 있으며, 셋째, '꿈의 주택 정책'은 존재하지 않지만, 진영 논리와 주택 경기에 휘둘리지 않는 세금 및 공공주택 정책이 필요하다는 것이다. 그 가운데 저자는 '주택 정책'을 둘러싼 좌우 진영 대립과 시장주의자들의 편벽됨에 대해서도 언론에 등장한 발언들을 중심으로 조목조목 비판한다. 나는 『부동산과 정치』에 대해서 다음과 같은 질문을 던져 본다. 첫째, 저자가 책에서 제시한 답은 새로운 것인가? 둘째, 저자의 현실 진단은 타당한가? 셋째, 저자의 정책 기조는 정치적으로 포용적인가? 넷째, 저자의 정책 대안은 합리적이고 실현 가능한가?

저자의 답변은 새로운가?

『부동산과 정치』의 탄생 배경, 문제의식, 그리고 답은 『부동산은 끝났다』의 그것과 놀라울 정도로 유사하다. 『부동산과 정치』는 주택 가격이 하락하기 시작한 2022년에 기획되어 2023년 출판되었다. 『부동산은 끝났다』 역시 서울 주택 경기 하강기인 2011년에 출판되었다. 두 책 사이에는 약 10년의 터울이 존재하지만, 가격 상승의 광풍이 한바탕 지나가고 뒤를 돌아볼 수 있는 시점에서 탄생했다는 공통점이 있다. 책을 출판할 수 있었던 저자의 정신적 에너지가 주택 경기 하강기에 비롯되었다는 것이다. 『부동산은 끝났다』는 다양한 이야기를 담고 있지만, 참여 정부의 부동산 정책이 왜 실패했는가에 대한 답은 『부동산과 정치』와 유사하다. 문재인 정부와 마찬가지로, 참여 정부에서 집값이 크게 오른 것 역시 유동성 때문이고, 총부채상환비율(Debt to Income Ratio, DTI)과 같은 금융 규제를 조기 실시하지 못한 것이 가장 큰 실책이라는 것이다.

새로운 질문이 이어질 수밖에 없다. 저자는 집값 상승의 근본 원인을 두 번 모두 저금리와 풍부한 통화량으로 판단했는데, 이러한 경제 환경은 특정 국가의 경제 정책으로 바꿀 수 있는 문제가 아니다. 저자는 과잉 유동성이 전 세계적 현상이어서 정부 정책으로 주택 가격을 제어하기 '역부족'이었다고 수차례 고백하고 있음에도 불구하고, 저자가 전면에 나서서 표방한 주택 정책은 참여 정부 시절처럼 정부가 시장 가격을 제어하겠다는 선언이었다. 문재인 정부의 금리 수준은 참여 정부보다 크게 낮았고 이는 유동성이 더 확대되었음을 의미하는데도 불구하고, 또다시 '투기 세력' 때문에 집값이 높으므로 정부가 막고 시장 심리를 전환하려는 정책을 구사했다. 2011년 그리고 2023년에도 유동성의 힘을 거스르기 어려웠다고 고백하고 있는 저자는 2017년 8월 전 국민을 대상으로 '집 팔 기회를 드리겠다'는 기자회견을 했다. 저자는 정부의 거짓말을 "심리적 진정"(109쪽) 목적이라고 변명하고 있지만, 경제학에서는 이러한 정부의 행태를 동태적 비일관성(dynamic inconsistency)이라고 한다. 정부가 '양치기 소년'이 되면 국민은 정부를 믿지 않는다.

저자의 현실 진단은 타당한 것인가?

금융 위기 이후 집값의 '추세적' 상승이 저금리에 기인한다는 저자의 진단에 동의한다.* 그러나 저자의 '금리' 논리로는 왜 서울

---

* 주택 사용 비용(user cost of housing) 관점에서 주택 가격은 월세에 비례하고 금리에 반비례한다. 주택 가격과 예금을 비교해 보자. 금리가 10퍼센트일 때 1억 원 예금은 연간 1,000만 원의 이자를 발생시킨다. 금리가 1퍼센트일 때 연간 1,000만 원의 이자를 받으려면 얼마를 예금해야 할까? 답은 10억 원이다. 단순화하여 비교하면, 월세는 이자에

집값이 2017년부터 가파르게 오르기 시작했는지 설명하기 어렵다. 2017년 정권 초기 1.25퍼센트에서 시작한 정책 금리는 2017년 11월, 2018년 11월 각각 한 번씩 인상되어 2019년 6월까지 1.75퍼센트을 유지했다. 금리가 내려간 것은 2019년 하반기부터다. 반면 서울의 매매 가격은 2013년부터 서서히 상승하다가 2017년부터 상승 폭이 급격히 확대되었다. 2017년부터 2019년 중반까지 금리가 소폭 상승했는데 주택 가격은 왜 오른 것일까? 저자의 분석대로라면 주택 가격은 떨어져야 하는데 말이다.

　수도권 주택 시장에서는 매매와 전세의 '시차 불일치'가 존재한다. 비수도권에서는 전세가 오르면 매매가 곧 오르고 전세가 내리면 곧이어 매매가 내리지만, 서울에서는 매매 가격과 전세 가격 간의 간극이 상당 기간 지속되기도 한다. 서울의 전세는 2011년 1월 대비 2016년 12월에 62퍼센트 올랐으나, 매매는 동 기간 12퍼센트밖에 오르지 않았다.(《그림 1》) 서울의 전세가 오른 데는 '저금리'의 영향이 상당했다고 판단된다. 한국은행 정책 금리는 2011년 3.25퍼센트였으나 2016년 말 1.25퍼센트까지 낮아졌기 때문에 서울 전세에 상방 압력을 미쳤다. 그러나 매매 가격은 2013년이 되어서야 오르기 시작했고 2016년까지도 전세 가격 상승 폭에 비하면 상승 여력이 많이 남아 있는 편이었다.

　문재인 정부가 시작된 2017년은 서울 주택 시장에서 매매가 전세보다 빠르게 뛰기 시작한 첫해이다. 2017년 8·2 부동산 대책(「실수요 보호와 단기 투기수요 억제를 통한 주택시장 안정화 방안」)을 발표하고 규제 효과로 두 달간 주택 시장이 얼어붙었지만 가을에 다시 '불

해당하고 예금은 주택 가격에 해당하는데, 월세가 그대로라면 금리가 하락할 때 주택 가격은 오른다. 월세가 그대로거나 또는 하락해도 금리가 이보다 월등히 더 하락하면 주택 가격이 상승할 수 있는 것이다.

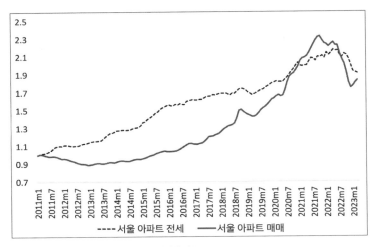

〈그림 1〉 서울 아파트 전세 및 매매 가격 실거래 지수.
(2011년 1월=1, 출처: 한국부동산원 및 국토교통부)*

장'이 시작된 것은 전세 가격 대비 매매 가격이 이른바 균형점에 비해 훨씬 낮았기 때문이다. 2017년 하반기에 정책 금리가 소폭 상승했으나, 이미 전세 가격이 높아져 있었고, 매매 가격 상승 폭은 몇 년간 이에 미치지 못했기 때문에 매매 가격이 전세 시장보다 더 빠르게 오르던 상황이었다. 그럼에도 불구하고 왜 하필 2017년이냐고 묻는다면, 임대 가격 상승이 목전에 닿아 있었던 데다 반도체 등 수출 기업의 영업 호조로 수도권 상위 임금 근로자들의 주머니가 두둑해지고 주식 가격이 큰 폭으로 오른 것도 요인으로 작용했기 때문이다. 따라서 저자는 2017년의 상황을 녹록하게 받아들이

---

* 서울 아파트 매매 지수는 한국 부동산원 아파트 실거래 가격 지수, 서울 아파트 전세 지수는 저자가 국토교통부 아파트 전세 실거래 원자료를 반복매매지수 방식으로 산출했다.

면 안 되었던 것이다.

이번에는 공급 측면에서 저자의 주장을 살펴본다. 저자는 금리 측면에서 주택 경기에 대한 그림을 그리고 있으나 '공급의 힘'에 대해서는 저평가하고 있다. 저자의 설명에 의하면, 언론과 전문가들이 공급이 부족하다고 난리였으나 문재인 정부의 주택 공급은 평년에 비해 높았고, 공급 정책은 시차가 있어 즉각적인 부동산 대책이 되기 어려우며, 실제로 집값에서 공급의 영향력은 10-20퍼센트에 불과하다고 인용한다.(5장) 이러한 평가는 타당한 것인가?

문재인 정부 전기(2017-2019)와 후기(2020-2021) 서울 집값 상승은 (금리, 공급) 두 차원에서 바라볼 필요가 있는데, 문재인 정부 전기에는 금리의 변화가 크지 않았으나, 경기도에 막대한 물량의 아파트 '입주'가 쏟아지는 시기였고, 문재인 정부 후기에는 금리가 내렸으나 경기도의 물량이 감소하는 시기였다. 경기도 아파트 입주는 2011-2015년 연평균 6만 호였으나 2016년 9만 호로 늘어나기 시작하면서 문재인 정부 전기인 2017년 13만 호, 2018년 16만 호, 2019년 14만 호로 크게 증가한다. 반면 후기에는 2020년 12만 호, 2021년 11만 호로 감소 추세를 보인다.(부동산114)

서울 집값을 논하는데 왜 경기도 입주 물량이 중요할까? 서울의 입주 물량은 보금자리 주택 이후 서울 내 신규 택지 부족으로 정비 사업 관련 물량이 대부분이다. 서울 아파트 입주 물량은 평균 3-4만 호 정도로 서울 주택 수 대비 신규 물량의 비중이 크지 않다 보니 물량 자체보다 강남 3구 등 선호 지역 물량이 얼마나 되는지에 따라 전세 시장이 움직이는 편이다.* 반면 경기도는 최근까지도 대

---

* 2018년 말부터 2019년 초까지 송파구에 1만 세대 가까운 신규 단지가 입주하면서 전

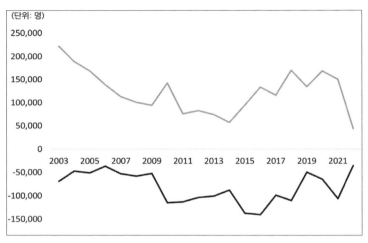

〈그림 2〉 서울과 경기도의 인구 순이동.(출처: 통계청)

규모 아파트 입주가 있었기 때문에 경기도 입주가 시작될 때마다 서울에서 내 집 마련을 하지 못한 무주택자의 이동이 발생(〈그림 2〉)*했고, 이는 서울 인구와 전세 가격에 하방 압력을 가했다.(〈그림 3〉)** 서울 물량만으로 서울 주택 가격 변화를 설명할 수 없는 이유이다.

문재인 정부 전기에 경기도의 막대한 입주 물량은 서울을 포함한 수도권 전세 가격의 가파른 상승세를 꺾어 놓았다.(〈그림 3〉)

세 가격이 일시적으로 큰 폭의 하락세를 보인 것은 좋은 예이다.

* 서울의 주민등록 인구는 2015년 1,000만 명에서 2022년 940만 명으로 꾸준히 감소했다. 〈그림 2〉는 서울에서 유출된 인구가 경기도의 순인구 증가로 이어짐을 확인할 수 있다.

** 〈그림 3〉은 서울과 경기도의 아파트 실거래가 전세 가격인데, 경기도의 입주가 본격화된 2016-2019년 경기도의 전세 가격은 명목으로 하락하고 서울의 전세 가격 상승세도 크게 둔화했다.

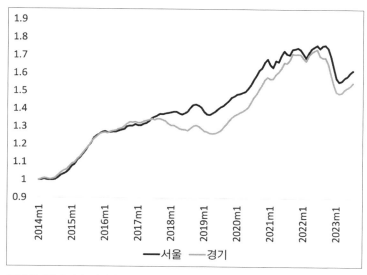

〈그림 3〉 서울과 경기도의 전세 가격 지수.(2014년 1월=1, 출처: 한국부동산원)

그럼에도 불구하고 2017년을 기점으로 서울 집값이 상승한 것은 앞서 설명한 바와 같이 매매 시장과 전세 시장 간의 시차 불일치에 기인한 것으로 보인다. 저자가 부동산 정책을 수행하던 정권 초기, 경기도 아파트 입주와 서울 주요지 재건축 입주가 없었더라면 전세 가격 상승이 지속되면서 매매 가격 상승 폭이 그 당시보다 크게 높았을 것으로 추산된다.* 저자의 청와대 재임 기간 중 그나마 서울 집값이 덜 오른 것은 저자가 미처 정량화하지 못하고 있는 '공급'의 힘 때문이다.

　　문재인 정부 후기에는 코로나19 확산에 따른 경기침체로 금

---

* 오지윤, 「임대 주거비 변화와 주택공급」,《KDI 부동산시장 동향》12(1), 2022, 38-48쪽.

리가 역사상 최저점으로 내려가고 경기도의 주택 공급이 줄어들면서 전세와 매매 가격이 동시에 상승했다. 금리와 공급의 상대적인 힘을 파악하기 위해서는 월세 지수를 살펴볼 필요가 있다. 한국의 순수 월세 지수는 2015년부터 존재하고 있어서 장기간에 걸친 추세 파악이 어렵지만, 한국부동산원 아파트 월세 지수에 의하면 서울 월세 지수는 2015-2020년 중반까지도 하락했고, KB 서울 아파트 월세 지수도 2016-2020년 중반까지 조금도 오르지 않았다. 매매와 전세 가격은 금리가 내려가면 올라가지만, 금리에 대한 월세의 반응은 전세나 매매 가격보다 작다. 월세가 2020년 중반까지 명목상 오르지 않았던 것은 입주 물량의 영향으로 해석할 수 있고, 그 이후 상승하는 것은 증가하던 공급이 더 이상 발생하지 않았기 때문이다. 급격한 금리 인상이 일어난 이후 2022년, 전세 가격과 매매 가격은 크게 하락했으나 월세 가격은 오히려 상승 추세를 보였다는 점도 축소되는 공급의 힘을 보여 주는 단적인 예이다.

주택 정책의 정치화와 선별적 주택 정책

김수현은 책에서 "부동산은 경제의 일부이기는 하지만, 정치적으로 또 국민 마음속에서는 경제의 전부이기도 하"(177쪽)다고 표현한다. 집값 폭등이 남긴 분열과 상처에 대해서도 잘 알고 있다.(44-49쪽) 주택은 '의식주'에서 제일 소유하기 어려운 재화이자 자산이기에 시장 중심적인 영미권에서조차도 주택 정책에 대한 이념적 논쟁이 활발한 상황이다. 한국에서는 주택 정책이 정치 영역에서 더 적극적으로 다루어지며, 정치인, 언론인, 이른바 '전문가'들도 각자 입장을 정하고 직업의식을 발휘한다. 한쪽 편을 들어 '센 소리' 하는 것이 먹고사는 데 도움이 된다는 말이다. 국민 의견이 양분되어 있는 지형 위에서 '주택'에 대한 시장적 배분과 비시장적 배분이 겨루게 되고, 정치적 이해관계가 첨예하게 대립된다.

그렇다면 저자는 주택을 둘러싼 우리 사회의 정치적 반목에 책임이 없을까? 저자는 문재인 정부에서 '선별적 주택 정책'의 기틀을 세운 사람으로서 정치적 양극화를 유발한 책임이 있다. 넓은 범주에서 선별적 주택 정책은 금융 접근성, 세금 등을 지역별, 주택 가격별로 차등 적용하는 것을 의미한다. 금리가 전국적으로 모든 이에게 동일하게 적용되는 것과 달리 선별적 정책에서는 규제와 비규제의 대상이 분리된다. 규제 대상은 가격 상승의 원인으로 지목되고, 선별적 주택 정책은 정부로 향하는 원망과 책임을 규제 대상으로 돌리게 하는 정치적 힘을 발휘한다.

저자가 2017년 주도한 문재인 정부의 8·2 부동산 대책은 선별적 주택 정책의 귀환이었다. '실수요자'와 '투기 세력'을 엄중히 나누고 있는 「실수요 보호와 단기 투기수요 억제를 통한 주택시장 안정화 방안」은 집값 상승의 원인으로 '다주택자'와 '재건축'을 선별하고 나머지를 선한 '실수요자'로 분리한다. 선한 '실수요자'도 경제 영역에서 손해가 예상되면 집을 사지(buy) 않고 이득이 기대되면 1가구 2주택도 고려하며 일시적 1가구 2주택 특례를 이용하여 양도소득세도 절세하는 법이다. 경제적 이득 앞에서 도덕적 구분은 대중들에게 무슨 소구력이 있는 것일까?

저자가 한번 설계해 놓은 선별적 '강자'와 '약자' 프레임은 문재인 정부 내내 주택 정책의 중심 기조로 전체 구조를 형성하게 된다. 선별적 부동산 정책은 2019년 12·16 부동산 대책(「주택시장 안정화 방안」)에서 9억 원 이상 주택의 담보인정비율(Loan to Value Ratio, LTV) 축소, 15억 원 이상 주택의 대출 금지, 고가 주택 구입 시 자금 출처 전수조사, 더 높은 보유세 등으로 강화되었다. 14억 9천만 원 주택을 살 때는 주택담보대출을 최대 4억 8천만 원까지 해줄 수 있지만 15억 원부터는 무주택 '실수요자'라도 단 1원도 대출해 줄 수 없다는 15억 원 초과 주택담보대출 금지 정책, 9억 원 미만 주택 수요자는 약자이므로 담보인정비율을 유지해 주고, 그 이상 가격의 주택 수요자는 강자이므로 금융권의 대출을 제한한다는 정부 정책은 가격 안정에 얼마나 도움이 되었을까?* 비교적 값비싼 주택에 대한 금융 규제는 젊은이들의 영끌 행렬을 저가 주택으로 향하게 했고, 이러한 주택은 2022년 조정기에 하락율이 가장 큰 대상으로 전환되었다. 주택담보대출을 이토록 억제하는데도 고소득 직장인들이 신용 대출을 통하여 집 구매 대열에 나서자 2021년 금융위원회는 1억 원 이상 신용 대출로 주택 구매 시 신용 대출을 회수하는 조치까지 선포했다. 규제와 비규제, 강자와 약자라는 틀 속에서 집값 상승이 지속되면서 '규제' 대상인 '강자'가 지속적으로 확대되었다. 2017년 '다주택자'와 '재건축'에서 시작한 '강자'는 2019년 이후 9억 원 이상 집에 대한 수요자, 15억 원 이상 집에 대한 수요자, 1억 원 이상 신용 대출을 받을 수 있는 근로자로 늘어났다. 2020년 5월 이후 서울 아파트 매매 거래 중위값은 9억 원 미만이었던 적이 한 번도 없다. '강자'의 범위가 과반수를 넘어선 것이다.

　저자 김수현이 참여 정부와 문재인 정부에서 연거푸 추진한 '선별적 주택 정책'은 주택 가격이 저금리, 유동성으로 상승하는 데 대한 적절한 처방이 아니며, 오히려 '강자'와 '약자'의 정치 영역으로 주택 정책을 끌어들이는 일이었음에도 불구하고 이에 대

---

* 오지윤, 「선별적 주택금융의 영향: 15억 원 주택담보대출 금지를 중심으로」,《KDI 부동산시장 동향》 12(2), 2022, 8-17쪽.

한 후회는 책에서 찾기 힘들다. 2017년 주택 가격 상승을 '다주택자'와 '재건축'에서 찾는 것은 2023년 『부동산과 정치』에서 저자가 그토록 강조하는 유동성 과잉과는 전혀 다른 범주인데도 저자는 여전히 재건축이 가격 상승의 "진원지"(123쪽)라고 생각한다. 주택 시장은 유기적으로 연결되어 있기 때문에 강자만을 제어하겠다는 선별적 주택 정책은 본질적으로 수요를 축소하기 어렵다. 가계 대출에서 높은 비중을 차지하는 전세 자금 대출은 '약자' 대상이므로 규제하지 못했고, 그 대가는 금년 초 '전세 사기' 사건의 단초가 되었다. 저소득 무주택자, 청년층에 대한 선택적 배려 역시 주택 수요를 상승시키는 요인이다. 저자는 가격이 오를 때는 시장에 맡기고 가격이 내릴 때는 정부가 개입하라는 시장주의자들의 비대칭적 반응을 준열히 꾸짖지만, 비대칭적인 주택 정책으로 주택의 정치적 배분을 강화했기 때문에 진영 대립이 격화된 것에 대한 회한은 찾기 어렵다. 저금리는 '다주택자'와 '재건축'에만 적용되는 것이 아니다. 금리는 대상을 가리지 않는다.

저자의 정책 대안은 합리적이고 실현 가능한가?

주택 정책은 수요 정책과 공급 정책으로 나눌 수 있다. 수요 정책은 금융 접근성, 세금 등을 조절하며 주택 수요에 영향을 주는 것이고 공급 정책은 새 집이 쉽게 생길 수 있도록 제도적 여건을 정비하거나 정부가 공공 택지를 통해 주택 수를 조절하는 것이다. '꿈의 주택 정책'을 찾아 헤매던 저자는 기존의 생각에서 얼마나 달라졌을까? 저자가 특히 강조하는 부분은 주택 경기에 좌우되지 않는 정책의 일관성인데, 이처럼 정책의 장기적 틀을 설계하고 정권과 무관하게 실현하는 일은 우리 사회가 받아들여야 하는 총론이라고 생각한다. 다만 구체적인 정책 대안은 논쟁의 여지가 있을 수 있고, 실현 가능성이 낮거나 각론상 모순되는 부분이 있어 보인다.

저자는 수요 정책으로 주택 금융 규제를 더 강화해야 한다고 주장한다. 그러나 한국의 가계 대출 규제는 주요국에 비해 결코 약하지 않다. 담보인정비율과 총부채원리금상환비율(Debt Service Ratio, DSR)의 규제 정도뿐만 아니라 지금은 해제되었지만 15억 원 대출 규제나 주택 구매에 대한 신용 대출 규제는 해외에서 상상하기 힘든 정도의 금융 규제로, 이보다 더 강한 금융 규제는 어떤 모습일지 상상이 되지 않는다. 금융 규제가 가장 강했던 2020년과 2021년에도 집값이 크게 올랐음을 상기할 필요가 있다. 아울러 저자는 금리를 올리지 않았던 한국은행과 금융 관료에 대하여 짙은 원망을 곳곳에 표출하고 있는데, 집값만 보고 통화 정책을 구사해야 한다는 주문으로 읽히게 될까 우려된다. 금리의 장기 추이는 자본의 한계생산성에 따라 결정되며, 중앙은행이나 금융 관료가 마음대로 정하는 것이 아니기 때문이다.

저자는 공급 정책을 통한 새 집 확대도 주장한다. 그런데 각론으로 내려가면 서울의 살고 싶은 집에 대한 확대 방침에 걸림돌이 있어 보인다. 저자는 분양가 상한제나 안전 진단 강화와 같이 재건축을 가로막는 규제는 동의하지 않지만 재건축 초과이익 환수제는 제대로 실천되어야 한다고 말한다.* 초과이익 환수제가 실제로 적용된 아파트는 거의 존재하지 않는데,(125쪽) 그 이유는 정권마다 엄격하게 적용하지 못해서가 아니라 이 규제가 적용되면 재건축 추진이 좌초되기 때문이다. 근본적으로 초과이익 존재 여부에 대

---

* 저자의 재임 기간 중 분양가 상한제와 안전 진단이 강화되었음을 고려하면, 이 부분에 대한 견해는 저자의 생각이 바뀐 부분이다.

해서도 학술적 논의가 필요하지만, 양도하지 않은 상태에서 새 집이 된 대가로 가구당 몇억 원을 현금으로 내야 한다면 재건축은 추진되기가 어렵다. 재건축 예정지의 토지 가치에 공공 부문 기여가 존재하므로 추진 단계에서 기부채납 강화 등을 통해 사전적으로 공공성을 확대하는 방식으로 전환될 필요가 있다. 재개발 사업성 부족으로 공공 부문의 역할이 필요하다는 데에는 적극적으로 동의한다. 강남을 잡고 싶으면 강북을 개발시켜야 한다. 서울의 중심이 강북에서 강남으로 넘어온 것은 1970년대 정부의 강남 개발이 성공했다는 방증이며, 낡아 가는 강북이 재개발에 성공한다면 다시 도시의 중심은 새로운 부가가치를 창출하는 지역으로 재편될 것이다. 요컨대 도시 개발을 적대시하지 않는 저자의 입장은 그간의 기조에서 수정된 부분으로 보이나, 개발 이익 배분과 관련해서는 사업이 추진되는 방향으로 재설계할 필요가 있다.

머리는 차갑게, 가슴은 뜨겁게

나는 뜨거운 주제를 가지고 돌아온 저자 김수현의 도전을 환영한다. "부동산 정책의 낭만주의, 선동주의와 절연하고 시장과 정부 역할에 대한 한국적 원칙을 정립"(272쪽)하자는 저자의 총론에 대해서 동의하지 않을 사람은 없을 것이다. 다만 저자가 제시하는 비전에 대한 건설적 논의에 앞서 저자가 주도했던 주택 정책의 낭만주의, 그리고 선동주의에 대해 더 많은 비판이 제기될 수 있다는 점도 받아들여야 할 것이다. 저자의 견해에 대한 찬반양론, 각론에 대한 차이들이 우리 사회에서 풍성하게 다뤄지고 이성적으로 논의되기를 바란다.

　　저자는 『가난이 사는 집』(오월의봄, 2022)에서 낮은 곳을 향한 뜨거운 마음을 보여 주었다. 저자가 기술하고 있는 판자촌 마을의 가난, 그 지난함에 대한 묘사는 아프도록 서정적이었다. 수요·공급 곡선의 창시자이자 미시경제학의 아버지로 불리며, 평생 빈민 연구에 관심이 많았던 앨프리드 마셜(Alfred Marshall)은 "머리는 차갑게, 가슴은 뜨겁게(cool heads but warm hearts)"라는 말을 남겼다. 저자, 그리고 한국 주택 정책에 대해 고민하는 많은 이들에게 뜨거운 가슴과 함께 마셜의 차가운 이성이 앞서 자리하기를 기대한다.

서리북

오지윤
한국개발연구원(KDI)에서 경제 동향, 부동산 동향을 담당하면서 거시경제 및 주택 정책을 연구했고, 현재 명지대학교 경제학과 교수로 학생들을 가르치고 있다.

📖 에드워드 글레이저의 『도시의 승리』는 도시의
흥망성쇠를 동서고금의 예시를 통하여 수려하게 묘사하고
있다는 점에서도 흥미롭지만, 경제학의 주요 의제를
도시라는 대상을 통해서 펼쳐 간다는 점에서도 훌륭하다.
개발경제학에서는 정부가 낙후 지역에 예산을 써야
하는지(장소 기반 정책), 낙후 지역에 사는 가난한 사람들에게
써야 하는지(사람 기반 정책)에 대하여 활발한 논의가
있어 왔다. 이 책에서는 '가난한 장소'를 돕는 것에 대한
기회비용에 대하여 여러 차례 논하고 있다.

"가난한 사람들을 돕는 것은 소박한 정의에 해당한다. 반면에
가난한 장소를 돕는 것이 훨씬 더 정당화되기 어렵다. 대체
정부가 왜 쇠퇴하는 지역에 가서 살게 사람들을 효과적으로
매수해야 하는가? 대체 왜 사람들을 그저 더 오래된 도시에
머물게 하려고 성장 지역들의 성장을 가로막아야 하는가?"
— 책 속에서

『도시의 승리』
에드워드 글레이저 지음
이진원 옮김
해냄, 2021, 개정판

📖 한국의 판자촌이 한국의 급격한 도시화와 산업화의
뒷면이었음을 사회학적으로 충분히 묘사하고 있는 이 책은
넓은 범주의 '가난'을 장소 범주인 '판자촌'으로 치환하여
구체적으로 빈곤에서 주거의 문제를 조명하고 있다. 저자는
낙후 지역 개발을 소극적으로 인정하지만 개발 이익이
세입자들의 주거 환경 개선에 공동체적으로 활용되어야
함을 지속적으로 강조한다. 앞서 소개한 『도시의 승리』와
같이 읽으면 '가난한 장소'를 돕는 것에 대한 문제의식을
다면적으로 검토할 수 있다.

"젠트리피케이션 현상은 합동재개발사업이 출발점이었다.
판자촌이 사라진 이후 도입된 뉴타운사업도 가난한
사람들을 밀어내는 사업이었다. 이와 같은 정책은
중산층에게 아파트를 공급해야 집값을 안정시킬 수 있다는
명분으로 시행되지만 결국 가난한 사람들은 더 밀려나고
만다." — 책 속에서

『가난이 사는 집』
김수현 지음
오월의봄, 2022

『나의 이상하고 평범한 부동산 가족』
마민지 지음
북, 2023

이상하고 평범한 부동산 DNA

강예린

〈버블 패밀리〉 vs 『나의 이상하고 평범한 부동산 가족』
이 책은 부동산으로 흥하고 망한 K-가족의 자전적 다큐멘터리
〈버블 패밀리〉(2018)와 짝패이다. 영화는 가족을 통해서 한국 사회
를 들여다보는 감독 자신의 이야기라면, 책은 부동산 신화의 수행
자인 어머니와 아버지의 개별 역사가 보다 충실히 담겨 있다.

영화 〈버블 패밀리〉는 수차례 밀린 고지서를 낼 필요가 없다
고 말하는 아버지, 그리고 이렇게 생계를 외면하는 아버지를 못마
땅하게 바라보는 어머니의 모습으로 시작한다. 이런 집으로부터
가급적 멀리 떨어지려고 했던 감독은, 어느 날 종로의 인파 속에서
볼일을 보러 돌아다니는 듯한 아버지의 모습을 좇다가, 가족이 이
상황에 도달한 이유를 알고 싶어졌다고 술회한다. '잘살던 우리 집
은 어떻게 망하게 되었는가?' 감독은 가족 경제가 정점을 찍었던
1988년 서울 올림픽으로 되돌아가서 어떻게 본인 가계가 급물살
을 타고 내려오게 되었는지 되짚기로 한다. 도망가고 싶은 가족사
를 정면으로 응시하고 이해하는 과정이 영화의 줄거리다.

한편 『나의 이상하고 평범한 부동산 가족』은 '우리 집이 망했

마민지 감독의 영화 〈버블 패밀리〉 포스터.(출처: 무브먼트)

다'로 출발한다. 보다 적극적으로 가족사를 한국 도시 개발의 역사
와 엮어 내기 위해, 저자는 '주소지-주택의 유형-주거 면적'을 각
장의 부제로 삼았다.

'서울특별시 송파구 오륜동 올림픽아파트 107동(34평)', '서
울특별시 송파구 오륜동 올림픽아파트 115동(46평)', '서울특별시
송파구 오금동 상가주택(12평)', '울산광역시 남구 신정동 69시영
아파트', '서울특별시 강남구 천호동 단칸방', '서울특별시 송파구
오륜동 올림픽아파트 115동(46평)', '서울특별시 송파구 오금동

상가주택(12평)', '서울특별시 강동구 강일동 공공임대주택(15평)'으로 이어지는 각 장의 부제를 따라가다 보면 내용을 다 읽지 않아도 가족의 사회경제적 변천을 짐작할 수 있다.

지금은 없어진 초등학교 호구 조사처럼, 아파트, 다세대주택, 빌라, 단독주택을 구분해서 기록한 것은, 주택의 유형이 건축적인 형태의 구분을 넘어서 사회경제적 구별 짓기의 가늠자임을 드러내기 위한 것으로 보인다. 저자는 독자들이 이 부제만 읽어도 자신의 가족이 겪은 경제적 변동을 판가름할 수 있을 것이라 확신하며, 은연중에 독자들 역시 K-부동산 DNA를 공유하고 있다는 것을 확인하게 만들고 있다.

저자는 어머니와 아버지를 인터뷰하고, 가족의 앨범과 홈비디오를 살피고, 한국 서울 도시 개발의 역사를 공부하면서 "(일이 없는) 아빠가 왜 대낮에 종로를 거닐고 있는 것인지 (……) 엄마는 하필 많고 많은 직업 중에 부동산을 파는 사람이 되었는지"(247쪽)에 대한 궁금증을 해소해 나간다. 특히 부모가 신혼을 보낸 울산 신도시에서 시작해서 서울의 신도시 송파로의 이주까지, 생활 환경의 변화가 어떻게 부모의 개인사에 스며 들어갔는지를 추적한다. 마치 고고학자처럼 가족의 역사를 깊이 파 내려가면서, 자신의 가족이 중산층으로 진입하고 또 내려오게 된 원인이 한국의 부동산 사회사와 맥을 함께한다는 것을 발견한다.

저자의 어머니는 중산층으로 진입하기 위해 아파트를 반복적으로 구매하고 팔았다. 시댁 돈을 빌려서 아파트를 산 후, 이사 몇 번만으로도 없던 재산이 생기고 또 몇 배로 쉽게 불어나는 경험을 했다. 아버지는 땅을 구매해서 집을 올려서 파는 소위 '집 장사'를 통해 단시간에 부를 축적할 수 있었다. 저자의 부모는 서울의 도시화 과정에서 부동산 거품의 수행자로서 도시의 발전을 개인의 발

1983년 지은이의 부모가 지은 상가주택. 두 사람은 3층에 거주했다고 한다.
(출처: 『나의 이상하고 평범한 부동산 가족』, 136쪽, 클 제공)

전으로 체득해 왔다.

특히 저자의 부모가 거주했던 울산과 서울의 송파는 각각 공업 신도시, 주거 신도시로서, 빈 땅에 도시가 만들어지는 것을 경험할 수 있었다. 두 도시가 뚝딱 지어지는 스펙터클을 목격했던 것이다. 이 책은 개인사를 들춰냄으로써, 한국 사회에서 콘크리트 유토피아*가 사람들 마음속에 장착되는 과정을 생생하게 보여 주고 있다.

토지구획정리사업의 실질적 시행자, 집장사

서울의 도시 조직은 체계적인 계획보다는 개발과 정비 사업이 만든 것이며, 이 사업에 걸맞은 건축 유형이 들어섰다. 저자의 가족이

---

* 박해천의 동명의 책(『콘크리트 유토피아』, 자음과모음, 2011)의 제목이다. 이 책에서 저자는 아파트가 단순히 주거의 한 유형이 아니라, 중상류층의 생활이 가능하게 하는 매개체 즉, 강력한 이념적·사상적 프레임이라고 말한다.

승승장구한 사회적 배경에는 대표적인 정비 사업인 '토지구획정
리사업'이 있다.

1960년대 서울은 비용을 최소로 들이면서 빠른 도시화를 감
당하기 위한 수단으로 토지구획정리사업을 선택했다. 이 사업은
땅을 격자로 구획하고, 잘게 쪼개고, 용도를 지정한다. 이를 통해
구획된 민간의 땅은 모두 정부가 수용하며, 도로와 공공시설을 유
치한다. 땅을 내어 준 사람은 면적 일부를 잃게 되지만, 길이 나고
주변이 정비되기만 하면 땅값이 손해 본 면적을 훨씬 웃돌게 상승
하므로 남는 장사를 하는 셈이다. 정부는 체비지라는 여분의 대지
마저 조성해서, 이를 팔아서 사업비를 충당하기도 했다.

토지구획정리사업은 땅값의 급격한 상승을 가정해야 진행되
는 사업이다. 주택의 용도로 지정된 땅은 민간 부동산 시장에서 활
발하게 거래되었으며, 급증하는 서울의 인구를 수용하는 역할을
했다. 민간은 돈을 벌었으며, 정부는 없던 도시를 지을 수 있었다.

일제강점기인 1930년대에 '조선시가지정비사업'이란 이름으
로 시행된 이래 1988년까지 이 사업으로 조성된 땅은 약 132.4제
곱킬로미터이다. 가늠할 수 있게 말하자면 "녹지를 제외한 시가화
면적의 38.6퍼센트, 행정구역의 23퍼센트에 육박한다. (……) 이 시
기 구획정리사업은 도시계획의 동의어로 여겨질 정도로 절대적인
도시계획 수단이었다."*

저자의 부모가 서울에 올라온 1978년은 토지구획정리사업
이 최고로 성행하던 시기다. 시대가 만들어 놓은 사업을 저자의 부
모와 같은 '집장사'가 수행한 것이다.

'집장사'란 땅을 사서 집을 짓고 지은 집을 다시 되파는, 영세

---

* 김성홍, 『서울 해법』(현암사, 2020), 55-56쪽.

한 부동산 개발업자를 의미한다. 집을 마치 물건처럼 빠르게 만들어 판다는 다소 부정적인 지칭어다. 하지만 토지구획정리사업으로 정비된 땅 중 민간 시장에 풀린 주거 지역의 소규모 필지를 채운 시행 주체가 바로 집장사였다. 공공이 제공할 수 없는 많은 수의 주택이 저자의 부모와 같은 이들에 의해 공급된 셈이다.

이렇게 지어진 집을 '집장사 집'이라 부른다. 아파트와 같은 대규모의 공동주택은 대형 건설사가 짓지만, 보통의 사람들이 살았던 대부분의 집들은 건축가나 시공사가 아닌 집장사가 만들었다. 하나의 단독주택에 지하 세 세대, 1층 네 세대, 2층 한 세대까지 최대 여덟 세대 정도가 살 수 있었다고 하니, 고밀도의 저층 주거지가 감당했을 인구 규모를 짐작할 수 있다. 실제로 도시학자들은 아파트 단지보다 저층 주택지의 인구 밀도가 높다고 본다.

집장사들이 만든 1종, 2종 주거 지역의 모습은 우리가 흔히 골목길 풍경 하면 떠올리는 그것이다. 미니 2층 혹은 미니 3층이라고 하는 반지하가 있는 1-2층 집으로, 외부에 계단이 있고 벽돌로 마감된 집이다. 원래 단독주택지였다가 점차 다가구주택, 다세대주택, 연립주택이 지어지기 시작했다. 늘어나는 도시 인구를 수용하기 위해 면적과 층수를 계속 상향해 왔기 때문이다. 예컨대 처음 다세대주택이 나왔을 때는 100평이 최대 가능 연면적이었는데, 지금은 200평으로 두 배가 되었다.

저자의 부모는 토지구획정리사업 지구를 따라다니며 집 한 채를 지어 아래층에 세입자를 들이고 본인들은 꼭대기 층에 살다가, 또 다른 지구에서 새로운 집을 짓고 헌 집을 파는 방식으로 부를 축적했다.

본인이 살기보다는 세를 놓기 위해서 만들어졌던 집이 대부분으로 다세대·다가구 주택 밀집 지역은 지금도 세입자 비율이 높다. 2020년 인구주택총조사 결과 단독·다가구·다세대 주택의 거주 가구 178만 중 3분의 2가 세입자다.* 주로 1970-1980년대 개발되었고, 세입자가 많이 사는 이 저층 주거 밀집 지역은 30년이 지나 노후화가 된 지금, 동시대 건축 사무소들에게 재개발이 의뢰되는 땅들이다. 이곳은 주택보다는 근린상가로 바뀌고 있으며, 늘어나는 자영업을 수용하기 위한 또 다른 도시화가 진행되고 있다.

아파트가 만들어 낸 한국형 중산층

이 책에서 저자의 어머니는 집장사로서뿐 아니라 가족을 아파트-중산층으로 만드는 역할로도 그려지고 있다. 아파트에서의 중산층 생활 문화를 만드는 여성의 역할에 대해 선명하고 입체적으로 보여 주고 있는 것이다.

평수를 넓혀 가며 반복되는 이사를 통해서 계층 사다리를 오르는 데 여성의 역할은 중요했다. 어머니는 개발 환경의 변화에 민감했으며, 주변에서 들려오는 황금알에 대한 정보는 여성을 계층 사다리를 오르는 주체로 만들었다. 저자의 어머니는 갓 결혼한 후, 시댁으로부터 45만 원을 빌려서 '시영 아파트'를 사고, 2년 후 바로 팔아서 세 배의 이익을 낸 후, 다시 새로운 아파트 공사 현장을 통해서 새로 이사 갈 집을 모색했다. 부족한 돈은 주변으로부터 빌려서 다시 신도시 아파트 24평을 400만 원에 사고, 두 배의 가격으로 되팔았다.

개발 도상국 한국에서 아파트가 교환가치를 낳는 거위임을 일찌감치 간파한 것은 여성이었고, 돈을 빌려서라도 이 구원의 밧줄을 잡아야 한다는 것을 알아챈 것도 여성이었다.

---

* 허남설, 『못생긴 서울을 걷는다』(글항아리, 2023), 56쪽.

"엄마 역시 단지 내의 큰 평수로 이사한 뒤로 우리가 중산층을 넘어섰다고 인식하고 있었다."(33쪽) 중산층이 구매할 수 있는 규모의 아파트에 입주하는 것이 아니라, 이런 규모에 입주해야 중산층이 된다는 것을 어머니는 알고 있었다. 중규모대의 아파트에 이사한 다음에는 이 사회적 계층의 간극을 사회적 소비를 통해서 메우는 일이 남았다.

1980년대 중후반 경제적 부흥은 중산층의 소비 문화로 드러난다. 사실 중산층은 이사로 인한 계층 사다리를 타면서 형성되는 것일 뿐, 그 역사적인 실체는 존재하지 않았다. 홈비디오, 캐논 카메라, 검은색 '각 그랜저', 가죽 소파와 대리석 식탁, 드럼세탁기, 식기세척기, 가스오븐레인지, A급의 유화 모작, 파출부 아줌마, 반상회나 유치원 학부모 모임, 일제 브랜드 옷, 백화점 문화 센터의 꽃꽂이와 가요 교실, 요리 교실과 같은 주부 대상 강좌들, 주말의 골프, 양주, 해외 연수, 주말 외식, 해변 콘도미니엄에서 보내는 여름휴가까지 기존에 없던 여러 생활 양식들이 텅 빈 아파트를 채워 갔다. 이 소비의 중심에는 백화점이 있으며, 백화점들은 앞다투어 순환버스를 운행하면서 소비를 일상생활의 사이클 안에 포함시켰다.

책 속에 삽입된 니콘 카메라로 찍은 사진들은 어쩌면 나의 집 앨범에서 나왔다고 해도 과언이 아닐 정도로 닮아 있다. 백화점 순환버스, 반상회, 스터디 모임 등이 매일의 일과에 파고들면서 서로의 삶들을 비교하게 해주었으며, 몇 평대 아파트 자가 소유 이외에는 아직 허상처럼 비어 있는 계층의 문화를 소비로 채우게 해주었다. "나는 매일 아파트단지 밖으로 벗어나지 않는 하루를 보냈고 우리 가족의 일상은 늘 쾌적했다."(38쪽)

서울의 주거 지역.(출처: flickr.com)

K

'K'의 수식을 받는 여느 단어와는 달리, 이 책에서 쓰이는 K-가족은 다소 부정적인 의미를 띤다. 한국의 급격한 성장을 가능하게 했던 부동산 개발과 아파트 문화가 이 단어가 뿌리내린 자리다. 부동산으로 성했건 망했건, 우리는 모두 이 단어에서 자유롭지 못하다. 나의 가족이 살아온 공간 역시 K-주택가와 K-아파트라고 부른다고 해도 별로 이상하지 않다. 보문동의 저층 밀집 지역과 이 책에 나오는 오금동 사진을 섞는다고 해도 우리는 몰라볼 것이기 때문이다.

　무엇보다 나는 건축 설계를 하는 사람으로서 지은이의 아버지와 같이 과거에 집장사였던 K 씨를 가끔 만나고는 한다. 저자를 뜨악하게 만들었던 것과 비슷한 말도 안 되는 사업 계획서를 몇 번 받아 보면서, 이분이 어떤 과거를 가진 것인지 궁금했던 적이 있다. 이런 내게 저자의 가족은 전혀 이상하지 않고 어쩌면 평범하게 느껴진다.

　　『나의 이상하고 평범한 부동산 가족』은 영화 〈버블 패밀리〉의 비기닝으로 보인다. 책에서 저자는 자신이 '버블 패밀리'로 명명한 대상이 어떻게 태어났는지, 그리고 한국 사회에서 얼마나 흔한 존재인지 파헤친다.

　　영화에서는 저자의 가족이 경제적 나락으로 떨어지는 과정을 보다 오래 보여 주지만, 책은 한국 사회에 부동산 거품이 중산층 가정을 피어오르게 하는 모습에 더 주목한다. 상승하는 부동산 경기에 수혜를 입고, 1970-1980년대 이 거품을 키우는 데 일조한 어머니, 아버지의 매 순간 판단과 실행은 구체적이고 입체적으로 그려진다. 독자들이 이 이야기 속에서 자신의 닮은꼴 이야기 하나쯤은 찾아낼 수 있을 정도다. 책을 먼저 보고 영화를 나중에 본 내가 마음이 불편해서 영화를 한 번에 보지 못하고 10분씩, 15분씩 끊어서 봐야만 했던 것도 이런 이유 때문이라 생각한다. ▨리뷰

강예린
본지 편집위원. 건축가. 서울대 건축학과에서 가르치고 있다. '브릭웰', '생각이섬', '윤슬' 등의 공간을 디자인했으며, 공저로 『도서관 산책자』, 『아파트 글자』 등이 있다.

📖 저자는 달동네와 도심 제조업 밀집 지역 등 살기
불편하고, 환경이 좋지 않은 소위 '못생긴' 서울 동네를
파고들면서, 이곳이 부동산 개발로 극복해야 하는 대상이
아니라, 도시 생태에서 필요한 장소인 이유를 밝힌다.
대개의 이런 못생긴 동네는 가파른 경사 등으로 개발 이윤이
잘 성립되지 않는 땅으로서, '재개발 이슈'가 그저 오가기만
하는 땅이다. 개발이 대답 없는 메아리처럼 계속 되돌아오는
땅에서, 한국의 부동산 DNA가 어떻게 드러나는지
살펴볼 수 있다.

"우리 사회의 재개발은 '덩치'를 키우는 방향으로
진화했습니다. 그 결과가 지금은 1만 세대까지 불어난
대단지 아파트입니다. 재개발의 진화를 이러한 방향으로
이끈 유전자는 '비용'입니다." — 책 속에서

『못생긴 서울을 걷는다』
허남설 지음
글항아리, 2023

📖 이 책은 정치, 경제, 사회, 문화, 디자인 모두를 아우르고
엮어서 아파트를 대한민국의 특정한 역사 주체로 설정하고
있다. 특히 2장 '아파트의 자서전'에서는 아파트의 인테리어,
소품, 가구, 생활사에 이르기까지 생활 문화 전반을 미시적인
관점에서 다룸으로써, 거주하는 사람들이 아파트를 체득하는
과정을 입체적으로 조망하고 있다.

"나는 감각의 생산양식을 구축해 거주자들이 특정한
시각성의 논리를 체화하도록 독려했고, 일상의 프로그램을
제공해 독특한 구별짓기의 알고리즘을 내면화하도록
만들었다. 나는 그들 내면의 윤곽을 주조하는 거푸집이었던
것이다." — 책 속에서

『콘크리트 유토피아』
박해천 지음
자음과모음, 2011

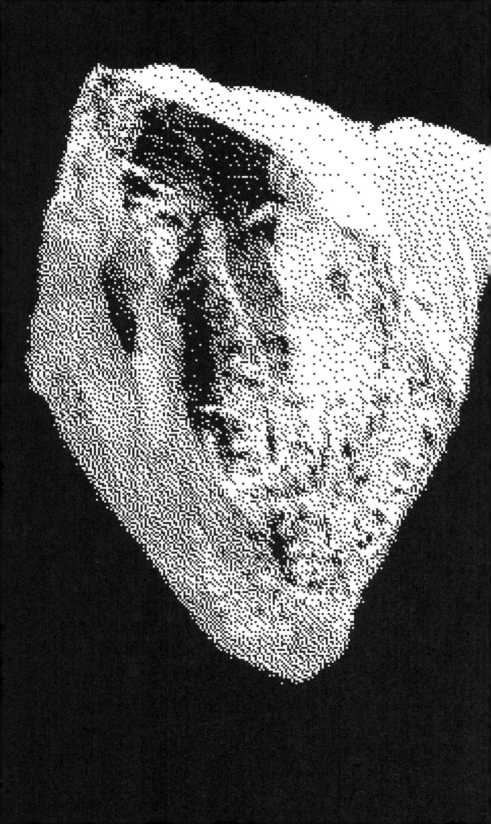

문학

서울
리뷰 오브
북스

빈 책장

김용언

독서 취향은 어린 시절에 확고하게 결정된다. 문제는 그 취향이 주변 어른들을 보고 따라갈 수 있는 상황이 아니라면, 어린이의 독서는 갈팡질팡할 수밖에 없다는 점이다. 나의 독서 생활도 그렇게 될 운명에 가까웠다. 가족 중에는 안타깝게도 책을 좋아하는 이가 없었고, 집에 비치된 책의 종류도 대단히 적었다. 유일한 지표물은 50권짜리 계몽사 '소년소녀세계명작전집'이었다. 내가 갓 태어났을 무렵 언니와 오빠에게 읽힐 용도로 샀을 그 낡고 너덜너덜한 책들만 되풀이해 들여다봤다.*

---

* 부연하자면 이건 나의 영화 체험과도 궤를 같이한다. 우리 집에는 베타 비디오플레이어밖에 없었다. 비디오카세트 기계의 '표준 전쟁'에서 베타와 VHS가 힘을 겨룰 때, 아버지는 이유를 알 수 없지만 베타 비디오플레이어를 구입했고, 뒤이어 그 전쟁의 승자는 VHS로 판명 났다. 우리 집 베타 비디오는 TV 프로그램을 녹화하는 것 이외에는 쓸모가 없었다. 내가 고등학교 1학년이 되어서야 우리 집에 비로소 VHS 비디오플레이어가 구비됐는데, 그전까지는 MBC 〈주말의 명화〉나 KBS2 〈토요명화〉, KBS1 〈명화극장〉, KBS3 〈세계명작감상〉 같은 프로그램에서 녹화한 영화들만을 수십 번 돌려보곤 했다.

문학 · 에세이

어린 시절에는 여유와 공백이 참 많다. 얼마 되지 않는 양의 엔터테인먼트를 보고 또 보는 것으로 그 시간을 채워 나가다 보면, 어린이는 어느 정도 현실과 유리된다. 예를 들어 계몽사 전집에 포함되어 있던 루이스 캐럴의『이상한 나라의 앨리스』에 매혹된 나머지, 나는 초등학교 저학년 시절까지 집 외벽 아래쪽에 뚫려 있던 환기구인지 배수구인지 모를 구멍의 창살 너머 캄캄한 공간을 기웃거리며 그 안이 깊이 낙하할 수 있는 공간인지 알아보려 애썼고, 이후에 따로 구매한『거울 나라의 앨리스』를 읽고 나서는 집에 다른 식구가 없을 때 거울 앞에 서서 그 너머로 내가 정말 넘어갈 수 있을지를 숙고했다. 지금 와서 돌이켜보면 어처구니없을 정도로, 미취학 아동도 아니고 이미 초등학교를 다닌 지 몇 년이 지난 다음에조차 이세계, 세계 이면, 지금 나를 둘러싼 세계와 맞닿아 있지만 '지금 여기'는 아닌 세계가 존재한다는 가능성에 의심을 품지 않았던 것이다. 어쩌면 어려서부터 성경 공부를 받았던 탓도 있지 않을까 싶다. 「요한계시록」에서 그토록 무시무시하게 묘사된 신의 진노에 의한 인류 종말과 그 이후에 펼쳐질 새로운 세계를 믿으라고 되풀이해 배웠다면, 지하 깊숙이 떨어지는 토끼 굴이라든가 거울 표면이 노골노골해지면서 사람을 들여보내는 세계 같은 것을 진지하게 받아들이지 못할 이유는 없지 않을까.

따로 가이드가 없는 상황에서, 어린이는 가장 가까운 책장을 기웃거리기 마련이다. 당시 우리 집 책장에는 부모님이 어디선가 받은 것으로 추정되는 아주 옛날 책들이 열몇 권 정도 꽂혀 있었다. 그중 세로쓰기 해외 명작 소설 선집이 있었다. 나 외에는 아무도 관심 가지지 않았을 것이 분명한, 누렇게 변색됐지만 양장 표지만큼은 손 탄 데 없이 깔끔하게 보존된 그 책들을 펼쳤을 때 「비곗덩어리」라든가 『선택받은 사람』, 「귀여운 여인」 같은 제목들이 눈에 들어왔다. 세로쓰기된 문장을 더듬더듬 읽어 내려갔지만 초등학생의 눈으로는 이해할 수 없는 구절투성이였다. 그 책들은 다시 고이 골방 책장 안으로 돌아갔지만, 거기서 딱 하나 건져 낸 작품은 H. G. 웰스의 「녹색의 문」*이다. 간결하고 쉬운 문장으로 이뤄진 단편이고, 게다가 나와 비슷한 또래의 아이(주인공의 어린 시절)도 등장한다. 세로쓰기 문장들에 열심히 집중해서 끝까지 읽었을 때 그 스산한 결말에 굉장히 충격받았다. 인생이 이렇게 덧없단 말인가? 아무리 열심히 전속력을 다해 살더라도 말미에 남는 건 회한과 아쉬움뿐인가? 환상적인 경계를 다룬 그 작품이 가장 소름 끼치는 현실을 일깨웠고, 내 앞에 펼쳐진 기나긴 미래에 대해 처음으로 두려움과 불안을 불러일으켰다.

그 시기에 읽은 또 다른 책은 녹색 표지의 문고본인 신지식의 『하얀 길』이다. 이 역시 「녹색의 문」만큼은 아니더라도, 어릴 때부터 염세적인 멜랑콜리에 심취하게 됐던 중요한 이정표가 됐다. 학교를 제대로 졸업하는 것이 소원이라 했던 병약한 친구가 오랜 휴학 끝에 결국 침상에서 일어나지 못하고 숨을 거두자, 학교 인근의 화장터로 이어지는 하얀 길을 내려다보며 슬퍼하는 화자의 모습에 나까지 울어 버렸다. '중국 대련'이라든가 '신작로'라는 낯선 명칭이 어

---

* 호르헤 루이스 보르헤스가 고른 '바벨의 도서관' 시리즈에는 '벽 안의 문'이라는 제목으로, 현대문학의 웰스 단편선에는 '담장에 난 문'이라는 제목으로 실려 있다.

린 마음에도 꽤 이국적으로 와닿았던 기억이 생생하다. 당시에는 물론 이 작품이 1948년 작이라는 걸 알지 못했지만, 아마도 한국 근현대의 일상에 대한 관심이 이때부터 미미하게 싹트지 않았는가 하는 생각을 뒤늦게 했다.

　다음으로는 드디어 학교 도서관이 등장한다. 내가 살던 동네에는 그때만 해도 도서관이 없었다. 혹시 있었다 하더라도 내 주변에는 도서관의 기능과 가치에 대해 알려 줄 사람이 없었다. 초등학교에서 도서관이라는 공간을 처음 발견했을 때 신세계가 펼쳐진 것 같았다. 나는 무엇부터 읽어야 할지 모르는 채, 마음이 부풀어 올라 터질 것 같은 상태로 (이렇게 많은 책이 꽂혀 있는 공간을 처음 접했다) 어린이 눈높이에 맞춰진 책장 사이를 걸어 다니며 눈을 사로잡는 제목들을 찾았다. 그러고 나서 꺼내 든 게 코넬 울리치의 『검은 옷의 신부』였다. 다음은 엘러리 퀸의 『이집트 십자가의 비밀』이었다. 둘 다 해문출판사의 아동 추리 문고였던 걸로 기억한다. 이 작가들이 누군지, 이 작품들이 미스터리 역사에서 어떤 위치를 차지하는지 같은 정보를 초등학생이 알 턱이 없었다. 그저 제목이 흥미로워서 꺼내 봤는데, 거기에는 초등학생용으로는 다소 과한 삽화들이 실려 있었다. 이집트 십자가라는 건 T자형 십자가를 뜻하고 거기에 맞춰 목이 잘린 시체가 매달린다는 설정이었는데, 그 목 없는 시체 그림이 떡하니 한 면 가득 실린 것을 접하고 그날 밤 악몽에 시달렸다. 그런데도 책을 손에서 놓을 수가 없었다. 어린이용 책은 대개 아름답고 선한 이야기이며, 설령 참혹한 내용을 다루더라도 알아서 삭제하거나 편집하여 어린이를 어린이의 세계에 가두는 경향이 있다

(이를테면 계몽사 전집에 실린 찰스 램과 메리 램의 『셰익스피어 이야기』에는 찰스 램의 강한 고집 때문에 거의 모든 잔혹한 디테일들이 삭제됐다는 걸 나중에야 알았다). 그런데 이 추리소설들은 달랐다. 교훈 없이, 예측하기 어려운 사건의 전환이 휙휙 일어나며 범인이 누굴까, 왜 이런 짓을 저질렀을까라는 질문에 집중하며 결말을 향해 내달리는 짜릿한 기분은 순수하게 '이야기'의 즐거움을 깨우쳤다. 이후의 독서는 코넬 울리치의 『환상의 여인』과 『새벽의 데드라인』(『검은 옷의 신부』를 읽고 난 뒤 이 작가 작품은 믿고 읽어도 된다는 나름의 믿음이 생겼기 때문이다), 코난 도일의 셜록 홈즈 시리즈, 모리스 르블랑의 괴도 뤼팽 시리즈, 오스카 와일드의 『도리언 그레이의 초상』, 에밀리 브론테의 『폭풍의 언덕』 등으로 이어졌다. 물론 중간중간 어린이답게 에리히 캐스트너의 『로테와 루이제』와 김내성의 『쌍무지개 뜨는 언덕』이라든가 권정생의 『몽실 언니』, 조흔파의 『얄개전』도 즐겁게 읽었지만, 기본적인 취향은 좀더 어둡고 선정적이고 스릴 넘치는 쪽으로 기울었던 것이다.

초등학교 6학년쯤 되었을 때 부모님께 책을 사달라고 조르면 "쓸데없는 것 읽지 말고 공부나 해라"라는 답이 돌아오기 시작했다. 더 어릴 때는 어쩌면 어린것이 알아서 책을 척척 읽느냐며 주변에서 칭찬이 쏟아져서 부모님도 우쭐해했다. 하지만 '성적'과는 크게 상관없는 종류의 책에 열중한다는 걸 눈치채고 나서부터는, 책은 내 공부의 장애물로 여겨졌다. 나는 책을 읽어도 된다는 걸 입증해 보이기 위해 성적을 잘 받아야 한다는 사실을 깨달았고, 많이 분개했다.

그때 열을 올려 모으던 책은 신지식 선생이 번역한 루시 몽고

메리의 열 권짜리 빨강머리 앤 시리즈였는데, 시험 성적이 잘 나와야지만 한 달에 한 권씩 선물 받았기 때문에 무려 열 달이 걸려 겨우 책장 한 칸을 다 채울 수 있었다(아버지가 퇴근길에 사 온, 교보문고나 종로서적 포장지가 곱게 싸여 있던 책을 건네받을 때마다 설레던 마음은 아직도 생생하다). 게다가 추리소설에 본격적으로 열중하기 시작한 나는 해문출판사에서 나온 애거사 크리스티 전집을 갖고 싶었는데, 네 권 정도까지는 참던 부모님이 더 이상의 '사람 죽이는' 이야기는 금지라고 선언했다. 그 외에도 삼중당 문고라든가 학원사의 '한권의책' 문고를 모으는 데 재미가 들렸던 터라, 한 달 용돈 2,000원으로는 내 아카이브를 꾸리는 게 불가능하다는 결론에 도달하기에 이르렀다. 그때부터 나는 동네 서점을 나만의 도서관으로 삼기 시작했다.

당시 우리 동네의 유일한 서점이었던 우일서점 사장님께는 정말 죄송하고 감사하다. 한번 들어가면 평균 두 시간씩 선 채로 책 한 권을 다 읽고 나오는 어린이에게 단 한 번도 꾸지람이나 핀잔을 준 적이 없었다. 부모님이 절대 사주지 않을 종류의 아슬아슬한 책들을 거기서 전부 다 읽었다. 애거사 크리스티의 추리소설뿐 아니라 김동화와 김수정의 만화책, 파름문고, 하이틴 로맨스 시리즈, 할리퀸 로맨스 시리즈까지. 바야흐로 '명작'이 아닌 '대중 소설'에 마음의 눈을 뜨기 시작한 것이다. 가까운 어른들 중 누구도 내게 '이런' 책을 읽어 보라고(내지는 읽어야 한다고) 추천해 주거나 안내해 주지 않았지만, 바로 그렇기 때문에 나는 순전히 재미와 몰입을 위해 읽는 책의 뒤를 정신없이 따라갔다. '읽어야 한다'가 아니라 '읽고 싶다'는 마음으로 향하는 독서는 나의 가장 아름다운 취미였다.

그래서 다시 한번 처음의 문장으로 돌아간다면, 어린 시절 독서는 이후의 나에게 얼마만 한 지분을 갖게 됐을까? 나는 거의 전부라고 생각한다. 초등학교 시절의 내가 자라서 연구자가 아니라 마니아의 상태로, '잡학'을 선호하는 에디터의 상태로 계속 살아왔다. 여기가 아니라 저기인가, 하고 여기저기 기웃거리며 서성거리는 삶을 거쳤다고 여겼지만, 결국 매번 처음으로 돌아가서 거기서부터 다시 출발하고는 했다. 불균형하게 결핍된 독서였지만 그것을 조금씩 보충하고 메워 나가면서 한 발자국씩 내디뎠고, 그것으로 밥벌이까지 했다. 턱없이 부족하다고 느꼈던 옛날 우리 집 책장이 나를 떠밀어 줬다고 해도 과언이 아닐 것이다. 텅 비었다고 불만스러워했지만, 그다음부터는 내가 채워 넣으면 될 일이었다. **서리북**

김용언
미스터리 전문지 《미스테리아》 편집장. 영화 잡지 《키노》, 《필름2.0》, 《씨네21》, 장르 문학 전문지 《판타스틱》, 서평 웹진 《프레시안 books》 등에서 일했다. 『여자에게 어울리는 장르, 추리소설』, 『문학소녀』, 『범죄소설』 등을 썼고, 『내게는 수많은 실패작들이 있다』, 『죽이는 책』, 『코난 도일을 읽는 밤』 등을 우리말로 옮겼다.

마주침과 글쓰기

김홍중

〈질 들뢰즈의 A to Z〉라는 허름한 제목의 대담 비디오가 있다. 들뢰즈가 남긴 유일한 영상물로서, 러닝타임은 여덟 시간이다. 평생 영상을 찍지 않았다던 들뢰즈가 이 작업에 참여한 이유는, 살아 있는 동안 내용을 공개하지 말아 달라는 그의 제안을 제작진이 수용했기 때문이다. 사후 상영이라면 솔직한 이야기를 할 수 있다고 판단했던 것 같다.*

사실, 들뢰즈는 타인을 쉽게 비판하지 않았던 것으로 잘 알려져 있다. 타인의 작품을 혹평하거나, 공격하거나, 혹은 한 수 가르쳐 주겠다는 식의 고압적 태도를 보인 적이 없다. 그는 자신에게 깊은 감흥을 준 저자들에만 몰두했다. 들뢰즈가 비평을 수행할 때는 언제나 대상에 새로운 생명을 부여하여, 그것을 낯설지만 참신한 무

---

* 하지만 1988년부터 1989년까지 촬영된 이 작품은 프랑스 TV 채널인 아르테(Arte)에서 1994년 겨울부터 1995년 봄까지 방영된다. 들뢰즈의 사망이 1995년 11월 4일이므로, 실제로는 (들뢰즈의 허락을 받아) 사망 전에 공개된다.

언가로 다시 변형시키는 창조적 갱신이 일어난다. 그것이 그의 비평 윤리였다.

그런데, 저 비디오에서 들뢰즈는 한심해 보이는 지식인들이나 이해하기 어려운 시류(時流)를 비판하기도 하고, 자기 기준으로 과대평가되었다고 생각되는 철학자(대표적으로 루트비히 비트겐슈타인)에 대한 독설도 서슴지 않는다. 하지만, 그럴 때조차도 그는 법정의 판사나 엄한 선생처럼 근엄하다기보다는 오히려 동네 할아버지처럼 소탈하고 소박해 보인다. 묘한 미소를 짓고, 은근슬쩍 농담을 하고, 간혹 숨 가쁜 기침을 해대면서, 여러 주제들에 대해 놀라운 명철함을 발하며 이야기를 이어 가는 들뢰즈의 저 영상을 볼 때마다 나는 모종의 행복감을 느낀다.

그것은 철학자가 철학하는 자리에 내가 관객으로서 참여하고 있다는 사실 그 자체에서 발생하는 것이다. 철학자가 말할 때, 그 말이 퍼져 가는 가청권 속에는 지성적인 것 고유의 즐거움과 긴장과 신경 자극이 부글거리며 형성된다. 그것은 주파수의 공유, 집중의 공유에서 오는 동질감이나 우정 같은 것이다. 친해서가 아니라, 같은 생각의 파장을 나누고 있기 때문이다. 흔한 오해와 달리, 철학자는 지혜로운 자가 아니다. 지혜를 소유한 자는 철학자가 아니라 현인이다. 철학자는 어리석다. 어리석기 때문에 철학을 하는 것이며, 어리석음을 알기 때문에 철학자가 되는 것이다. 거기에는 근원적 자기 겸양이 있다.

소크라테스의 어떤 문답에서도 우리는 단정적이고, 결정적이며, 최종적인 해답을 발견하지 못한다. 소크라테스는 단 한 번도 정답을 준 적이 없다. 대신, 우리를 물음으로 이끌고, 그 끝에서 어떤 벽을 더듬어 만지게 하는 것이다. 넘어갈 수 없는 불가능성 같은 것. '크랙'을 하나 뚫고 그 구멍으로 도망쳐 사라져야 할 문제의 벽. 이런 점에서, 철학자가 생산하는 것은 기존 지식을 파괴하고 뒤흔들어 혼돈을 야기할 수 있는 질문들이다. 철학은 지식이 아니라 반(反)-지식이다.

아마도 이런 이유로, 철학자는 현존하는 국가, 민족, 종교, 인종, 정파(政派) 그 무엇에도 복무하지 않는 것을 이상으로 삼는지도 모른다. 그는 오직 '아직 도래하지 않은 인민'을 위해 말한다. 가장 광활한 대지와 그 대지에서 살아가는 만물 중생을 위해 말한다. 가령 가이아 같은 것. 들뢰즈에게 철학은 언제나 지구-철학(geo-philosophy)이지 않았던가? 인간-너머의 철학, 비-유기체적 생명성을 보는 철학.

들뢰즈의 비디오를 보면서, 많은 사람들은 우리 문명이 21세기의 고도 자본주의 사회에서 서서히 상실해 가고 있는 철학자라는 인간형을 좀 더 가까이에서, 실감 있게 체험할 수 있을 것이다. 죽도록 진지해 보이지만 사실은 어수룩하고, 더 나아가 바보 같은 사람들. 시대를 '조금' 앞서가는 자들. 친구가 되고 싶은 자들. 철학자들이 있는 도시에서 산다는 것은 행복한 일이다. 반대로, 아무리 화려하고 번성하는 도시라 해도, 거기 저런 말들과 생각들과 유머와 의식의 벽을 때려 쪼개는 벼락같은 인식들이 생동하지 않는 도시, 저런 사람들을 찾아볼 수 없거나, 더 나아가서 그런 자들이 박해받거나 외면받는 도시는 끔찍하고 공허하고 허접하다.

어느 대목인지 정확히 기억나지는 않지만, 비디오에서 들뢰즈는 '마주침(rencontre)'에 대한 자신의 경험을 전하고 있다. 1988년에 그는 G. W. 라이프니츠에 대한 저서인『주름, 라이프니츠와 바로크』를 출판했다. 책이 나가고 나서, 프랑스 독자들로부터 편지를 여러 통 받았던 모양이다. 지식인들이 보낸 것도 있었지만, 철학의 문외한들이 보내온 것도 제법 있었는데, 특히 두 통의 편지가 기억에 남는다고 말하고 있다.

하나는 프랑스의 한 종이접기 단체에서 온 것이다. 종이를 접어 여러 형상을 만드는 공예를 취미로 하는 사람들이 들뢰즈의 책을 읽었다고 한다. 이들은 들뢰즈가 말하는 '주름(pli)' 개념에 공감하고, 감동을 받았다. 왜냐하면, 그들이 늘상 하는 작업은 종이를 접어 주름을 만드는 것, 주름을 갖고 노는 것이기 때문이었다. 이들은 라이프니츠를 알지는 못했지만 감각과 체험으로 주름의 논리를 이해했던 것이다. 이들은 편지에서 자신들이 바로 '주름'이라고 쓴다.

또 다른 편지는 프랑스 서핑 협회에서 왔다. 서퍼들도 들뢰즈의 저서를 읽고 거기서 자신들의 삶을 보았다. 그들은 편지에 이렇게 썼다고 한다. 들뢰즈의 주름이라는 개념을 자신들이 너무나 잘 이해하고 있다고. 왜냐하면 자신들은 바다의 주름들(파도)을 헤쳐가는 일을 하고 있다고, 자신들에게 자연은 일종의 움직이는 주름이라고.

이 편지들이 들뢰즈를 매료시켰던 이유는 무엇일까? 저들이 자신의 저서를 정확히 이해했음을 확인했거나, 책에 대한 감사나 찬사를 보내왔기 때문이 아니다. 들뢰즈를 흔든 것은 "우리가 주름이다"라는 문장의 놀라움이었을 것이다. "우리가 주름이다"는 "우리는 주름 개념을 이해했다"와 질적으로 다르다. 후자는 아느냐 모르느냐의 문제, 이해했느냐 못했느냐의 인식의 문제다. 하지만 전자는 인식을 넘어서는 존재의 문제다. 자신들의 행위와 존재를 주름이라는 개념으로 꿰는 데 이르렀다는 것이다.

"우리가 주름이다"라는 말은 사실의 진술이라기보다는, 깨달음의 기쁨을 표현하는 영탄문 혹은 선언문과도 같다. 들뢰즈의 책은, 일종의 촉매처럼, 저들이 일상적으로 열정을 다해 실천하고 있던 행위들에 선명한 언어를, 정확한 개념을 부여했던 것이다. 들뢰즈가 스스로 주장하듯, 철학의 본령이 '개념의 창조'라면, 그는 지금 자신이 왜 뛰어난 철학자인지를 역설하고 있다. 그가 창조한 철학적 개념은 대학과 전문가들의 세계를 넘어, 평범한 사람들의 몸과 마음에까지, 저들의 일상적 삶에까지 연결되어 갔던 것이다. 일종의 정신적 방사(放射). 서양란과 말벌이 리좀적으로 연결되듯이, 철학자와 철학을 모르는 사람들의 삶은 그렇게 하나의 배치(assemblage)로 구축되고 있다.

마주침이란 이런 것이다. 그것은 철학의 바깥(종이접기의 세계와 서핑의 세계)으로 나가서 철학이 아닌 것들과 만나는 것이다. 동종(同種)이 아닌 이종(異種)과의 결합이며, 주체의 강화가 아니라 탈주체화다. 들뢰즈는 글쓰기에 대해서도 거의 동일한 생각을 품었다. 그에게 글쓰기는 자기(自己)를 탐구하는 수단도 아니고, 자기를 표현하는 방법도 아니다. 자기는 글쓰기의 실천에서 가장 중요하지 않은 것 중의 하나다. 왜 그럴까? 한 대담에서 그는 이렇게 말한다.

글쓰기는 도주선들과 본질적인 관계를 맺을 수 있다. 쓴다는 것, 그 것은 도주선을 그리는 것이다. (······) 글쓰기는 되기(devenir)다. 그 런데 **이때 되기는 작가가 되는 것이 아니다. 그것은 다른 무언가가 되는 것이다.** (······) 글을 쓰면서 작가는 언제나 글을 갖지 않은 자들 에게 글을 준다. 그러나 이 글을 갖지 못한 자들이 글쓰기에 되기를 제공한다. 이 되기가 없다면 글쓰기는 존재하지 않을 것이고, 오직 이미 확립된 기성 권력에 봉사하는 순수한 중언부언이 될 것이다.*

글쓰기에 돌입하는 순간, 우리는 바깥으로 가는 길의 입구에 선다. 즉, 타자들과의 마주침의 길, 도주로로 접어든다. 그래서 글을 쓰는 것은 자기를 완성하거나, 진정한 자아를 발견하거나, 참된 자 아를 회복하는 실천과 무관한 것이다. 정확히 반대로, 글쓰기는 본 질적으로 자아의 상실에 훨씬 더 가깝다. 왜냐하면, 자기의 바깥으 로 나가야 하기 때문이다. 내 상처와 내 고통과 내 이야기의 바깥으 로, 내 울분과, 내 분노와, 내 행복과, 내 공포와, 내 불안과, 내 사랑 과, 내 사랑의 상실과, 내 아픔의 바깥으로 나가서 다른 무언가와 만 나 연결되는 것이기 때문이다. 그 연결 자체가 저항이다. 모든 저항 은 기성의 권력의 바깥으로 가서 아직 도래하지 않은 인민을 만나 는 것이다.

들뢰즈는 우리 시대의 문화(그러니까 20세기 후반의 문화)가 자기 이 야기로 흘러가는 것을 몹시 안타까워했다. 그가 글쓰기를 동물-되

---

* Gilles Deleuze and Claire Parnet, *Dialogues*(Flammarion, 1996), pp. 54-55. 강조는 인 용자.

기, 소수자-되기, 여자-되기라 부르는 이유가 거기에 있다. 자기를 벗어던지고, 자기 바깥의 광활한 타자들의 세계로 가라. 도주선은 그 길을 따라서 변함없는 자기가 세상으로부터 도망치는 그런 통로가 아니라, 반대로 첩첩이 자기 자신의 세계에 갇힌 자가 그것을 벗어나 다른 것이 되는 연결 과정인 것이다. **서리북**

김홍중

본지 편집위원. 사회학자. 사회 이론과 문화사회학을 전공했으며, 현재 서울대 사회학과에서 가르친다. 최근 관심은 물성(物性), 인성(人性), 생명, 영성(靈性)의 얽힘과 배치이다. 지은 책으로 『은둔기계』, 『마음의 사회학』과 『사회학적 파상력』이 있다.

대담한 예술가의 발라드:
올리비아 로드리고의 두 번째 앨범

송지우

성공 이후

올여름 팝 음악 인터넷 커뮤니티에서는 새로운 팝스타 탄생의 어려움을 보도한 기사가 화제가 됐다.* 라디오의 영향력 감소, 미디어의 분절과 다변화, 아티스트나 앨범이 아닌 10여 초 음원 토막을 소비하는 틱톡(TikTok) 세대의 감상 문화, 그리고 드레이크(Drake), 테일러 스위프트(Taylor Swift)와 같은 중견 밀레니얼 슈퍼스타들의 쉼 없는 활동으로 Z세대 신인의 진입 공간이 좁아졌다는 분석이 오고 가는 와중에, 이례적인 2020년대 성공 사례로 지목된 이들이 래퍼 아이스 스파이스(Ice Spice)와 싱어송라이터 올리비아 로드리고(Olivia

---

* Elias Leight, "Pop Stars Aren't Popping Like They Used To—Do Labels Have a Plan?", *Billboard*, August 2, 2023, https://www.billboard.com/pro/record-labels-adjust-expectations-pop-stars/.

Rodrigo)였다. 아직 첫 정규 앨범을 내기 전인 아이스 스파이스와 달리 로드리고는 또 다른 대화의 주인공이기도 했다. 큰 성공을 거둔 데뷔 앨범《SOUR》(2021)에 이은 두 번째 앨범 발매를 앞두고 있어서였다.

2003년생인 로드리고는 청소년기의 대부분을 디즈니 채널 아역 배우로 일했다. 이런 면에서는 브리트니 스피어스(Britney Spears), 크리스티나 아길레나(Christina Aguilera), 마일리 사이러스(Miley Cyrus)와 같은 디즈니 출신 팝스타의 계보를 잇지만, 이들보다는 디즈니 정체성이 사뭇 옅다. 전형적인 디즈니 청소년 스타가 밝고 화려한 음악으로 첫인상을 남긴 것에 비해, 로드리고의 첫 히트곡인 〈drivers license〉(2021)는 팬데믹의 침잠된 분위기에서 틱톡을 타고 퍼진 슬픈 이별 노래이다. 사이러스를 비롯한 여러 디즈니 스타가 디즈니 산하 레이블에서 청소년기의 음반을 낸 데 비해, 로드리고는 조니 미첼(Joni Mitchell), 엘튼 존(Elton John), 소닉 유스(Sonic Youth), 너바나(Nirvana)와 같은 아티스트들로 명성을 쌓은 게펜 레코즈(Geffen Records)에서 데뷔 앨범을 냈다. 앨범 수록곡은 대부분 가장 직접적인 의미의 '침실 팝(bedroom pop)', 즉 팬데믹 상황에서 말 그대로 방 안에서 혼자 만든 노래였고, 〈drivers license〉의 성취가 단지 우연이 아님을 보여 줬다. 직관적이면서도 진부하지 않은 멜로디와 섬세한 가사가 가득한《SOUR》로 로드리고는 나이에 비해 놀라운 내공을 지닌 작곡가이자, '아역 배우'보다는 '문학 청소년'과 같은 수식어가 어울리는 관찰력의 작사가로 자리매김했다.

〈drivers license〉의 인기가 폭발하기 전 로드리고는 소셜미디

올리비아 로드리고의 《SOUR》 앨범 커버.(출처: 게펜 레코즈)

어에 자작곡을 올리며 조금씩 청취자층을 확립하는 중이었다. 로드리고의 두 번째 앨범은, 뜻밖의 성공 이후에는 무엇을 어떻게 해야 하는지의 문제에 답해야 했다. 첫 성공 이후 결과물에 대한 중압감은 예술이나 스포츠에서 익숙한 경험이다. 새삼스러운 관심과 기대치가 복잡하게 얽힌 상황에서 당사자는 첫 성공을 재현하기는 커녕 제대로 이해할 수도 없다는 막막함을 느끼고는 하고, 사람들

문학 · 에세이

은 언제라도 '소포모어 슬럼프(sophomore slump)', '소포모어 징크스 (sophomore jinx)'를 얘기할 준비가 된 듯하다.* 성취의 수치화가 상 대적으로 쉬운 스포츠에 비해 예술에서 소포모어 슬럼프의 개념은 그 애매함으로도 창작자를 압박한다. 슬럼프 극복의 기준이 때로는 즉각적인 상업적 성공인 듯하기도, 때로는 평단의 인정인 듯하기 도, 때로는 긴 커리어를 지탱해 줄 지지층의 확립인 듯하기도 하다.

그만큼 소포모어 슬럼프의 진단은 변덕스럽다. 단기 평가가 얼 마나 허무할 수 있는지 보여 주는 사례로 록 밴드 위저(Weezer)의 두 번째 앨범《Pinkerton》(1996)이 있다. 위저의 첫 앨범《Weezer》 (1994)는 큰 성공을 거뒀고, 익살스러운 파워팝(power pop) 싱글 〈Buddy Holly〉는 공전의 히트곡이 되었다. 하지만 밴드 리더 리버 스 쿼모(Rivers Cuomo)의 어둡고 문제적인 내면을 한층 실험적으로 다룬《Pinkerton》은 혹평을 받으며 별다른 반향을 일으키지 못했 다. 당시 반응에 낙담한 쿼모는 수년 동안 위저 활동을 중단했지만, 2000년대 중반에 이르러《Pinkerton》은 21세기 록과 펑크 음악, 특히 이모(emo) 하위 장르의 형성에 영향을 주며 1990년대의 가장 중요한 록 앨범 가운데 하나로 재평가받게 되었다. 어쩌면 1996년

---

* '소포모어'가 2학년을 뜻한다는 점에서 '소포모어 슬럼프'는 가장 직접적으로는 두 번째 작품이나 시즌을 지칭하지만, 예술 영역에서는 통상 '처음 두각을 나타낸 작품 직 후 작품'을 뜻하는 느슨한 의미로 쓰인다. 예를 들어 대표적인 '소포모어 슬럼프' 사 례로 거론되는 앨라니스 모리셋(Alanis Morissette)의《Supposed Former Infatuation Junkie》(1998)는 사실 그의 네 번째 앨범이고, 가장 성공한 작품인《Jagged Little Pill》 (1995)은 그의 세 번째 앨범이다. (음악적으로《Supposed Former Infatuation Junkie》를 '슬럼프'로 분류하는 게 적절한지에는 의문이 있지만, 자세한 논의는 생략한다.)

의 26세 쿼모에게 "중요한 것은 꺾이지 않는 마음"이었을지 모른다. (말이 쉽지만 말이다.)

록 음악의 용기, 경험과 실수의 용기

다행히 로드리고는 두 번째 앨범에서 이런 마음을 찾은 듯하다. 《GUTS》(2023)는 《SOUR》에서 흥미로운 조연이었던 록과 팝펑크를 전면에 내세우며 한층 복합적인 전개를 보인다. 서정적 발라드로 성공을 거둔 가수가 현재 팝 시장에서 비주류 장르인 록의 비중을 높인 것은 모험이다. 그렇지만 '용기'를 뜻하기도 하는 앨범 제목처럼, 《GUTS》는 첫 수록곡 ⟨all-american bitch⟩부터 록으로 질주한다. ⟨drivers license⟩와 《GUTS》의 가교 역할을 한 싱글 ⟨vampire⟩는 차분한 피아노 발라드로 시작하지만 점점 속도를 높여서 숨 가쁜 록발라드로 끝난다. 노랫말도 이별을 슬퍼하기보다는, 나이 차를 이용한 가스라이팅(gaslighting)을 일삼은 전 연인을 저격하는 내용이다. "난 내가 똑똑한 줄 알았지만, 넌 날 너무 멍청해 보이게 했지", "내게 이를 박으며 나를 토막내 팔아 버렸지", "그녀가 아닌 나를 택했지, 네 또래 여자들은 물정을 아니까"에서 "진정한 사랑이라고 했지만, 그건 어렵지 않겠어? 너는 아무도 사랑할 수 없어. 그러려면 심장이 있어야 하잖아"로 이어지는 가사는,* 영리

---

* "I used to think I was smart/But you made me look so naive/The way you sold me for parts/As you sunk your teeth into me", "Went for me and not her/Cuz girls your age know better", "You said it was true love/But wouldn't that be hard?/You can't love anyone/Cuz that would mean you had a heart", ⟨vampire⟩, 《GUTS》(2023).

올리비아 로드리고의 《GUTS》 앨범 커버.(출처: 게펜 레코즈)

하지만 경험 부족으로 취약할 수밖에 없는 청(소)년이 착취적 관계를 벗어나며 느끼는 분노와 해방감을 내달리는 브릿지에 담는다.

사랑의 경험을 노래하는 〈vampire〉는 《SOUR》의 세상과 《GUTS》의 세상을 잇는 동시에 두 앨범 사이의 변화를 암시한다. 《GUTS》의 지배적 화두는 '사랑'이 아닌 '경험'이다.《GUTS》의 로드리고는 경험만이 가져다줄 수 있는 현명함을 찾아 나서고, 이러한 현명함의 대가인 숱한 실수를 남긴다. 《GUTS》의 용기는 이런 실수를 솔직하게 기록하는 데에도 있다. 《GUTS》의 화자는 헤어진 연인과 좋게 끝날 리 없는 재회를 시도하고(〈bad idea right?〉), "실망한 친구들"의 만류에도 불구하고 형편없는 남자에 집착하며(〈get him back!〉), '환승'한 연인에 분노해서 "3차 세계대전을 시작할 뻔"한 기억에 괴로워한다(〈love is embarrassing〉).* 마치 〈drivers license〉 속편인 듯한 구조의 〈the grudge〉에서는 깊은 상처를 남긴 이를 향한 "죽지 않는 사랑"을 "원한처럼 붙들고 있는" 스스로를 직시하고,** 〈vampire〉와 마찬가지로 연상의 연인에게 이용당한 경험을 노래한 〈logical〉에서는 가스라이팅 관계의 심리적 처참함을 적나라하게 회고한다("내가 너무 어리다고 했지, 너무 여리다고 했지, 농담을 농담으로 받을 줄 모른다고 했지, 널 만족시킬 수 없다고 했지").***

하지만 《GUTS》의 핵심 경험은 특정한 연인과 상관없는 청년기의, 특히 젊은 여성의 성장통이다. "깃털처럼 가볍고 판자처럼 꼿꼿"해야 하고, "용서하고 잊고" "자기 자리를 알고" "언제나 감사"해야 한다는 이상을 되뇌다 급기야 비명을 지르는 〈all-american

---

* "You found a new version of me/And I damn near started World War III", 〈love is embarrassing〉, 《GUTS》(2023).

** "My undying love, now I hold it like a grudge", 〈the grudge〉, 《GUTS》(2023).

*** "Said I was too young, I was too soft/Can't take a joke, can't get you off", 〈logical〉, 《GUTS》 (2023). 앨범 발매 직후 인터넷에서는 수록곡들의 가사를 로드리고의 실제 사생활과 엮는 논의가 무성했는데, 정작 〈logical〉은 친구의 경험담에 기반한 곡이라고 한다. Riyah Collins, "Olivia Rodrigo: Guts Album Track Inspired by Best Friend Madison Hu", *BBC*, October 2, 2023, https://www.bbc.com/news/newsbeat-66986664.

bitch〉,* "몸을 바꾸고 얼굴을 바꾸고 모든 색의 모든 립스틱을 시도해 봐도" 여전히 예쁘지 않다는 심리적, 사회적 압박을 그리는 〈pretty isn't pretty〉,** "나이에 비해 훌륭하다"는 칭찬이 언제나 어릴 수 없는 청(소)년에게 안기는 중압감을 파헤치는 〈teenage dream〉은 사회적 기대치의 무게 아래에서 움튼 혼란과 분노를 내뿜는다.***

앨범의 중간을 차지하는 〈ballad of a homeschooled girl〉, 〈making the bed〉, 그리고 〈lacy〉는 싱어송라이터로서의 탁월함이 특히 빛나는 곡들이다. 〈ballad of a homeschooled girl〉은 밥 딜런(Bob Dylan)의 〈Ballad of a Thin Man〉이 발라드이듯 발라드인, 즉 '사랑을 주제로 하는 감상적인 노래'로서가 아니라 '자유로운 서사시'로서의 발라드이다. 홈스쿨링이라는 다분히 미국적인 경험을 설정하지만 실은 사회 생활이 어색한 모든 이를 위한 합창가로, "웹사이트에서 '대화를 시작하는 법'을 검색"하면서까지 준비해도 막상 파티에 가서는 "잔을 깨고, 넘어지고, 말해서는 안 될 비밀을 말해 버리고, 더듬거리고, 상황을 어색하게 만들고 더 나쁘게 만들어" 버리는 아웃사이더의 진 빠지는 처지를 노래한다. 긴박한 록 비트 위로 쉴 새 없이 소리지르는 보컬은 "피부가 뼈에 맞지 않는 것

---

* "I am light as a feather, I'm as stiff as a board", "I forgive, and I forget", "I know my place", "I'm grateful all the time", 〈all-american bitch〉, 《GUTS》 (2023).
** "I could change up my body and change up my face/I could try every lipstick in every shade", 〈pretty isn't pretty〉, 《GUTS》 (2023).
*** "When am I gonna stop being great for my age and just start being good?", 〈teenage dream〉, 《GUTS》 (2023).

같아", "혼자 있을 때 난 멀쩡해, 하지만 밤에 내보내지는 마, 사회적 자살이야"와 같은 사뭇 살벌한 가사와 "이상한 순간에 웃었지", "네 엄마가 네 부인인 줄 알았지", "네 이름을 두 번 틀렸지", "내가 좋아하는 남자는 다 게이지"와 같은 상황 묘사를 뒤섞으며 '웃픔'의 카타르시스를 이룬다.* 로드리고의 디스코그라피에서 〈ballad of a homeschooled girl〉은 제목의 중의('다시 만나고 싶다'와 '복수하고 싶다')를 현란하게 오가는 〈get him back!〉과 함께 가장 웃기는 곡으로, 유머가 얼마나 중요한 성장기 생존 수단인지를 보여 준다.

하지만 유머가 성장의 모든 실수와 후회를 지울 수는 없는 법. 〈making the bed〉는 절실하게 원하던 것을 이룬 바로 그 순간에 찾아오고는 하는, 예상치 못한 방황을 가감 없이 묘사한다. 성공 이후 자신의 모습에 뭔가 문제가 있다고 생각하면서도, 대책을 찾기보다는 "나를 가장 잘 아는 사람들을 밀어내고" "좋을 때만 곁에 있는 친구들과 술에 취하며" 문제를 외면하는 화자에게 가장 혹독한 사람은 화자 자신이다. "머릿속으로는 피해자놀이를 너무 잘하지만" "결국 침대를 정리한 건 나다"라는 후렴구는, 도피 끝에 결국 자기 주변은 스스로 정리해야 하는 현실을 짚은 것으로도, 스스로 저지른 일에 책임을 져야 한다는 숙어('스스로 정리한 침대에 누우라(you've

---

* "Searching 'how to start a conversation?' on a website", "I broke a glass, I tripped and fell/I told secrets I shouldn't tell/I stumbled over all my words/I made it weird, I made it worse", "Feels like my skin doesn't fit right over my bones", "When I'm alone, I'm fine/But don't let me out at night, it's social suicide", "I laughed at the wrong time", "Thought your mom was your wife/Called you the wrong name twice", "Every guy I like is gay", 〈ballad of a homeschooled girl〉, 《GUTS》 (2023).

made your bed, now lie in it)')의 뜻으로도 이해할 수 있다. 직접적으로 는 십 대에 갑자기 세계적 팝스타가 된 로드리고의 자전적 얘기일 수 있지만, 가사 곳곳에 보편적인 정서가 드러난다. "내가 원하던 바"를 얻고 보니 그게 "내가 상상하던 바가 아닌" 경험은 사실 흔하 지 않은가.*

구체적인 가사로 폭넓은 공감대를 만드는 로드리고의 역량이 극적으로 돋보이는 곡은 〈lacy〉이다. 포크 발라드인 이 곡에서 로드 리고는 '레이시'라는 여성형 이름의 인물을 향한 집착, 질투, 갈망, 증오를 오가며 괴로워한다. "퍼프페이스트리 같은 피부"를 지녔고 젊은 브리지트 "바르도의 환생처럼" "똑똑하고 섹시"하며 "내가 원하는 단 하나를 가진" 레이시를 "숭배"하는가 하면, 그런 자신의 "시기 어린 눈"과 "썩은 정신"을 혐오하고, 레이시의 칭찬을 "피부 위 총알처럼" 느끼다 급기야 레이시가 "나를 파괴하려는 것 같아, 내가 하는 모든 일에 독을 타"라며 불안을 호소한다.**

앨범 발매와 함께 〈lacy〉는 여러 해석의 대상이 되었다. 동성 라

---

* "Getting drunk at a club with my fair-weather friends/Push away all the people who know me the best", "And I'm playing the victim so well in my head/But it's me who's been making the bed", "I got the things I wanted, it's just not what I imagined", 〈making the bed〉, 《GUTS》 (2023).

** "Lacy, oh Lacy, skin like puff pastry", "Smart, sexy Lacy, I'm losing it lately", "Dazzling starlet, Bardot reincarnate", "I despise my jealous eyes and how hard they fell for you/Yeah, I despise my rotten mind and how much it worships you", "You got the one thing that I want", "I feel your compliments like bullets on skin", "Lacy, oh Lacy, it's like you're out to get me/You poison every little thing that I do", 〈lacy〉, 《GUTS》 (2023).

이별에게 질투와 동경을 함께 느끼는 심리를 묘사하는 곡이라는 설과 퀴어 사랑곡이라는 설이 맞서는 가운데, 전혀 다른 시각에서 노래에 감정 이입하는 해석도 이목을 끈다. 예를 들어 인터넷에서는 노래의 레이시가 사실 별개 인물이 아니라 화자의 섭식 장애라는 해석이 심심찮게 보이는데, 장애에 이름을 붙이는 섭식 장애 치료법에 착안한 이 관점에서 들을 때 노래는 새로운 슬픔을 획득한다. 또 다른 해석에 따르면, 〈lacy〉는 유색 인종인 화자가 백인 여성의 아름다움을 갈망하는 동시에, 이러한 욕구가 수반하는 자기 부정과 자기 경멸로 고통받는 이야기이다. 로드리고가 필리핀계 유색 인종이라는 점에 이입하고는 하는 이 해석은, 백인 중심적 미의 기준이 여전히 지배하는 세상에서 노래에 또 다른 사회성을 부여한다.*

Z세대 팝스타의 시공간

《GUTS》는 올해 가장 호평받은 앨범 가운데 하나이다. 무르익은 송라이팅에 대한 호평과 함께 여러 기성 평론가가 일관되게 관찰한 점은 로드리고가 1990-2000년대 록 음악의 문법을 얼마나 잘 이해하는지이고, 그래서 로드리고의 음악은 'X세대 아빠들'도 즐길

---

* 노래의 의미는 듣는 이들이 각자 만들어 나가는 것이므로 로드리고의 인종이 〈lacy〉와 관련 있는지가 결정적으로 중요하지는 않지만, 국내 유력 음악 평론 사이트가 로드리고를 "10대 백인 소녀 계층을 위한" 음악을 만드는 가수로 간편하게 분류한 것은 실망스럽다. 한성현, 「Guts, 2023, 올리비아 로드리고(Olivia Rodrigo)」, IZM, 2023년 9월 11일, http://www.izm.co.kr/contentRead.asp?idx=32109&bigcateidx=1&subcateidx=2&view_tp=1.

수 있다는 분석도 보인다.* 세기말 음악이라면 로드리고의 부모나 1982년생인 로드리고의 프로듀서 댄 나이그로(Dan Nigro)가 형성기에 접했을 음악이니, 어쩌면 자연스러운 일이다.

　하지만 십 대의 수년을 너바나 티셔츠와 함께한 사람으로서 《GUTS》를 처음 들었을 때 귀에 먼저 들어온 것은 오히려 X세대 음악과의 중요한 차이점이다. 내가 즐겨 들은 X세대 얼터너티브 음악은 가장 깊은 불안과 두려움을 솔직하게 드러내기 직전에 냉소로 우회하거나 원인이 불투명한 극단적 분노로 격화하고는 했다. 1990년대 시트콤 〈프렌즈(Friends)〉에서 챈들러(Chandler)가 모든 문제를 비꼬는 유머로 덮은 것처럼, 감정의 실상을 다루는 데 서툴기 일쑤였다. 반면 Z세대는 정신 건강을 둘러싼 금기들이 조금은 허물어진 세상에서 성장하고 있고, 로드리고는 심리 상담에 대한 편견을 지적하며 자신은 '퍽 인지전형적(neurotypical)'이지만 상담의 도움을 많이 받는다고 말하는 청년이다.** 《GUTS》에는 불안과 두려움을 덮지 않고 파헤쳐 본, 그래서 문제의 본질을 있는 그대로 바라본 사람의 용기가 베어 있고, 이러한 용기는 앨범의 마지막 가사에서 절정에 이른다—시간이 지나고 성장하면서 "나아진다고 모두 말하지만, 나는 그렇지 않으면 어떻게 하지?"*** 이른 성공만큼 무

*　Jay Caspian Kang, "Why Gen-X Dads Can Appreciate Olivia Rodrigo," *The New Yorker*, September 13, 2023.

**　Olivia Rodrigo, "Olivia Rodrigo Rates Heartbreak, High Heels, and Going To Therapy", *Pitchfork*, October 4, 2023, https://pitchfork.com/video/watch/over-under-olivia-rodrigo-rates-heartbreak-high-heels-and-going-to-therapy.

***　"They all say that it gets better/It gets better the more you grow/They all say that it

거운 증명 부담을 떠안은 상황에서, 소포모어 앨범을 이렇듯 솔직하게 끝맺는 로드리고의 담대함은 여운과 기대감을 남긴다. 서리북

---

gets better/It gets better, but what if I don't?", 〈teenage dream〉, 《GUTS》(2023).

송지우
본지 편집위원. 정치철학, 법철학, 인권학의 교집합에 있는 문제를 주로 연구한다.

"서평은 그 자체로 하나의 우주이다"

서울 리뷰 오브 북스

Seoul Review of Books

책을 아끼고 좋아하는 분들과 함께 이 우주를 담고 싶습니다. 그리고 우리는 독자들과 공감하는 글을 만들기 위해 독자들의 의견을 수렴하고 반영하는 개방된 창구를 항상 열어둘 것입니다. 우리 역시 "계속 해답을 찾아 나가는" 존재가 되어 《서울리뷰오브북스》를 틀과 틀이 부딪치는 공론장으로 만들어 가겠습니다.

하루에도 수십 권의 책이 쏟아져 나오는 시대,
'어떤' 책을 '왜' 읽어야 하는가?
《서울리뷰오브북스》는 그 답을 서평에서 찾습니다.
지난호 특집

0   2020: 이미 와 버린 미래
1   안전의 역습
2   우리에게 약이란 무엇인가
3   모든 여행은 세 번 떠난다
4   한국 경제에 대한 클리셰(cliché)들
5   빅 북, 빅 이슈(Big Books, Big Issues)
6   개발, 개발, 개발
7   계보의 계보
8   스몰 북, 빅 이슈
9   나이듦과 노년에 대하여
10   베스트셀러를 통해 세상 보기
11   냉전과 신냉전 사이

2023 겨울
12호 특집:
인공지능, 어디까지 왔고
어디로 가는가

ⓞ @seoul_reviewofbooks

정기구독 및 뉴스레터 구독 문의
seoulreviewofbooks@naver.com
자세한 사항은 QR코드를 스캔해 주세요.

지금 읽고 있습니다

[편집자] 이번 호 〈지금 읽고 있습니다〉에서는 전국의 동네책방 책방지기들이 '지금 읽고 있는 책'을 소개한다. 참여해 주신 김세희, 김영미, 김지혜, 김혁규, 달리, 박수민, 박수진, 예니, 이성갑, 이올 님께 감사의 말을 전한다.

『그래픽노블
제1차 세계대전』
장 피에르 베르네 지음,
자크 타르디 그림,
권지현 옮김, 서해문집,
2017

전쟁이란 거대 담론을 인수분해 해보면 나와 내 이웃의 이야기가 남는다. 그 속에 담긴 아이러니를 엮어 한 편의 대서사시로 그려 냈다. 과연 과거를 아는 것으로 미래의 불행을 막을 수 있을까?

어떤바람
책방지기 김세희
(제주도 서귀포시)

『철의 시대』
J. M. 쿳시 지음,
왕은철 옮김, 문학동네,
2019

사멸하는 존재의 고독. 철의 시대를 사는 개인의 부채감. 그리하여 사랑할 수 없는 대상을 사랑하라는 윤리적 요청. 이 어려운 문제를 타협하지 않고 지독하게 탐구한 존 쿳시의 역작.

시흥서가
대표 김영미
(강원도 원주시)

『내내 읽다가
늙었습니다』
박홍규·박지원 지음,
사이드웨이, 2019

어떠한 삶을 살고 싶은지, 어떻게 늙고 싶은지 물어본다면, 열 번이고, 백 번이고, 천 번이고, 만 번이고 이 책을 고스란히 내밀겠다. 우리에게 이 책이 있다는 건 복이다.

주책공사
대표 이성갑
(부산시 중구)

『청소부 매뉴얼』
루시아 벌린 지음,
공진호 옮김,
웅진지식하우스, 2019

인생은 비극일까, 희극일까. 고민하는 사람 앞에서 그냥 인생은 인생이야, 하며 툭 하니 던져주는데 그 울림이 꽤 오래 간다.

구월서가
책방지기 김혁규
(경기도 구리시)

『좋은 엄마 학교』
제서민 챈 지음, 정해영
옮김, 허블, 2023

자신을 사랑하는 엄마,
욕망하는 엄마는 나쁜
엄마다. 인공지능
인형에게 '좋은 엄마'가
되지 않으면 실제
자식의 양육권을 뺏기는
SF 디스토피아 소설.
'맘충'으로 엄마들을
통제하고 후려치는
현실의 디스토피아를
떠올리게 한다.

살롱드마고
책방지기 달리
(전라북도 남원시)

『이것도 제 삶입니다』
박채영 지음,
오월의봄, 2023

한 개인이 15년간
섭식 장애와 함께하며
쌓아온 수용과 저항의
역사들. 아픔이 완치된
후에 주어지는 것이
아니라 아픈 과정 역시
삶임을 알려 주는 책.

이것은 서점이 아니다
공동대표 박수민
(광주시 동구)

『나의 조현병 삼촌』
이하늬 지음, 아몬드,
2023

'미쳤다'는 말은 마음이
아픈 사람들을 얼마나
납작하게 만드는가.
오래 부끄러워해야
할 사람은 정신질환
당사자와 가족이
아니라 '아직' 미치지
않은 우리가 아닐까.

아마도책방
책방지기 박수진
(경상남도 남해군)

『슬픈 세상의 기쁜 말』
정혜윤 지음, 위고,
2021

작가가 펼쳐 낸
단어와 그 속에 담긴
이야기를 통해 나의
세계관이 확장되는
느낌을 받았다. 나의
세상을 만드는 단어는
무엇일까?

느리게 책방
책방지기 김지혜
(충청남도 공주시)

『이끼숲』
천선란 지음,
자이언트북스, 2023

미래를 예고하는
경고음, 그리고 위험에
처한 모두를 구하려는
이야기. 순수한 이의
시선을 통해 타인을 향한
애정과 사랑, 결핍과
증오, 절박함과 다정함을
보여 주는 책이다.
올해가 가기 전에 읽어서
참 다행이다.

다다르다
책방지기 예니
(대전시 중구)

『일상 감각 연구소』
찰스 스펜스 지음,
우아영 옮김, 어크로스,
2022

감각 과부하에서
벗어나 생활 환경을
둘러보고, 감각들이
어떻게 상호작용해서
다중 감각 인식을
만들어 내는지 알 수
있는 책. 자신의 감각을
해킹하자는 저자의
제안이 흥미롭다.

이올시다
책방지기 이올
(서울시 마포구)

신간 책꽂이

이 계절의 책
2023년 겨울

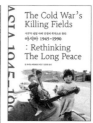

[편집자] 〈신간 책꽂이〉에는 최근 발간된 신간 가운데 눈에 띄는 책을 골라 추천 이유와 함께 소개한다. 이 책들의 선정과 소개에 도움을 주신 분들은 다음과 같다.

김경영(알라딘 인문 담당 MD)
김수현(교보문고 인문 담당 MD)
손민규(예스24 인문 담당 MD)
안찬수(책읽는사회문화재단 상임이사),
(가나다순)

『전쟁이 나고 말았다』 노라 크루크 지음
장한라 옮김, 엘리
러시아의 우크라이나 침공 이후, 사람들은 어떤 삶을 살고 있을까. 현지에서 기자 K와 예술가 D가 보내온 생생한 고통의 메시지는 이 전쟁이 현재 진행형임을 분명히 상기시킨다.(김수현)

『아시아 1945-1990』
폴 토머스 체임벌린 지음, 김남섭 옮김, 이데아
2차 세계대전 이후 냉전 시기, 서방이 장기 평화를 누리는 동안 아시아는 참혹한 전쟁과 폭력으로 물들었다. 그간 주목받지 못했던 아시아 전체의 현대사를 아우르는 역사서.(김경영)

『예루살렘의 역사』 뱅상 르미르 지음
크리스토프 고티에 그림, 장한라 옮김, 서해문집
한 도시를 둘러싼 4,000년의 치열한 역사가 그래픽 노블로 펼쳐진다. '예루살렘은 도대체 어떤 도시길래?' 궁금하다면 25년간 예루살렘을 연구한 역사학자의 인도를 따라가 보자.(김수현)

『제가 참사 생존자인가요』 김초롱 지음
아몬드
10·29 참사 생존자가 건너온 시간들. 그날 이후 무너진 세계 속에서 저자는 처절히 몸부림쳤고, 차분히 기록했다. 이제 이 책은 오랫동안 증언으로 남을 것이다. (김경영)

『4·3이 나에게 건넨 말』 한상희 지음, 다봄
저자는 자신의 개인사에서부터 시작하여,
1947년 3·1절 발포 사건부터 1954년 9월
21일 한라산 통행 금지령이 해제될 때까지
무려 7년 7개월에 걸친 4·3을 전해 준다. 이
책의 어투는 마치 선생님이 학생들에게 말하는
듯하다. 학생들과 함께 읽으면 좋겠다.(안찬수)

『오늘도 2명이 퇴근하지 못했다』 신다은 지음
한겨레출판
《한겨레》 사회부에서 노동을 담당하고 있는
신다은 기자는 사회적 참사와 재난의 현장을
찾아서 '안전'이란 어떻게 확보해야 하는가를
묻는다. 재난과 참사뿐만 아니라 일터 곳곳에서
안전 사고가 자꾸 일어나는 우리 현실에 꼭
필요한 책이다.(안찬수)

『괴물 부모의 탄생』 김현수 지음, 우리학교
일부의 일탈이 아니다. 많은 부모가 괴물이
되었다. 교실을 교란하고, 자식마저 망친다.
이 책은 먼저 괴물 부모 문제를 겪은 홍콩과 일본
사례를 검토하며 대처법을 모색했다.(손민규)

『전세지옥』 최지수 지음, 세종서적
전세 사기 피해자 상당수가 청년이다. 전세 사기
피해자인 저자가 쓴 기록은 이 사회가 어떻게
청년을 착취하고 사기 치는지를 생생하게
묘사한다. 눈물과 분노 없이는 읽지 못할 책.
(손민규)

『학교의 재발견』 더글러스 다우니 지음
최성수·임영신 옮김, 동아시아
과연 학교는 불평등의 주범인가? 더글러스
다우니는 "학교는 불평등을 유발하는 '문제'가
아니라 불평등 문제를 풀 수 있는 '해법'"이라고
말한다. 그리고 진정으로 교육 불평등을
줄이고자 한다면 소득 불평등과 같이 학교 밖
불평등을 줄여야 한다고 말한다.(안찬수)

『가난한 아이들은 어떻게 어른이 되는가』
강지나 지음, 돌베개
빈곤 가정에서 자란 여덟 명의 아이와 10년 넘게
교류하며 쓴 이 책은 탈빈곤이 얼마나 힘든지
증언한다. 현대의 가난을 구성하는 건 관계,
교육, 정서 등 총체적인 빈곤이다.(손민규)

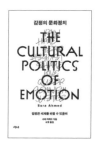

『그여자가방에들어가신다』 김진희·박소영·
오규상·이재임·최현숙·홍수경·홍혜은 지음
홈리스행동 생애사 기록팀 기획, 후마니타스
2년간 여성 홈리스와 만나며 기록한 이야기.
이들의 생애사에는 남자 홈리스로부터 들을
수 없었던 빈곤, 폭력의 모습이 담겨 있다.
대한민국 사회에 던지는 묵직한 질문.(손민규)

─────────

『맘카페라는 세계』 정지섭 지음, 사이드웨이
대한민국 최초의 맘카페론. 지금 왜
맘카페에 주목해야 하는가? 맘카페에서
오가는 담론과 나타나는 현상이 대한민국의
욕망이라서다. 맘카페에 가면 저출산의 이유가
보인다.(손민규)

─────────

『단독성들의 사회』 안드레아스 레크비츠 지음
윤재왕 옮김, 새물결
'좋아요'는 어떻게 화폐가 되는가? 독일
사회학자 안드레아스 레크비츠가 21세기
자본론을 완성했다. 개인과 사회, 정치와
경제, 주체 문제를 '단독성'이라는 키워드로
분석한다.(손민규)

『감정의 문화정치』 사라 아메드 지음, 시우 옮김
오월의봄
페미니스트 독립연구자 사라 아메드의 주요
연구. 감정은 세상에 무슨 일을 하는가? 권력
구조와 감정, 개인의 규범과 세계가 변하지
않는 이유의 관계에 관한 분석.(김경영)
정동 연구의 걸작. 책임져야 할 가해자가
피해자로 둔갑하는 현상을 어떻게 이해해야
할까? 인종, 이주, 차이, 역사, 국가를
비판적이고 독창적으로 읽어 내는 문제작.
(손민규)

─────────

『인셀 테러』 로라 베이츠 지음, 성원 옮김
위즈덤하우스
영국 페미니스트 저자의 여성혐오 커뮤니티
잠입 추적기. 그들의 혐오는 어떻게 확대
재생산되며 현실적 위험으로 발전하는가.
끔찍한 현실을 정면으로 마주한다.(김경영)

『눈부시게 불완전한』 일라이 클레어 지음
하은빈 옮김, 동아시아
장애인, 노동계급, 퀴어라는 다중적인
정체성으로 현대 사회에 도전해 온 일라이
클레어의 신간. 저자의 경험과 구조 너머를
사색하는 통찰이 어우러진 매혹적인 인문
에세이.(손민규)

『나는 동물』 홍은전 지음, 봄날의책
"우리는 개, 돼지가 아니"라며 울부짖는 장애
해방 운동과 "인간도 동물"이라는 동물권 운동의
세계를 오가며 홍은전이 느낀 것들. 비참한
현실, 투쟁적 진실, 아름다운 문장.(김경영)

『옷을 사지 않기로 했습니다』 이소연 지음,
돌고래
'옷은 많은데 입을 게 없다'는 생각을 해본
이들에게 권한다. 옷을 사지 않는 게 곧 스타일의
포기는 아니다. 저자는 착취 없이도 자기만의
멋을 가질 수 있음을 손수 증명한다.(김수현)

『딸이 조용히 무너져 있었다』 김현아 지음, 창비
딸이 양극성 장애 진단을 받은 이후
7년째 딸의 병과 함께 살고 있는 의사
엄마의 기록. 짧은 병명이 담지 못하는
고통의 구체적 일상, 그리고 엄마가 병에
관해 절박하게 공부한 것들.(김경영)
잘 크고 있는 줄 알았던 딸이 양극성 장애로
진단받은 이후에 벌어진 과정을 기록한 책.
엄마이자 의사인 저자는 딸과, 양극성 장애를
이해하기 위해 고군분투한다.(손민규)

『눈이 보이지 않는 친구와 예술을 보러 가다』
가와우치 아리오 지음, 김영현 옮김, 다다서재
전맹인 시라토리 씨에게 작품에 대해 이야기해
주면서, 저자는 서로 '몸의 기능을 확장하며
연결되는' 경험을 한다. 편견을 깨고 세계를
넓혀 가는 여정의 동행자로 우리를 초대하는
책.(김수현)

『조약돌 할아버지』 사에 슈이치 지음
김강언 그림, 김송이 옮김, 상추쌈
'일본 공해 사건의 출발점'이라 하는 '아시오 광독
사건' 전개 과정에서 '직소'했던 사람으로 알려진
다나카 쇼조의 일대기를 펴냈다. 그가 죽었을 때,
재산을 모두 광독 반대에 써서 무일푼이었다고
한다. 유품은 일기장 세 권과 『와타라세 강 조사
보고서』 초고, 신약 성서 한 권, 『일본제국헌법』과
『마태복음』을 하얀 실로 묶은 책, 휴대용 필기구
하나, 갓 딴 강 김과 휴지 몇 장, 그리고 조약돌
세 개뿐이었다고 한다.(안찬수)

『소리 없이 울다 간 사람』 곽효환 지음
문학과지성사
이번 시집을 읽어 보니 더 바쁘게 기차와
비행기를 타고 이곳저곳을 다닌 모양이다.
1부에 묶인 시들은 마치 '다큐멘터리 시'라고
해야 할까? 만주와 시베리아를 답사하고 쓴
시들이 묶여 있다. '북방의 길'을 탐사하고
있다. 고려인의 발자취가 담겨 있다. 시인이
변방을 찾아 발걸음을 옮기는 이유는
무엇일까?(안찬수)

『그을린 고백』 장석 지음, 강
『사랑은 이제 막 태어난 것이니』, 『우리 별의
봄』을 펴낸 것이 2020년의 일이다. 그리고
연이어 『해변에 엎드려 있는 아이에게』가 나온
지도 얼마 되지 않았다. 무려 40년 동안이나
'묵언 수행'을 하던 도인이 말문을 열어 설법에
나선 듯하다. 아닌가? 묵정 밭에 새순이
여기저기 돋아 나와 들판을 파랗게 물들이는
듯하다.(안찬수)

『사랑에 미쳐 날뛸 날이 올 거다』 황규관 지음
책구름
제목이 눈길을 잡아 끈다. '사랑에 미쳐 날뛸
날이 올 거다'는 김수영의 시, 「사랑의 변주곡」에
나오는 구절이다. 김수영의 시와 산문은
우리 현대 시인의 마르지 않는 자양분이다.
황규관 시인은 김수영을 다시 읽고, 또 다시
읽는다. '다시 읽기'를 통해 김수영을 새롭게
보고, 김수영의 시와 산문을 통해 시를 새롭게
발견하고자 하기 때문이다.(안찬수)

『러시아적 인간』 이즈쓰 도시히코 지음
최용우 옮김, 글항아리
현상적 러시아가 아닌, 현상의 밑바닥에 흐르는
'영원한 러시아'를 분석한 책. 19세기 러시아
문학과 이념을 훑으며 러시아적 인간상을
밝혀내는 서술이 매우 흥미롭고 흡입력
있다.(김경영)

『세상은 이야기로 만들어졌다』
자미라 엘 우아실·프리데만 카릭 지음
김현정 옮김, 원더박스
좋은 이야기란 무엇이며 어떤 힘을 갖는가?
이야기가 어떻게 흘러왔는지, 누가 그것을 만들고
이용했는지, 무슨 내용을 담았는지, '서사'의
역사와 구성을 전방위적으로 다룬 책.(김수현)

『한동일의 라틴어 인생 문장』 한동일 지음
이야기장수
『라틴어 수업』 한동일이 붙든 문장들. 때로는
한 문장이 생을 일으키기도 한다. 아무 페이지나
펼쳐 낯선 언어로 쓰인 문장을 느껴 보자. 새로운
즐거움을 맛볼 수 있을 것이다.(김수현)

『결심이 필요한 순간들』 러셀 로버츠 지음
이지연 옮김, 세계사
답이 없는 문제의 연속인 인생. 선택을 앞두고
있다면, 결심이 부담스럽다면 이 책을 읽어
보자. 먼저 선택과 맞닥뜨렸던 이들의 전략을
살펴보는 것도 적잖이 도움이 될 테니.(김수현)

『행복 공부』 김회삼 지음, 생각의힘
경제학 교수가 쓴 행복론. 행복을 위해 어떻게
돈을 대해야 할지, 살아야 할지에 관해 논한다.
돈은 있어도 그만, 없어도 그만. 그보다는 관계,
몰입, 덕행에 집중하자.(손민규)

『우세한 책들』 장윤미 지음, 사람in
'이 책을 통해 읽고 싶은 책을 발견했는가?'를
좋은 책 고르는 기준 중 하나로 삼고 있다.
그 기준에 따르면 이 책은 만점에 가깝다. 궁금한
책 투성이다. 장바구니가 가득해졌다.(김수현)

**『상황과 이야기』 비비언 고닉 지음, 이영아 옮김
마농지**
비비언 고닉의 문장에는 늘 그의 강렬한 자아가
들러붙어 있다. 인간적으로 친하게 지내고
싶지는 않지만 글로는 영원히 만나고 싶을
정도로 매력적인. 이 책에 그 자아의 비밀이
모두 들어 있다.(김경영)

**『이렇게 작가가 되었습니다』 정아은 지음
마름모**
정아은 작가가 알려 주는 글쓰기 세계의
리얼리티. 작가의 젠체는 싹 빼고 오로지
솔직함으로 무장한 이야기를 읽다 보면 어느새
그의 성실히 쓰는 삶을 마음으로 응원하게 된다.
(김경영)

『편집 만세』 리베카 리 지음, 한지원 옮김, 월북
작가는 쓰고 독자는 (마침내) 읽는다. 생략된
'마침내'는 책이 만들어지는 치열하고 험난한
과정 끝에 붙는 편집자의 한숨 같은 것이라 할 수
있겠다. 광활한 도서 편집 세계로의 초대.
(김경영)

『첫 책 만드는 법』 김보희 지음, 유유
책, 그중에서도 '첫' 책 만들기를 말하고 있지만
기획하는 법에 대한 이야기이기도, 함께 일하는
법에 대한 이야기이기도 하다. 글 잘 쓰고,
일 잘하고 싶은 이들에게 추천!(김수현)

**『아주 사적인 은하수』 모이야 맥티어 지음
김소정 옮김, 까치**
'우리은하 일인칭 주인공 시점'이라는 신선한
구성의 교양 과학책. 수다쟁이 은하의 매력에
빠져 보자. 다 읽어 갈 때쯤 당신은 이미 우주를
깊이 사랑하고 있을지도 모른다.(김수현)

더 깊게, 더 진실되게, 더 간절히

인간의 마음으로 한 걸음 더 내딛는
일곱 편의 이야기

대상
권여선 · 사슴벌레식 문답

우수상
최진영 · 썸머의 마술과학 서유미 · 토요일 아침의 로건
최은미 · 그곳 구병모 · 있을 법한 모든 것
손보미 · 끝없는 밤 백수린 · 빛이 다가올 때

2023
김승옥문학상
수상작품집

무너진 자리에서 쓰기 시작한 일기,
지나간 시절을 기록하며 마침내 새로운 계절을 맞다

2023년 신동엽문학상 수상 작가 이주혜가 그려낸
기억, 쓰기, 회복에 관한 지금 가장 아름다운 소설

계절은 짧고 기억은 영영

이주혜 장편소설

21,16.800원

야만과 혐오와 차별을 통과하는, 누구 한명의 것일 수 없는 작중 인물들의
이야기는 결국 이주혜의 이야기이자 책을 읽는 '나'들의 이야기가 된다. 이
이야기의 끝에서 우리는 송아지 눈망울 같은 진심과 만나게 된다. 소설을
향한 이주혜의 놀라운 진심 말이다. **하성란 소설가**

사과하고 싶었다. 그전에 말을 걸고 싶었다. 아니, 그전에 이름을 불러주고
싶었다. 다정하게 안부를 묻고 싶었다. **'작가의 말' 중에서**

창비
Changbi Publishers

물리학자 김상욱이 전하는
세상 모든 존재들에 대한 이야기

"이 책은 세상을 이해하기 위해
경계를 넘은 물리학자의
좌충우돌 여행기이자,
세상 모든 것에 대해 알고 싶은
사람을 위한 지도책입니다."

―김상욱

원자에서 인간까지

◆◆◆

한 권으로 관통하는 삶과 과학의 향연
김상욱과 함께라면 과학도 이제 교양이 된다

하늘과 바람과 별과 인간

김상욱 지음 | 404쪽 | 17,800원

바다출판사

사월의눈 사진책

사진. 86장
216쪽
값 45,000원
ISBN 979-11-89478-12-4
(03660)

구입처
알라딘
유어마인드
이라선
낫온리북스
스프링 플레어
더북소사이어티

리듬총서 1 ## 대구는 거대한 못이었다

사진과 글. 엄도현

엄도현 작가가 2021년과 2022년, 두 해에 걸쳐 방문한 대구의 모습을 담고 있다. 일종의 여행 일기이자 사진에세이이기도 한 이 책에서 작가는 존재했으나 존재하지 않고, 존재하지 않으나 존재하는 대구의 못 관련 이야기와 장면들을 담아냈다. 연못과 호수, 저수지와 물 등의 경계가 흐려지는 이 탐색 속에서 대구는 밋밋하고 재미없는 도시도, 정치적으로 보수적인 동네도, 삼성과 사과의 지역도 아닌, 가상 같기만 한 과거와 현재가 사람들의 기억 속에서 출렁이는 유동적인 여러 도시 중 하나로 재현될 것이다.

리듬총서는 사월의눈이 시작하는 첫 총서의 이름이다. 리듬총서는 세계 혹은 한국에 크거나 작은 단위로 존재하는 지역의 리듬을 포착한다. 리듬총서는 행정 구역 단위를 너머 지역을 상상하고, 품고, 다시 그리고자 한다. 리듬총서는 철학자 앙리 르페브르의 『리듬분석』에서 영감을 얻어 갖고온 이름이다. 리듬총서는 그 어떤 지역도 하나의 이미지로 고정될 수 없다는 믿음에서 시작한다.

사월의눈   웹사이트 aprilsnow.kr   인스타그램 aprilsnow_press

출판N

https://nzine.kpipa.or.kr

출판 현장에 대한 오늘의 목소리

Now / Next / News / Network

<출판N>은 책 문화의 현재(Now)와 미래(Next)를 그리는 매체(News)로
다양한 목소리와 연대, 연결을 지향(Network)하는 출판 전문 웹진입니다.

국내외 출판 산업 주요 현안에 대한 이슈 제시와 분석을 통하여 담론 형성의 장을 제공하고,
다양한 출판계의 목소리를 담아 출판시장 확대를 모색하고자 합니다.

<출판N> 바로가기　　뉴스레터 구독신청

한국출판문화산업진흥원 웹진 <출판N>

<출판N> 뉴스레터를 구독하시고 출판계의 다양한 소식을 받아보세요!

한국출판문화산업진흥원
Publication Industry Promotion Agency of Korea

54866 전라북도 전주시 덕진구 중동로 63 | 대표전화 : 063-219-2700
Publication Industry Promotion Agency of Korea. All Rights

서울 리뷰 오브 북스

Seoul
Review of
Books
2023 겨울

12

발행일	2023년 12월 15일
발행인	홍성욱
편집위원	강예린, 권보드래, 권석준, 김두얼, 김영민, 김홍중,
	박진호, 박훈, 송지우, 심채경, 유정훈, 이석재, 정우현
	정재완, 조문영, 현시원, 홍성욱
편집장	홍성욱
책임편집	김홍중
출판PM	알렙
편집	장윤호
디자인	정재완
제작	(주)대덕문화사
발행처	(사)서울서평포럼
등록일	2020년 12월 4일
등록번호	서초, 바00195호
주소	서울시 서초구 반포대로13길 33, 3층 301호(서초동)
전자우편	seoulreviewofbooks@naver.com
웹사이트	www.seoulreviewofbooks.com
ISSN	2765-1053 34
값	15,000원

© 서울리뷰, 2023

이 책에 실린 글과 사진은 저작권법에 의해 보호를 받는
저작물이므로 사전 협의 없이 무단으로 사용할 수 없습니다.
서울리뷰오브북스는 한국고등교육재단의 후원을 받고 있습니다.

구독 문의	seoulreviewofbooks@naver.com
정기구독	60,000원 (1년/4권) → 50,000원(17% 할인)
	자세한 사항은 QR코드를 스캔해 주세요.

광고 문의	출판, 전시, 공연 등 다양한 영역에서 서울리뷰오브북스의
	파트너가 되어 주실 분들을 찾습니다. 제휴 및 광고 문의는
	seoulreviewofbooks@naver.com로 부탁드립니다.
	단, 서울리뷰오브북스에 실리는 서평은 광고와는 무관합니다.